D0795273

UN CŒUR BIEN ACCORDÉ

Jan-Philipp Sendker est né en 1960 à Hambourg. Journaliste et écrivain, il a été correspondant du magazine *Stern* aux États-Unis de 1990 à 1995, puis en Asie, de 1995 à 1999. Il vit aujourd'hui à Berlin avec sa famille.

Paru dans Le Livre de Poche :

L'Art d'écouter les battements de cœur

JAN-PHILIPP SENDKER

Un cœur bien accordé

ROMAN TRADUIT AVEC L'AUTORISATION DE L'AUTEUR À PARTIR DE
LA VERSION ANGLAISE DE KEVIN WILIARTY PAR LAURENCE KIEFÉ

JC LATTÈS

Titre original :

A WELL-TEMPERED HEART
Publié par Other Press, LLC, New York.

© Karl Blessing Verlag, 2012.
Publié en Allemagne sous le titre *Herzenstimmen* en 2012
par Karl Blessing Verlag, Munich.
Traduction anglaise © 2013 Kevin Wiliarty. Tous droits réservés.
Cette traduction a été publiée avec l'accord de Other Press LLC.
© Éditions Jean-Claude Lattès, 2015, pour la traduction française.
ISBN : 978-2-253-06830-3 – 1re publication LGF

Pour Anna, Florentine, Theresa et Jonathan

I

1

Le jour où ma vie dérailla, le ciel matinal d'un bleu profond était limpide. On était vendredi, la semaine précédant Thanksgiving, et il faisait un froid sec. J'eus souvent l'occasion de m'interroger : aurais-je dû voir tout ça arriver ? Comment cela avait-il pu m'échapper ? Comment avais-je pu échouer aussi lamentablement à anticiper pareil désastre ? Moi plus que quiconque ? Une femme qui détestait les surprises. Qui préparait méticuleusement chaque rendez-vous, chaque voyage, même une sortie de week-end ou un simple dîner entre amis. Je n'étais pas du genre à laisser quoi que ce fût au hasard. L'inattendu me paraissait presque insupportable. La spontanéité ne recelait aucun charme.

Amy était convaincue qu'il avait dû y avoir des signaux d'alerte, qu'il y en avait toujours. Sauf que nous sommes tellement pris par le quotidien de l'existence, prisonniers de nos propres habitudes, que nous oublions d'y prêter attention.

Les petits détails qui en disent long.

D'après elle, nous sommes à nous-mêmes notre plus grand mystère ; et le but de notre existence, c'est de résoudre ce mystère. Personne n'y parvient jamais, affirme-t-elle, mais il est de notre devoir de suivre la piste. Sans nous soucier de la distance ni de l'endroit où elle va nous mener.

J'avais des doutes. Les certitudes d'Amy et les miennes divergent souvent. Même si, en l'occurrence, je vois de quoi elle parle, du moins dans une certaine mesure. Il était tout à fait concevable qu'au cours des derniers mois se soient produits des incidents réguliers, des événements qui auraient dû m'alerter. Mais combien de temps pouvons-nous consacrer à guetter ce que nous raconte notre moi intérieur, pour avoir peut-être l'occasion de recueillir quelque indice, quelque témoignage ou trouver la clé de quelque énigme ?

Je n'étais pas du genre à considérer la moindre altération physique comme symptomatique d'une perturbation dans mon équilibre psychique.

Ces petits boutons rouges dans le cou – ceux qui, en quelques jours, s'étaient transformés en éruption douloureuse, brûlante, pour laquelle aucun médecin n'avait d'explication, ceux qui avaient disparu quelques semaines plus tard aussi brusquement qu'ils avaient surgi – ceux-là pouvaient bien avoir été provoqués par n'importe quoi. Tout comme les bourdonnements d'oreille occasionnels. Les insomnies. L'irritabilité et l'impatience croissantes, dirigées principalement contre moi. J'étais une habituée de ces symptômes-là et je les attribuais à la charge de travail que nous avions au cabinet. C'était le prix à payer pour chacun de nous, que nous acceptions tous. Je n'avais aucune raison de me plaindre.

La lettre était posée là, au milieu de mon bureau. Une enveloppe «par avion», bleu pâle, légèrement froissée, le genre que plus personne n'utilise aujourd'hui. J'avais reconnu d'emblée son écriture. Personne d'autre ne portait autant d'attention à l'écriture manuscrite. Chaque lettre était pour lui une œuvre d'art en miniature. Il donnait à chaque ligne descendante une attention méticuleuse, comme le mérite la calligraphie. Chaque lettre de chaque mot était un cadeau. Deux pages, écrites serré, chaque phrase, chaque ligne tracée sur le papier avec la dévotion et la passion que seul quelqu'un pour qui l'écriture est un trésor inestimable peut ressentir.

Sur l'enveloppe, un timbre américain. Il avait dû la confier à quelque touriste ; la méthode la plus rapide et la plus sûre. Je regardai la pendule. Je ne disposais que de deux minutes avant notre prochaine réunion mais la curiosité l'emporta. J'ouvris l'enveloppe et parcourus à la hâte les premières lignes.

Un coup frappé sans douceur à la porte m'arracha à ma lecture. Mulligan se tenait sur le seuil et sa charpente massive et musclée occupait presque tout l'espace. Je lui aurais volontiers demandé un moment de patience. Une lettre de mon frère en Birmanie. Un petit chef-d'œuvre qui… Il sourit et sans me laisser le temps de dire quoi que ce soit, tapota de l'index sa montre mastoc. Je hochai la tête. Mulligan était un des associés de chez Simon & Koons et notre meilleur avocat, mais il était incapable de considérer la calligraphie comme un don. Lui-même écrivait de façon illisible.

Mes collègues attendaient déjà. Ça sentait le café chaud ; nous nous assîmes et le silence se fit. Dans les semaines à venir, nous allions déposer une plainte pour un de nos clients les plus importants. Une histoire compliquée. Atteinte au droit de propriété, copies illégales venues d'Amérique et de Chine, dommages et intérêts portant sur des centaines de millions. Le temps était compté.

Mulligan ne parlait pas fort, pourtant sa voix profonde résonnait dans tous les coins de la salle. Au bout d'à peine quelques phrases, j'avais déjà du mal à le suivre. Je tentai de me concentrer sur ce qu'il disait mais j'étais sans cesse distraite, attirée par quelque chose à l'extérieur de la pièce. Loin de cet univers d'accusations et de contre-accusations.

J'étais en train de penser à mon frère en Birmanie. Je le vis soudain devant moi. Notre première rencontre dans la maison de thé délabrée à Kalaw me vint à l'esprit. Cette façon de me scruter longuement avant de soudain s'approcher de moi. Vêtu d'une chemise blanche jaunissante, d'un longyi délavé et chaussé de tongs usées. Le demi-frère dont je n'avais jamais soupçonné l'existence. Je le pris pour un vieux mendiant à la recherche d'une aumône. Je pensai à la façon dont il s'était assis à ma table pour me poser une question. « Croyez-vous en l'amour, Julia ? » Depuis ce jour, j'entends toujours sa voix dans ma tête. Comme si le temps se figeait devant cette question. J'avais ri – et cela ne l'avait nullement démonté.

Tandis que Mulligan parlait d'une voix monocorde de « valeur de la propriété intellectuelle », les premières phrases de mon demi-frère résonnèrent dans ma tête. *Verbatim.* « Je suis sérieux, avait continué U Ba, imperturbable. Je parle d'un amour qui rend la vue aux aveugles. D'un amour plus fort que la peur. Je parle d'un amour qui insuffle du sens à la vie… »

Non, avais-je fini par répondre. Non, je ne crois à rien de ce genre.

Au cours des jours suivants, U Ba m'avait montré à quel point je faisais fausse route. Et maintenant? Presque dix ans après? Croyais-je en une force qui rend la vue aux aveugles? Serais-je capable de convaincre une seule personne dans cette assistance qu'un individu peut triompher de l'égoïsme? Ils s'esclafferaient.

Mulligan continuait à jacasser. «Le dossier le plus important de l'année… donc il faut que nous… » Je faisais de mon mieux pour me concentrer mais mes pensées ne cessaient de flotter à la dérive, sans but, comme des copeaux de bois ballotés par les vagues.

— Julia.

Mulligan me ramena brutalement dans la réalité de Manhattan.

— Tu as la parole.

Je lui fis un signe de tête, jetai un coup d'œil désespéré sur mes notes et, alors que je m'apprêtais à démarrer avec quelques phrases bateau, je fus interrompue par un faible murmure.

J'hésitai.

Qui es-tu?

À peine un souffle, et pourtant indubitable.

Qui es-tu?

Une voix de femme. Très basse, mais claire et nette.

Je regardai par-dessus mon épaule droite pour voir qui venait m'interrompre avec une pareille question à un pareil moment. Personne.

D'où pouvait-elle venir, cette voix ?

Qui es-tu ?

Instinctivement, je jetai un coup d'œil à gauche. Rien. Un chuchotement sorti de nulle part.

Que te veulent donc ces hommes ?

Silence crispé de tous les côtés. Je pris une profonde inspiration et expirai lentement. J'avais les joues en feu. Je restai immobile, muette, les yeux baissés. Quelqu'un s'éclaircit la gorge.

Méfie-toi.

— Julia ?

Pas un mot. Pas un seul mot. Le souffle court. D'où venait donc cette voix ? Qui était en train de me parler ? Que voulait-elle ? Et qu'avais-je à craindre de mes collègues ?

— N'hésite pas à te jeter à l'eau. Nous sommes tout ouïe.

L'impatience croissante de Mulligan. Des toux désapprobatrices.

Sois très prudente. Prends garde à ce que tu dis. Ne regarde pas n'importe qui.

Je relevai la tête pour examiner avec circonspection ceux qui m'entouraient. Certains s'agitaient, mal à l'aise. L'air inquiet de Marc ; il sentait à quel point je souffrais. J'imagine. Un sourire narquois flottait sur le large visage de Frank. Comme s'il avait toujours su que, un jour ou l'autre, je m'effondrerais lamentablement sous la pression.

Tu ne dois pas leur faire confiance, quoi qu'ils disent.

16

Cette voix bloquait la mienne. J'étais paralysée. Leurs visages se mélangeaient. Les paumes moites. Mon cœur battait plus vite.

— Julia. Tu te sens bien ?

Personne ne va t'aider.

— Si je peux…, commençai-je.

Silence complet une fois de plus. Ma voix avait résonné plus que nécessaire. Davantage un cri qu'une courtoise entrée en matière. Leurs regards. Leur silence pesant. Je me sentis prise de vertige. Au bord de l'évanouissement.

— Voulez-vous un verre d'eau ?

La question paraissait sincère. Étais-je en train de m'abuser ? Avais-je vraiment besoin d'être sur mes gardes ?

Plus un mot. Tiens ta langue.

Un gouffre sombre s'ouvrait devant moi, de plus en plus béant à chaque seconde. J'avais envie de me cacher, de partir me tapir quelque part. Mais, au nom du ciel, qu'est-ce qui m'arrivait ? J'entendais une voix, ça c'était évident. Une voix sur laquelle je n'avais aucun contrôle. Une inconnue. À l'intérieur de moi. Je me sentais rétrécir de plus en plus. Toujours plus petite et toujours plus acculée. Impossible de prononcer un mot tant que la voix dans ma tête ne se serait pas tue. Je me bouchai les oreilles à plusieurs reprises, rapidement, brutalement, comme quand les bourdonnements se faisaient trop bruyants. Je tentai de prendre à nouveau une profonde inspiration tout en sachant que c'était inutile.

Ils ne te veulent aucun bien. Leurs sourires sont faux. Ils sont dangereux.

Crier. Noyer cette voix sous la mienne. FICHEZ-MOI LA PAIX. TAISEZ-VOUS. ARRÊTEZ. ARRÊTEZ.

Pas un mot. Pas un seul mot.

J'échangeai un regard avec Mulligan. Je compris que c'était la vérité : personne dans cette salle ne pourrait m'aider. Il fallait que je sorte. Immédiatement. J'irais aux toilettes, dans mon bureau, chez moi, ça n'avait pas d'importance, tant que c'était loin d'ici. Ils étaient là pour assister à une présentation. Ils s'attendaient à des propositions, à des idées, et si je n'étais pas à la hauteur de la tâche, au moins je leur devais une explication pour ma conduite. Une excuse. Mais j'étais dans l'impossibilité de fournir l'une comme l'autre. Je n'avais pas les forces nécessaires. Je n'avais rien à dire. Une brève hésitation, puis je me redressai lentement, repoussai ma chaise et me levai. J'avais les jambes tremblantes.

Qu'est-ce que tu fais ?

— Bon sang, qu'est-ce que tu fabriques, Julia ?

Je rassemblai mes papiers, fis volte-face et me dirigeai vers la porte. Mulligan était en train de crier quelque chose mais je ne comprenais plus un seul mot de ce qu'il disait.

J'ouvris la porte, je sortis et je la refermai silencieusement derrière moi.

Et maintenant ?

Je suivis le couloir jusqu'à mon bureau en passant devant les toilettes, je posai les documents sur ma table, je pris mon manteau, je fourrai la lettre d'U Ba dans mon sac et je quittai le cabinet calmement, sans prononcer un mot.

Sur le moment, je n'avais pas pris conscience que, en toute ignorance, j'avais déjà commencé mon voyage. Lors de cette journée d'automne, aussi limpide que glaciale, la semaine précédant Thanksgiving.

2

Kalaw, le 9 novembre 2006

Ma chère petite sœur,

J'espère que cette lettre te trouvera en bonne santé et de belle humeur. Je t'en prie, pardonne-moi ce long silence. Je ne me souviens plus quand exactement j'ai trouvé le temps de t'écrire quelques lignes. Était-ce dans la chaleur de l'été ou bien avant le tournant de la mousson ?

Il semble qu'une éternité se soit écoulée depuis, même si, dans ma vie et à Kalaw, il y a eu peu d'événements marquants. La femme de l'astrologue est tombée malade et elle va bientôt mourir ; la fille du propriétaire de la maison de thé où nous nous sommes vus pour la première fois a eu un fils. Ce sont les mêmes nouvelles que partout ailleurs dans le monde, n'est-ce pas ? Et pourtant, notre vie ici suit un rythme bien différent de la tienne, comme tu te le rappelles sans doute. Quant à moi, je dois avouer que je suis incapable d'imaginer à quel point ton monde tourne vite.

Je me porte moi-même plutôt bien. Je continue à restaurer mes vieux livres, bien que cette tâche devienne de plus en plus éprouvante et fatigante à mesure que le temps passe. Ce sont mes yeux, petite sœur. Ma vue se détériore de jour en jour. Petit à petit, j'atteins l'âge où la lumière disparaît. Pour aggraver encore la situation, ma main droite a pris l'habitude tenace et désagréable de trembler légèrement, ce qui complique encore la tâche de coller des petits bouts de papier sur les trous que perce sans cesse dans les pages cette vermine affamée. Là où autrefois trois mois suffisaient pour rendre un de mes livres à nouveau lisible, il m'en faut désormais six ou même davantage lorsqu'il s'agit d'ouvrages plus importants. Cependant, à quoi bon, je me demande parfois, m'éperonner ainsi ? S'il y a bien une chose dont je dispose à foison, c'est de temps. Ce n'est que la vieillesse venue qu'on apprécie pleinement la valeur du temps et je suis un homme riche. Mais que je cesse de t'infliger le récit des maladies d'un vieillard ! Si je ne retiens pas ma plume, tu vas commencer à te faire du souci pour ton frère, une inquiétude totalement dénuée de fondement. Je ne manque de rien.

À moins que je ne me trompe, ce doit être à présent l'automne chez toi. J'ai lu autrefois dans un de mes livres que l'automne était la plus belle saison à New York. Est-ce vrai ? Hélas, comme je sais peu de choses de ta vie.

Notre saison des pluies tire doucement à sa fin, les cieux sont à nouveau secs et clairs, les températures baissent et d'ici peu de temps la première gelée apparaîtra sur les plantes de mon jardin. Oh, comme je chéris la vue de cette blancheur délicate sur les brins d'herbe si verte !

Hier, il s'est passé ici quelque chose d'extraordinaire. Une femme est morte sous le banian, au carrefour. Quelques instants auparavant, à en croire mon voisin qui a été témoin de l'affaire, elle se lamentait bruyamment. Elle était en route pour le marché lorsqu'elle a été la proie d'un brutal évanouissement.

Cramponnée à sa sœur pour ne pas s'écrouler, elle ne cessait de crier pour implorer qu'on lui pardonne. D'énormes larmes, prétendument grosses comme des cacahuètes, roulaient sur ses joues, bien que j'aie du mal à y croire. Tu sais bien sûr à quel point les gens sont enclins à l'exagération. Elle s'était brusquement éloignée de sa sœur pour suivre un jeune homme inconnu, en criant à de multiples reprises un nom que personne dans le village n'avait jamais entendu. Lorsque le jeune homme s'est retourné, surpris, pour voir ce que signifiait tout ce charivari, leurs regards se sont croisés. La femme s'est immobilisée et elle est morte sur le coup. Comme si elle avait été frappée par la foudre alors que la journée était radieuse. Personne ne peut fournir la moindre explication. Sa sœur est inconsolable. Elles avaient partagé des années durant une existence retirée à la périphérie du village. Toutes deux n'avaient que peu d'amis et même leurs voisins ne disposaient d'aucune information. Très bizarre, je dois dire; ils sont généralement au courant de tout. Depuis, cet incident alimente toutes les conversations de notre petite ville, dans les maisons de thé et sur la place du marché. Beaucoup de gens affirment que le jeune homme a des pouvoirs magiques et qu'il l'a tuée d'un seul regard. Le pauvre gars réfute pareille accusation et clame son innocence. Pour l'instant, il s'est réfugié dans la maison de sa tante à Taunggyi.

Et toi, ma bien chère sœur ? Les projets de mariage auxquels tu faisais prudemment allusion dans ta dernière lettre, les tiens et ceux de M. Michael, se sont-ils confirmés ? Ou peut-être ma question arrive-t-elle trop tard et es-tu déjà mariée ? Si c'est le cas, alors du fond du cœur, je tiens à vous souhaiter tout le bonheur du monde. En ce qui me concerne, j'ai toujours considéré les quelques années que j'ai eu la chance de partager avec mon épouse comme un grand plaisir, je dirais même un plaisir exceptionnel.

Ma lettre maintenant est plus longue que je ne l'avais prévu. La loquacité de la vieillesse, je le crains, et j'espère ne pas avoir abusé de ton temps. Je vais maintenant en terminer. Le crépuscule est tombé et le courant électrique ici à Kalaw n'est pas très constant depuis plusieurs semaines. L'ampoule au plafond clignote si fort qu'on pourrait croire qu'elle tente de m'envoyer des messages secrets. Je soupçonne cependant que cela n'augure rien de plus qu'une nouvelle coupure de courant.

Julia, ma chère Julia, que les étoiles, la vie et le destin se montrent cléments à ton égard. Je pense à toi. Tu es dans mon cœur. Prends bien soin de toi.

Avec mon affection la plus sincère,
U Ba

Je reposai la lettre. J'avais désormais moins peur que la voix revienne. Au lieu de cela, j'étais saisie par un sentiment d'intense intimité mêlé de nostalgie et d'une profonde mélancolie. Comme j'aurais aimé voir mon frère en chair et en os ! Je me souvenais de sa façon désuète de s'exprimer, de son habitude de s'excuser sans raison pour tout et pour rien. Sa courtoisie et son humilité, qui m'avaient tellement touchée. Sa petite cabane en teck noir, construite sur pilotis, dansait devant mes yeux, avec le cochon qui se vautrait dans la boue en grognant, le fauteuil de cuir tout éraflé, ses coussins tellement écrasés qu'on devinait le dessin des ressorts, un canapé au tissu déchiré sur lequel j'avais passé plus d'une nuit. Au milieu de tout cela, une nuée d'abeilles, qui avaient emménagé avec lui mais dont il refusait de prendre le miel, comme il refusait d'utiliser quoi que ce soit ne lui appartenant pas.

Je le vis assis devant moi, entouré de lampes à huile, penché sur son bureau, cerné de livres. Les étagères qui allaient du sol au plafond en étaient surchargées. On les trouvait en piles sur les lattes du plancher et ils formaient des tours sur un deuxième canapé. Leurs pages ressemblaient à des cartes perforées. Sur la table s'étalaient des pinces, des ciseaux et deux petits pots, l'un rempli d'une colle blanche épaisse, l'autre de minuscules bouts de papier. Des heures durant, je l'avais observé saisir entre les pinces bout de papier après bout de papier, les tremper dans la colle et les placer sur les trous. Ensuite, dès que la colle avait séché, il réécrivait les lettres manquantes avec un crayon. De cette façon, au fil des années, il avait restauré des dizaines de livres.

La vie de mon frère. Elle ressemblait si peu à la mienne et pourtant elle m'avait touchée si profondément.

Mes yeux s'attardèrent sur l'étagère où j'avais posé les souvenirs de mon voyage en Birmanie, à moitié enfouis sous les livres et les journaux. Un bouddha en bois sculpté, cadeau de mon frère. Un petit coffret laqué poussiéreux décoré d'éléphants et de singes. Une photo d'U Ba et moi prise peu de temps avant mon départ de Kalaw. J'avais une bonne tête de plus que lui. Il portait son longyi neuf, vert et noir, fraîchement lavé de la veille afin qu'il soit propre. Il s'était entouré la tête d'un tissu rose, comme c'était jadis la coutume chez les vieux Shans. Il fixait l'objectif d'un air sérieux, solennel.

J'avais du mal à me reconnaître sur cette photo. Ivre de joie parce que je vivais les jours les plus grisants de ma vie, exaltée par la plus belle histoire d'amour qu'il me sera jamais donné d'entendre, celle de mon père, je rayonnais sans la moindre retenue – peut-être légèrement survoltée – devant l'appareil. Lorsque je montrais la photo à des amis, ils ne parvenaient pas à croire que c'était moi. Quand Michael la vit pour la première fois, il demanda si je posais là totalement défoncée à côté de mon gourou indien. Après, il se gaussa régulièrement de mon expression, en affirmant que j'avais dû tirer un peu trop goulûment sur la pipe à opium avant le cliché.

Dix ans avaient passé depuis. Dix ans durant lesquels j'avais décidé à maintes reprises de repartir, de me rendre sur la tombe de mon père, de passer du temps avec U Ba. D'année en année, j'avais repoussé le voyage. Deux fois, j'avais réservé mon billet d'avion pour l'annuler au dernier moment lorsque s'était présentée quelque obligation plus pressante. Si pressante d'ailleurs que j'aurais été bien incapable aujourd'hui de dire de quoi il s'agissait. À force, la banalité de l'existence avait eu raison de la vivacité de mes souvenirs ; le désir de repartir avait perdu de sa force, remplacé par une vague intention liée à quelque occasion future et mal définie.

Je ne savais même plus quand j'avais écrit pour la dernière fois à U Ba. Il implorait mon pardon pour son long silence. Mais c'était moi qui aurais dû répondre à sa dernière lettre. Et probablement à la précédente aussi. Je ne m'en souvenais plus. Nous avions correspondu régulièrement durant les années qui avaient suivi mon retour mais, petit à petit, la fréquence de nos échanges avait diminué. Une année sur deux, il m'envoyait un de ses livres restaurés mais je dois avouer que je n'étais jamais parvenue à en lire un seul jusqu'au bout. En dépit de ses efforts, ils étaient dans un très sale état : jaunis, poussiéreux, tachés. Je me lavais systématiquement les mains après les avoir touchés. Il les avait enrichis de dédicaces affectueuses et chacun d'eux avait commencé par séjourner sur ma table de chevet avant de migrer rapidement dans le salon pour aboutir finalement au fond d'un carton.

À plusieurs occasions, je lui avais envoyé de l'argent par l'intermédiaire d'un contact à l'ambassade américaine de Rangoun, peut-être dix mille dollars au total. Invariablement, il accusait réception de la somme par lettre, tranquillement, sans faire étalage d'une quelconque reconnaissance ni même expliquer ce qu'il faisait de ce qui représentait, selon les critères birmans, une coquette somme, ce qui me laissait à penser que mes cadeaux financiers le mettaient plutôt mal à l'aise.

À un moment donné, je renonçai à cette initiative et aucun de nous deux n'en souffla plus jamais mot. Je l'avais souvent invité à venir me rendre visite à New York en expliquant que, bien entendu, je me chargeais de toutes les formalités et couvrais tous les frais. Au début, il parut hésiter. Ensuite, pour des raisons qui ne furent jamais claires pour moi, il refusa systématiquement, avec autant de politesse que de fermeté.

Je me demandais pourquoi, au cours de toutes ces années, je n'avais jamais réussi à le revoir, alors que je nous avais promis à tous les deux, en partant, que je serais de retour quelques mois plus tard. Pourquoi lui, à qui je devais tant, avait-il de nouveau disparu de ma vie ? Pourquoi remettons-nous si souvent à plus tard ce qui compte le plus pour nous ? J'ignore la réponse. J'allais devoir lui écrire longuement dans les jours à venir.

Cela m'avait distraite d'évoquer les souvenirs de Birmanie et je me sentais plus calme. Du taxi, j'avais envoyé un message à Mulligan : je prétextais des vertiges sévères et promettais de tout lui expliquer lundi. J'envisageai de consacrer l'après-midi à nettoyer mon appartement. Il était dans un état désastreux. La femme de ménage était malade depuis quinze jours et la poussière s'entassait dans les coins. La chambre était encombrée de cartons jamais ouverts ; des tableaux attendant d'être accrochés s'alignaient le long des murs, même si quatre mois s'étaient écoulés depuis que nous étions séparés, Michael et moi, et que j'étais revenue dans mon ancien appartement. Mon amie Amy affirmait que l'état de ma maison reflétait ma réticence à accepter la rupture. Des bêtises. Si ce désordre révélait quelque chose, c'était ma déception : à trente-huit ans, je me retrouvais dans le même appartement que celui dans lequel je vivais à vingt-huit. Je ressentais cela comme une régression. Je l'avais quitté quatre ans auparavant parce que je préférais vivre avec Michael plutôt que de continuer à être seule. Tous les jours, l'appartement venait me rappeler l'échec de cette tentative.

POURQUOI ES-TU SEULE ?

Cette voix à nouveau. Ce n'était plus un murmure, mais elle était toujours assourdie. Elle résonnait dans tout mon corps, j'en frissonnais.

Pourquoi es-tu seule ?

Elle paraissait plus proche, plus présente qu'au cabinet. Comme si quelqu'un s'était rapproché de moi.

Pourquoi ne me réponds-tu pas ?

J'avais très chaud. Mon cœur battait à nouveau la chamade. Les mains moites. Les mêmes symptômes que ce matin. Impossible de rester assise ; je me levai et me mis à arpenter mon petit salon.

Pourquoi es-tu seule ?

— Qui dit que je suis seule ?

Me laisserait-elle en paix si je lui répondais ?

Où sont les autres ?

— Quels autres ?

Ton mari.

— Je ne suis pas mariée.

Tu n'as pas d'enfants ?

— Non.

Oh.

— Que signifie ce « oh » ?

Rien. C'est seulement… pas d'enfants… c'est triste.

— Non. Pas du tout.

Où est ton père ?

— Il est mort.

Et ta mère ?

— Elle vit à San Francisco.

Tu n'as ni frère ni sœur ?

— Si, un frère.

Pourquoi n'est-il pas là ?

— Il vit aussi à San Francisco.

Tu es restée ici avec tes oncles et tantes ?

— Je n'ai ni oncle ni tante.

Ni oncle ni tante ?

— Non.

Alors pourquoi ne vis-tu pas avec ta famille ?

— Parce qu'à vrai dire c'est une bonne chose que nous soyons séparés par un continent.

Alors tu es seule.

— Non, je ne suis pas seule. Simplement, je vis seule.

Pourquoi ?

— Pourquoi ? Pourquoi ? Parce que ça me plaît ainsi.

Pourquoi ?

— Vous commencez à me taper sur les nerfs avec vos « pourquoi ».

Pourquoi vis-tu seule ?

— Parce que je déteste être réveillée en pleine nuit par les ronflements d'un homme. Parce que j'aime lire mon journal le matin sans être dérangée. Parce que je n'aime pas les poils de barbe dans le lavabo. Parce que je ne veux pas avoir à me justifier quand je rentre du travail à minuit. Parce que j'adore ne pas avoir à donner d'explications à quiconque. Vous pouvez comprendre ça ?

Silence.

— *Hello ?* Vous pouvez comprendre ça ?

Pas un bruit.

— *Hello ?* Pourquoi ne me parlez-vous plus ?

Je restai là à attendre. Le bourdonnement du réfrigérateur, des voix sur le palier, une porte qui se fermait.

— Où êtes-vous ?

Le téléphone sonna. Amy. Rien qu'à m'entendre, elle devina que je n'étais pas d'aplomb.

— Tu ne te sens pas bien ?

— Mais si.

Pourquoi es-tu encore en train de mentir ?

Comme un sale coup par-derrière. Je vacillai sous le choc et faillis perdre l'équilibre.

— C'est… c'est seulement que…, je marmonnai, perplexe.

— Julia, que se passe-t-il ? s'enquit-elle, inquiète. Tu veux qu'on se retrouve ? Je pourrais venir chez toi ?

Je mourais d'envie de sortir de mon appartement.

— Je… je préférerais te rejoindre chez toi. Quelle heure te conviendrait ?

— Quand tu veux.

— Je serai là dans une heure.

3

Amy Lee occupait deux studios contigus au troisième et dernier étage d'un immeuble du Lower East Side. Elle vivait dans l'un des deux et utilisait l'autre pour ses activités artistiques. Ces dernières années, nulle part ailleurs je ne m'étais sentie aussi chouchoutée. Nous passions des week-ends entiers sur son canapé, à regarder *Sex and the City* en mangeant de la glace et en buvant du vin rouge, à nous moquer des hommes ou à nous consoler mutuellement lorsque nous avions des peines de cœur.

Amy et moi, nous nous étions rencontrées au début de nos études de droit à Columbia, où nous privilégiions le droit des sociétés. En remplissant un quelconque formulaire, nous nous étions aperçues par hasard que nous étions nées exactement le même jour, elle à Hong Kong, moi à New York. Elle avait passé les dix-neuf premières années de sa vie à Hong Kong, jusqu'à ce que ses parents l'envoient étudier en Amérique. Amy affirmait qu'un astrologue de là-bas lui avait prédit qu'elle rencontrerait quelqu'un né le même jour qu'elle qui l'accompagnerait tout au long de sa vie, et donc il semblait inéluctable que nous devenions amies.

À l'époque, je ne croyais pas à l'astrologie, mais d'emblée Amy me plut. Nous étions complémentaires d'une manière que je n'avais jamais connue avec quiconque.

À bien des égards, elle était tout mon contraire : une tête de moins et plus corpulente. Elle teignait ses cheveux noirs de couleurs vives, elle n'aimait pas faire de projets, adorait les surprises, réagissait vite et était toujours d'humeur égale. Elle était bouddhiste et adepte de la méditation ; cependant, elle consultait régulièrement des astrologues et elle était tellement superstitieuse que parfois ça me mettait hors de moi. Elle portait toujours quelque chose de rouge. Elle ne descendait jamais d'un ascenseur au neuvième étage. Elle refusait de monter dans un taxi dont la plaque minéralogique se terminait par un sept.

Elle était la seule personne à qui j'avais confié l'histoire de mon père. Et elle y croyait. Chaque mot, sans émettre le moindre doute. Comme si c'était la chose la plus normale du monde qu'il existe des gens capables d'entendre battre le cœur des autres.

Tout le contraire de ma mère et de mon frère, qui préféraient ignorer ce que j'avais appris pendant mon voyage. Savoir si notre père était encore en vie était la seule chose qui les intéressait. Une fois que je leur eus dit que ce n'était pas le cas, lorsque je tentai de leur raconter ce que j'avais vécu en Birmanie et pourquoi il était retourné sur sa terre natale pour y mourir, ils refusèrent de m'écouter. Ce fut le début de notre éloignement. Ma quête de mon père avait déchiré la famille en deux. Ma mère et mon frère d'un côté, mon père et moi de l'autre. Amy était convaincue que ce fossé existait depuis toujours, et soit j'avais mis long-temps à m'en apercevoir, soit j'étais autrefois dans le déni. Elle avait sans doute raison. Cinq ans aupara-vant, ma mère était partie vivre à San Francisco pour se rapprocher de mon frère et, désormais, nous nous voyions une fois par an, peut-être deux.

Amy, quant à elle, ne se lassait jamais de cette his-toire. Quand allais-je enfin me décider à rendre visite à U Ba ? demandait-elle sans cesse. Et à propos de l'héritage paternel : la foi dans le pouvoir magique de l'amour ? L'avais-je à nouveau perdue à New York ? Pourquoi n'en avais-je pas pris soin mieux que ça ? Ne devrais-je pas être en train de le chercher ? Des ques-tions que j'esquivais parce que je ne connaissais pas les réponses, mais cette tactique ne faisait que l'encou-rager à les poser à intervalles réguliers.

Contrairement à moi, Amy ne mettait pas tout son cœur dans les études. Sa véritable ambition, c'était de peindre et si elle avait fait du droit, c'était uniquement sous la pression de ses parents, ou par amour pour eux, la justification variant selon son humeur. N'em-pêche, elle était une des meilleures de notre promo. Quand son père mourut dans un accident d'avion quatre semaines avant nos derniers examens, Amy s'envola pour Hong Kong où elle resta deux mois. Lorsqu'elle revint à New York, elle annonça qu'elle en avait fini des études. La vie était trop courte pour s'offrir des détours. Si on avait un rêve, on se devait de le vivre.

Depuis cette époque, elle parvenait à joindre les deux bouts comme peintre indépendante installée à Broadway; elle refusait ne serait-ce que montrer son travail à des propriétaires de galeries. Exposer ou vendre, ni l'un ni l'autre ne l'intéressait. Elle peignait pour elle-même et pour personne d'autre. Amy était la personne la plus libre que j'aie jamais connue.

La porte de son atelier était entrouverte. Elle méprisait les portes fermées tout autant qu'elle détestait les serrures en tout genre et elle était fermement convaincue que les gens qui s'acharnaient en permanence à tout verrouiller, tout planquer, finissaient par se retrouver eux-mêmes enfermés dehors. Elle refusait même de mettre un antivol à son vélo. Curieusement, elle était la seule de mes amis dont le vélo n'avait jamais été volé.

Assise sur un tabouret à roulettes, elle était en train de recouvrir une toile d'une couche de peinture orange foncé. Ses cheveux, teints en rouge, étaient attachés en queue-de-cheval. Elle portait un pantalon de survêtement d'un gris délavé et un T-shirt blanc beaucoup trop grand et couvert de taches de peinture. Ses vêtements de travail. La pièce sentait la peinture fraîche et le vernis; le parquet disparaissait sous les éclaboussures de couleur, les tableaux étaient alignés contre les murs ou sur des chevalets, la plupart peints dans différentes nuances de rouge. Amy estimait que, malheureusement, elle était en train de s'embourber dans sa phase Barnett Newman. Au lieu de rayures, elle peignait des cercles et, si elle ne se dépêchait pas de passer à autre chose, je pourrais aussi bien l'appeler Bernadette Newman. On entendait Jack Johnson sur sa petite stéréo.

Au bruit de mes pas sur le parquet, elle se tourna vers moi. Ses yeux foncés, presque noirs, s'écarquillèrent sous le coup de la surprise.

— Mais pourquoi donc fais-tu une tête pareille ?

Je m'effondrai dans un vieux fauteuil, les pieds et les mains glacés. Mes yeux se remplirent de larmes. Comme si ces quelques secondes me permettaient d'évacuer tout le stress des dernières heures. Elle me dévisagea d'un air inquiet, fit avancer son tabouret d'un vigoureux coup de pied et roula jusqu'à moi.

— C'est quoi, le problème ?

Je haussai les épaules, anéantie.

— Laisse-moi deviner : Mulligan t'a virée.

Je secouai à peine la tête.

— Ta mère est morte.

Je ravalai mes premières larmes.

Amy poussa un profond soupir.

— D'accord, c'est du sérieux !

Ce que je préférais chez elle, c'était peut-être bien son sens de l'humour.

— Crache le morceau, alors, qu'est-ce qui s'est passé ?

— Mais qu'est-ce qu'elle a, ma tête ? dis-je en tentant d'esquiver la question.

— Tu ressembles à une poule affolée.

Je gardai le silence. Amy attendait patiemment que je me décide à répondre.

J'avais du mal à exprimer à haute voix la pensée qui me taraudait depuis plus d'une heure.

— J'ai peur d'être en train de devenir folle.

Elle m'examina d'un air pensif.

— Et c'est quoi, précisément, si je puis me permettre, qui provoque cette crainte ?

— J'ai l'impression qu'on me suit.

— Un harceleur ? Il est beau mec ?

— Pas un harceleur. J'entends des voix.

Cet aveu me fit grincer des dents. J'étais gênée d'en parler, même à Amy.

— Depuis quand ? s'enquit-elle avec beaucoup de sérieux et sans la moindre surprise.

— Depuis ce matin, répondis-je et je lui racontai ce qui s'était passé au bureau et après, à la maison.

Amy m'écouta, immobile sur son tabouret. Elle hocha la tête à plusieurs reprises, comme si elle savait précisément de quoi je parlais. Lorsque j'eus terminé, elle se leva, posa son pinceau et se mit à déambuler entre ses tableaux. C'était ce qu'elle faisait quand elle réfléchissait intensément.

— Est-ce la première fois ? demanda-t-elle en s'arrêtant.

— Oui.

— Est-ce une voix menaçante ?

— Non, pourquoi me menacerait-elle ?

— T'insulte-t-elle ?

— M'insulter ?

— Te traite-t-elle de salope inutile ? De juriste nulle ? Te dit-elle que c'est seulement une affaire de temps pour que tout le monde sache à quel point tu es idiote ?

Je secouai la tête, perdue.

— Est-ce qu'elle te donne des ordres ?

Je n'avais aucune idée de ce qui la poussait à me poser ce genre de questions.

— T'a-t-elle dit de balancer une tasse de café à la tête de Mulligan ? Ou de te jeter par la fenêtre ?

— Non. Mais d'où sors-tu pareilles bêtises ?

Amy était songeuse.

— Qu'est-ce qu'elle dit, alors ?

— Pas grand-chose. Au cabinet, elle me mettait en garde contre mes collègues. Sinon, elle se contente de poser des questions.

— Quel genre de questions ?

— « Qui es-tu ? » « Pourquoi vis-tu seule ? » « Pourquoi n'as-tu pas d'enfants ? »

Un sourire de soulagement se dessina sur les traits d'Amy.

— Des questions intéressantes.

— Comment ça ?

— Je connais quelqu'un d'autre qui aimerait beaucoup connaître tes réponses. Nos voix se ressemblent-elles ?

— Arrête de te moquer de moi, répliquai-je, déçue.

Ne voyait-elle donc pas à quel point j'avais désespérément besoin qu'elle me rassure ?

— Je ne me moque pas de toi, dit-elle en s'approchant. (Elle s'accroupit et commença à me caresser les cheveux.) Mais ces questions ne paraissent pas particulièrement atroces. Je craignais quelque chose de bien pire.

À quel point pire ?

— Entendre des voix, c'est souvent une réaction psychotique. C'est un symptôme classique de schizophrénie naissante. Auquel cas, le pronostic est sombre. La guérison n'est pas évidente. Mais, dans ces cas-là, la personne concernée se sent menacée par les voix. Les voix lui donnent des ordres. Saute du toit, poignarde ton voisin. Les mélancoliques entendent souvent des insultes. Mais rien de tout cela ne s'applique à toi.

— Comment ça se fait que tu sois aussi calée sur les gens qui entendent des voix ?

— Je ne t'ai jamais dit que mon père entendait des voix, lui aussi ?

— Non, lui dis-je en la dévisageant avec surprise.

— Ma mère me l'a raconté il y a quelques années, après sa mort. Après, j'ai lu tout ce que j'ai pu trouver sur le sujet.

— Ton père était schizophrène ?

— Non. Je crois que, pour lui, il s'agissait d'un phénomène relativement inoffensif.

— Qu'est-ce qu'il a fait ?

— Rien.

— Rien ?

— J'imagine qu'il considérait cette voix comme quelqu'un qui lui donnait des conseils de temps en temps. (Elle laissa le silence s'installer puis elle ajouta :) Malheureusement, il ne les a pas toujours suivis.

— Qu'est-ce que tu veux dire ?

— Ma mère dit que la voix, le jour du crash, lui a demandé de faire demi-tour. De ne pas monter à bord de cet avion. Il lui a même téléphoné de l'aéroport.

— Pourquoi ne l'a-t-il pas écoutée ? demandai-je d'un ton dubitatif.

— Si seulement je le savais. Il avait peut-être peur de lui donner trop barre sur sa vie. Qui a envie de laisser une voix vous dire quel avion prendre et quel avion ne pas prendre ?

— Pourquoi ne m'en as-tu jamais parlé ?

— Je croyais l'avoir fait. Mais peut-être ai-je estimé que tu ne me croirais pas.

Je n'étais pas très sûre de la croire présentement. Cela me fit penser à mon frère en Birmanie. «Toutes les vérités ne sont pas explicables, Julia. Et tout ce qui est explicable n'est pas vérité», m'avait-il dit un jour. À quelle fréquence cette remarque m'était-elle venue à l'esprit durant les premières années après mon voyage? À Kalaw, j'avais à peu près compris ce qu'il voulait dire. Dans son univers de superstitions, cela m'avait paru limpide; de retour à New York, tous mes doutes étaient revenus. Pourquoi tout ce qui est explicable ne serait pas vrai? Pourquoi ne pourrait-on pas expliquer toutes les vérités? Peut-être existait-il à Kalaw des vérités qui ne tenaient pas la route ailleurs.

— Tu ne me crois pas, dit Amy comme si elle sentait mes doutes.

— Non. Enfin, si. Évidemment, je te crois quand tu me racontes ce qu'a dit ta mère mais j'ai du mal à croire qu'une voix a prévenu ton père de ne pas monter à bord de son dernier vol.

— Pourquoi?

— Tu me connais. Je suis trop rationnelle pour ça.

— Ton père pouvait percevoir les battements d'un cœur. Il était capable de différencier les papillons à leurs battements d'ailes. Comment tu expliques ça?

— Il n'y a pas d'explication, je sais. Mais cela ne signifie pas que je doive commencer à gober toutes sortes de…

Je cherchai un moyen pour traduire ma pensée qui ne fût pas trop offensant pour Amy.

— ... de bêtises ésotériques.

Elle avait fini la phrase à ma place.

— Exactement, dis-je sans pouvoir m'empêcher de rire de moi-même.

— Effectivement, continua-t-elle. Mais maintenant, tu entends une voix. As-tu une explication ?

— Non, reconnus-je d'un ton piteux.

Chacune plongea dans ses réflexions.

— Si on allait boire un verre quelque part ? proposa-t-elle en se levant.

J'hésitai.

— Je préférerais rester ici. Je n'ai pas envie d'affronter des inconnus.

Elle hocha la tête.

— Tu veux un espresso ?

— Je préférerais un verre de vin.

— Encore mieux.

Elle alla dans le coin cuisine, déboucha une bouteille de vin rouge et l'apporta sur un plateau avec des verres, du chocolat et des noix. Elle en versa pour nous deux et alluma des bougies. Nous prîmes deux coussins pour nous asseoir par terre. Sans rien dire. Nous étions douées pour ça. En présence d'Amy, le silence perdait tout pouvoir isolateur.

— Tu l'entends, là ? demanda-t-elle soudain.

Je prêtai l'oreille et secouai la tête.

— Dommage. J'espérais échanger quelques mots avec elle.

Je lui jetai un œil légèrement attristé par-dessus mon verre.

— Elle n'explique jamais rien. Elle pose seulement des questions.

— Je me demande si cette voix n'aurait pas aussi un objectif.

« Je me demande. » Typique d'Amy. Elle disait souvent ça quand sa question était en fait une affirmation. Je la connaissais suffisamment bien pour comprendre ce qu'elle avait en tête : « Julia ! Cette voix a un objectif. »

— Quel objectif ?

— Mon père n'aimait guère en parler mais, d'après ma mère, il n'avait jamais considéré cette voix intérieure comme une menace. Pour lui, je crois, c'était plutôt une amie de toujours avec laquelle il discutait à intervalles réguliers.

Je secouai la tête. Ce n'était pas ce que j'avais espéré entendre. Mais je n'aurais pas su dire quels mots auraient été susceptibles de me réconforter dans ces circonstances. Étais-je simplement à la recherche d'un peu de compassion assortie de propos rassurants me promettant d'aller mieux dans quelques jours ? Comme si j'avais la grippe ?

— Je n'ai pas besoin d'une amie de toujours. Du moins, pas d'une amie que je ne peux ni voir ni toucher.

Amy sirota son vin, perdue dans ses pensées.

— Et si tu réponds à ses questions ?

— Pourquoi le ferais-je ?

— Elle te ficherait peut-être la paix. Qui sait ?

— J'ai essayé. Tout ce que ça m'a rapporté, c'est d'autres questions.

Elle hocha la tête longuement sans me quitter des yeux.

— Pourquoi as-tu peur de cette voix ?

— Pourquoi j'ai peur ? Parce que je n'exerce aucun contrôle dessus.

— Est-ce si grave ?

— Oui ! J'ai quitté une réunion de travail sans un mot d'explication. Une réunion importante !

— Un malaise soudain. Mulligan fermera les yeux.

— Pas si ça se reproduit. Nous sommes censés monter un dossier très complexe dans les prochaines semaines. Nous sommes censés exposer notre stratégie à notre client et une partie de ce travail repose sur moi. Que va-t-il se passer si la voix se manifeste au beau milieu de ma présentation ?

Elle réfléchit à ce que je venais de dire.

— Eh bien, tu gardes ton calme et tu lui dis qu'elle va devoir attendre.

Je soupirai.

— Elle ne m'écoute pas.

— Alors, c'est comme ça, voilà tout.

— Amy !

Pourquoi ne voulait-elle pas me comprendre ?

— Je ne peux pas me permettre de perdre ainsi le contrôle de la situation. Je dois être fonctionnelle. Je ne peins pas des tableaux. Je n'ai pas le choix.

— On a toujours le choix.

C'était le sujet sur lequel nous étions en violent désaccord. Elle n'était pas le genre de femme à céder sous une pression extérieure. Pour Amy, chacun de nous était acteur de son propre destin. Point.

Le moindre de nos actes entraînait des conséquences dont nous étions pleinement responsables.
Le choix nous appartenait. Oui ou non.

La vie est trop courte pour s'offrir des détours.

Si on a un rêve, on se doit de le vivre.

Je vidai mon verre et m'en versai un autre.

— Une voix dans ma tête ne cesse de me bousculer.
Je veux savoir d'où elle vient. Je veux savoir comment
m'en débarrasser. Le plus vite possible.

— Alors, tu as besoin de voir un médecin pour qu'il
te prescrive des médicaments. Un psychiatre pourrait
t'aider. En tout cas, provisoirement.

Je voyais, à son regard, à sa moue, à quel point cette
idée lui déplaisait.

— D'accord, et qu'est-ce que tu me proposes de
faire ?

— Je suis convaincue que cette voix a un objectif.

— Et de quoi donc pourrait-il s'agir ?

Mon scepticisme était indubitable.

— Tu as traversé une sale période l'année dernière.
Les pertes ont été rudes…

Elle laissa sa phrase en suspens. Je n'aimais pas la
tournure que prenait la conversation. Il y avait des
choses dont je ne voulais pas discuter. Même pas avec
Amy.

— Je sais vers quoi tu te diriges. Mais cette voix n'a
aucun rapport avec ce qui s'est passé au printemps.

— Tu en es sûre ?

— Absolument. Qu'est-ce qui te fait croire le
contraire ?

Elle haussa les épaules.

— Une simple idée.

Nous continuâmes à boire en mangeant quelques noix sans plus rien dire pendant un long moment.

— Tu exiges beaucoup de toi.

— On en est tous là.

— N'importe quoi. Tu es la personne la plus autodisciplinée que j'aie jamais rencontrée. Tu ne t'es pas autorisé la moindre pause depuis des années.

— Nous sommes allées ensemble à Long Island cet été, rétorquai-je.

— Deux jours. Et puis tu as dû rentrer plus tôt parce que Mulligan avait besoin de toi. Lorsque tu t'es séparée de Michael, au beau milieu du déménagement, tu t'es assise sur tes cartons pour écrire des lettres à tes clients parce que, soi-disant, il y avait des dates butoirs supérieurement importantes qu'il ne fallait pas rater.

— Elles étaient importantes, contre-attaquai-je, faiblement.

— Tu étais en pleine rupture. Tu avais vécu quatre ans avec cet homme. Tu n'es pas la seule avocate du cabinet.

J'acquiesçai d'un signe de tête.

— Cette voix doit être un signe…

— Tu crois que je suis en train d'entendre les protestations de mon ego écrasé et chroniquement négligé, c'est ça ? Mais il ne s'agit nullement d'un dialogue intérieur avec moi-même. Cette voix est réelle. Je l'entends. Je peux te la décrire.

— À quoi ressemble-t-elle ?

— Plus âgée que moi. Parfois un peu rauque. Grave pour une voix de femme. Sévère.

Sa seule réponse : un silence délibéré.

— J'ai peur, dis-je doucement.

Elle hocha la tête. Son regard passa de moi à un grand tableau accroché au mur. Une croix rouge se détachant sur un fond rouge foncé sur lequel elle avait collé des poignées de plumes de poulet teintes en rouge. *Bouddha au poulailler*, disait le cartouche en dessous.

— Je vais quitter la ville pendant quelques jours, pas la semaine prochaine mais la suivante. Tu voudrais venir avec moi ?

Je secouai la tête. Amy faisait régulièrement des retraites pour méditer dans un centre bouddhiste au nord-ouest de l'État de New York. Elle m'avait déjà invitée bien des fois à l'accompagner mais j'avais toujours refusé. L'idée de rester assise sans bouger pendant une heure et plus en ne pensant à rien demeurait pour moi mystérieuse. Les rares fois où j'avais essayé pendant les cours de yoga, je m'étais retrouvée avec la tête tellement pleine de réflexions, d'images et de souvenirs que cela s'était révélé insupportable. J'avais eu l'impression que mon crâne était sur le point d'éclater. J'avais toujours mis fin à ces tentatives au bout de quelques minutes. D'après Amy, j'avais seulement besoin d'être bien dirigée mais j'avais de sérieux doutes sur la question.

Lentement, l'effet du vin commençait à se faire sentir. J'étais maintenant en proie à une fatigue telle que je me sentais presque paralysée.

— Je crois que je vais rentrer chez moi.

— Tu peux rester ici si tu veux.

— Je sais. Merci. Mais j'ai beaucoup de choses à faire ce week-end et, demain, je veux démarrer de bonne heure.

Elle sourit et me prit le bras. Ce contact physique me fit du bien. J'aurais vraiment préféré rester.

J'avais à peine parcouru un pâté de maisons le long de Rivington Street que je l'entendis à nouveau.

Qui es-tu ?

4

Quelle est l'épaisseur du mur qui nous sépare de la folie ? Personne ne sait de quoi il est fait. Personne ne sait jusqu'à quel point il résiste. Tant qu'il n'a pas cédé.

Nous vivons tous sur la crête.

Il ne s'agit que d'un pas. Un petit pas. Certains le sentent ; d'autres non.

Conformément à mes habitudes du samedi et pour éviter toute impression de déséquilibre, je dormis longtemps. Petit déjeuner tardif, lecture à rallonge du journal, quelques mails aux amis, lessive. Quoi qu'il en fût, l'angoisse montait à mesure que passait la matinée, heure après heure. Je ne faisais plus confiance au silence dans ma tête. J'avais le sentiment qu'une force invisible surveillait le moindre de mes mouvements. La voix me suivait ; je n'avais désormais plus le moindre doute. Ce n'était qu'une question de temps avant qu'elle ne carillonne à nouveau.

Devant moi était étalé un brouillon de notre réclamation en dommages et intérêts. À droite et à gauche, des piles de pièces et de correspondance. J'avais sous les yeux un week-end de travail intensif.

Pourquoi n'as-tu pas d'enfants ?

Chaque fois, une terreur identique. De l'appartement voisin venaient les sons étouffés d'un piano ; l'ascenseur sonnait ; les sirènes de police retentissaient sur la Deuxième Avenue ; la voix répéta sa question. On aurait dit qu'elle se trouvait derrière moi et qu'elle me parlait à l'oreille. J'avais envie de me défendre. Mais comment ? Et contre qui ?

Pourquoi n'avais-je pas d'enfants ? Une question que je détestais. Pourquoi une femme doit-elle se justifier de ne pas avoir d'enfants ? Personne ne songerait jamais à demander à une mère pourquoi elle a des enfants. Pourquoi avait-elle choisi cette question ? Je fis semblant de ne pas avoir entendu.

Tu ne devrais pas vivre seule. Ce n'est pas bien.

La voix adoptait d'emblée un ton plus brusque. J'eus le sentiment que je parviendrais peut-être à la prendre par surprise. Je pensai à ce qu'avait dit Amy. Discute avec elle. Écoute ce qu'elle a à dire.

Tu devrais...

— D'où venez-vous ? l'interrompis-je sèchement.

Silence. Je répétai ma question et j'attendis. Comme si elle me devait une réponse.

Je... je ne sais pas, répondit-elle doucement.

— Comment ça ?

Je ne m'en souviens pas.

— Qu'est-ce que vous me voulez ?

Rien.

— Alors pourquoi posez-vous toutes ces questions ?

Parce que je veux savoir qui tu es.

— Pourquoi ?

Parce que je vis à l'intérieur de toi. Parce que je fais partie de toi.

— Non ! Vous ne faites pas partie de moi, protestai-je.

Oh, mais si.

— Non. Je me connais bien.

En es-tu sûre ? Qui se connaît jamais vraiment ?

— Vous êtes une inconnue.

Je ne cédais pas.

Je fais partie de toi et il en sera toujours ainsi.

J'en avais la nausée.

— Si vous faites vraiment partie de moi, alors je veux que vous vous taisiez.

Je fais partie de toi mais tu ne peux pas me donner des ordres comme ça. Je suis mon propre maître.

Mes mains commencèrent à trembler.

De quoi as-tu peur ?

— Qui dit que j'ai peur ?

Sinon, pourquoi tremblerais-tu ?

— Parce que je suis gelée.

De quoi as-tu peur ?

— Je n'ai pas peur ! criai-je.

Mais si. Je connais bien la peur.

Ce qui interrompit momentanément notre échange.

— Pourquoi connaissez-vous si bien la peur ?

Silence.

La peur ne m'a jamais quittée. J'ai tout perdu.

— Qu'avez-vous perdu ?

Tout. C'est tout ce que je sais.

La voix se tut. J'attendis pour voir si elle allait se remettre à parler. Je me levai et commençai à arpenter nerveusement l'appartement.

— Qu'avez-vous perdu ? D'où venez-vous ? Dites quelque chose.

À l'intérieur de moi, c'était le silence.

— Pourquoi ne me répondez-vous pas ?

Qu'est-ce qui m'arrivait ? À qui étais-je en train de parler ? Était-il possible que ma personnalité se fût scindée en deux d'un jour à l'autre ? Quelle était la définition exacte de la schizophrénie ?

J'ouvris mon portable pour taper « schizophrénie » sur le moteur de recherche. Wikipédia la définissait comme « une maladie mentale caractérisée par des difficultés à partager une interprétation du réel avec d'autres individus, ce qui entraîne des comportements et des discours bizarres, parfois délirants. » Elle se déclarait souvent brusquement, sans présenter de symptômes particuliers avant. « Dans vingt à trente pour cent des cas, la personne peut avoir des hallucinations, surtout auditives. Ces voix imaginaires (souvent les mêmes) parlent au malade pour commenter ses actes et ses choix. »

Je m'interrompis dans ma lecture en me demandant s'il ne serait pas plus sage de refermer l'ordinateur. Des hallucinations. Mais qu'est-ce que ça signifiait ? Je repris ma lecture, mal à l'aise : « La schizophrénie est couramment traitée par la prise de neuroleptiques… La psychothérapie et la réhabilitation sociale font également partie de la prise en charge et sont accompagnées d'une réinsertion sociale et professionnelle du patient. Dans les cas les plus sévères – lorsque l'individu présente un risque pour lui-même ou pour les autres –, une hospitalisation sans consentement (si la législation en vigueur le permet) peut être nécessaire. »

À chaque phrase, je sentais mon état empirer. Je ne souffrais d'aucune psychose. Pas plus que je n'avais d'hallucinations. La voix était bien réelle. Elle n'était pas le fruit de mon imagination.

Je cherchai sur le Net des livres qui traitaient du fait d'entendre des voix. *Guérir la schizophrénie*, *Guérir les hallucinations* et *Entends la voix du Seigneur* étaient les titres qui revenaient souvent. Rien pour moi là-dedans.

Une recherche sur l'expression «entendre des voix» donna plus d'un million de résultats sur tout le Net. Le premier renvoyait à une émission de radio. Ensuite, un site ou un autre promettait «informations, soutien et réponses pour ceux qui entendent des voix». WrongDiagnosis.com fournissait la liste de sept maladies susceptibles d'être à l'origine du symptôme avec les stratégies médicales adaptées. J'ouvris la page.

«Causes : schizophrénie, psychose, dépression psychotique, hallucinations.»

Je refermai la page vite fait et rabattis l'écran de mon ordinateur. Je refusais d'avoir quoi que ce fût de commun avec cet univers-là. Je n'avais aucun problème de santé mentale. Ma mère était dépressive et prenait du Prozac. Ma belle-sœur aussi. Certains de mes collègues. Pas moi.

Je ne croyais ni aux puissances supérieures ni au troisième œil.

Dans l'état où je me trouvais, travailler était exclu. J'étais en proie à une agitation intérieure qui ne me lâcha pas de toute la journée. Je fis le ménage comme une femme possédée. Je lavai les placards de la cuisine.

Je cirai toutes mes chaussures. Je triai mes vieux vête-ments.

Je sortis faire un jogging dans Central Park et je ne parvins plus à m'arrêter de courir. Mes jambes refusaient de m'obéir. Je couvris trois fois plus de distance que d'habitude, un parcours dont je me serais crue incapable. Je continuais, en dépit de mes pieds douloureux et d'un cœur affolé. Quelque chose me poussait toujours. Des crampes dans les jambes finirent par m'obliger à m'arrêter. Je m'adossai contre un arbre non loin du mémorial Strawberry Fields et je vomis.

Dans la nuit, je fus réveillée par des sanglots lamentables. Au début, je crus qu'il s'agissait d'un rêve. Puis je pensai que c'était Michael qui pleurait, couché à côté de moi. J'allumai la lumière et contemplai l'autre moitié du lit, vide. Les sanglots se transformèrent en une plainte déchirante. Je me levai pour aller vérifier que personne ne gisait devant ma porte ou que cela ne venait pas d'un appartement voisin. Sur le palier, tout était silencieux ; à l'intérieur de moi, c'était de plus en plus bruyant.

J'allais devenir folle si je ne parvenais pas à y mettre un terme.

— *Hello ?* Qui êtes-vous ?

Les sanglots ne firent que redoubler. Ils n'évoquaient ni l'agressivité ni la colère, bien plutôt une souffrance que les mots n'auraient su exprimer.

— C'est vous qui pleurez ? Pourquoi ne répondez-vous pas ?

Rien, sauf ces pleurs insupportables. C'était plus éprouvant pour le cœur que pour les oreilles. Quelque chose en moi était ému. Je sentais une angoisse, un chagrin profondément enfoui et je n'allais pas pouvoir résister très longtemps avant d'éclater en sanglots moi aussi. J'allumai toutes les lumières et mis la radio à fond, pour que la musique noie ces plaintes. Très vite, on sonna à la porte. Les deux voisins voulaient savoir si, par hasard, j'avais perdu l'esprit.

Ce fut à ce moment-là que je me rendis compte que j'avais besoin d'aide.

5

J'étais un paquet de nerfs lorsque j'entrai dans le cabinet du docteur Erikson peu avant 11 heures ce lundi matin. Durant tout le week-end, j'avais été incapable de me concentrer sur quoi que ce soit. Par un commentaire ou une question, la voix avait rapidement mis fin à toutes mes tentatives de travail. J'avais à peine fermé l'œil et de bonne heure, ce matin-là, j'avais avoué à Mulligan que mon état avait empiré, que je souffrais maintenant de graves vertiges et de douleurs au ventre et que j'étais en route pour consulter un spécialiste. J'étais humiliée d'être obligée de mentir mais il n'était pas envisageable de dire la vérité.

Le docteur Erikson était psychiatre. Un ami d'Amy dont le frère cadet souffrait de psychose l'avait recommandé et, par chance, il avait pu me dégoter un rendez-vous très rapidement.

Le médecin vint lui-même ouvrir la porte. Un homme grand, athlétique, sans doute cinq ou six ans de plus que moi. Sa poignée de main ferme, son regard tranquille me calmèrent un peu les nerfs. Il me mena dans une petite pièce aux murs blancs et nus, avec deux chaises cantilever, et me proposa de m'asseoir. Puis, armé d'un bloc et un stylo, il me demanda ce qui m'amenait chez lui.

Je lui racontai l'épreuve que je traversais depuis trois jours. Il m'écouta attentivement en prenant des notes et en me posant une question de temps en temps.

— Cette situation est devenue insupportable, dis-je pour conclure mon récit. J'espère vraiment que vous pouvez m'aider.

Il me regarda droit dans les yeux et déclara doucement :

— Je peux vous aider, soyez-en sûre. Nous disposons d'un panel de neuroleptiques qui font de vrais miracles.

Mais ce qui était censé me calmer ne fit qu'augmenter mon appréhension.

— Le fait d'entendre des voix est plus fréquent que vous pourriez le croire. Ce peut être le symptôme d'une maladie physique. Alzheimer, par exemple. Parkinson. Tumeur du cerveau. Ou bien ce peut être la manifestation d'une affection psychique. Ou encore avoir des causes entièrement différentes. Dans la plupart des cas, nous parvenons à traiter cela avec des médicaments. En ce moment, prenez-vous des cachets ?

— De temps en temps, un ibuprofen contre le mal de dos, rien d'autre.

— Des drogues ?

— Non.

Je grattai en vain une petite tache sur mon pantalon.

— Alcool ?

— Oui, mais pas beaucoup.

— Mais encore ?

— Un verre de vin au dîner. Parfois deux.

— À quand remonte la dernière fois où vous vous êtes vraiment soûlée ?

— Oh Seigneur, une éternité. À la fac.

Il hocha rapidement la tête.

— Certaines drogues peuvent avoir un effet hallucinogène. Entendre des voix est un symptôme courant.

Je me demandai s'il me croyait.

Il réfléchit.

— Cette voix vous paraît-elle familière ?

— Que voulez-vous dire ?

— Il y a des gens qui ont perdu un ami, un proche ou un compagnon et qui, plus tard, entendent la voix de cette personne.

— Je n'ai perdu aucun proche depuis que mon père est mort il y a quatorze ans.

— En d'autres termes, vous ne pourriez attribuer cette voix à aucun individu particulier ?

— Non. Et elle ne me donne pas d'ordre, elle ne m'insulte pas non plus.

Il sourit.

— Je vois que vous avez fait des recherches sur le sujet. Avez-vous déjà eu l'impression que les gens pouvaient lire dans vos pensées ?

— Non.

— Vous arrive-t-il de vous sentir surveillée ou suivie ?

— Seulement par la voix.

— Vous arrive-t-il de sentir que d'autres gens peuvent influencer vos pensées ?

— N'est-ce pas toujours le cas ?

Il me répondit par un sourire affable en me dévisageant d'un œil critique.

Ma tension augmentait. Je remettais ma vie intérieure entre ses mains, du moins une partie, et j'avais le sentiment qu'il n'était pas à la hauteur. Pendant un moment, j'envisageai de mettre fin à la séance. Seule l'idée de me retrouver à nouveau harcelée par la voix me retint. J'avais besoin de son aide.

— D'où vient la voix ? demandai-je après un silence. Comment puis-je m'en débarrasser ?

Il se balança sur sa chaise, pensivement.

— À en juger par votre description de vous-même, je dirais qu'il s'agit simplement d'une réaction psychotique ou crypto-psychotique.

— Qu'est-ce que c'est ? Pourquoi cela se produit-il ?

— Ça dépend. Ce genre de choses peut émerger brusquement dans les situations d'angoisse, durant des phases de transition critiques. Chez les jeunes adultes, par exemple, lorsqu'ils quittent la maison. Un nouveau travail. Un déménagement. La mort d'un membre de la famille, comme je vous l'ai dit, peut être une cause. Avez-vous vécu des moments particulièrement difficiles ces derniers mois ?

— Non, dis-je après avoir brièvement hésité.

— Bien sûr, je ne peux pas exclure à ce stade une forme de schizophrénie. Mais à la façon dont vous décrivez la voix, je pense que c'est peu probable. Pour pouvoir établir un diagnostic plus clair, j'aurais besoin d'en savoir davantage sur vous et de suivre les développements du symptôme. Nous verrons bien. (Voyant la peur dans mes yeux, il ajouta :) Mais ne vous inquiétez pas. Même dans ce cas, nous avons les médicaments qu'il faut. Quelqu'un dans votre famille est-il atteint d'une maladie mentale ?

— Ma mère souffre de dépression.

— Depuis quand ?

— Aussi loin que remontent mes souvenirs.

— Vous aussi ?

— Non.

— Vos frères et sœurs ?

— Non.

Il hocha la tête d'un air pensif et prit quelques notes.

— Y a-t-il ou y a-t-il eu, de ce que vous savez, quelqu'un dans votre famille, même éloignée, qui entend des voix ?

— Mon père entendait les battements des cœurs, répondis-je spontanément sans réfléchir à ce que je disais.

Le docteur Erikson se mit à rire. Il pensait qu'il s'agissait d'une plaisanterie.

Je n'avais aucune envie de le laisser me manipuler. Il avait posé une question et donc, il allait avoir sa réponse.

— Il était né en Birmanie. Son père est mort jeune et sa mère l'a abandonné parce qu'elle était persuadée qu'il était la cause de ses malheurs. Il a été élevé par une voisine. Il est devenu complètement aveugle à huit ans. En manière de compensation, il a découvert qu'il avait une ouïe exceptionnelle. Il savait reconnaître les oiseaux à leurs battements d'ailes. Il savait lorsqu'une araignée était en train de tisser sa toile non loin de lui parce qu'il l'entendait.

58

Je m'interrompis pour voir la réaction du médecin. Il me dévisageait d'un air incrédule, ne sachant pas si je lui parlais sérieusement ou pas. Sa perplexité me ravit et je continuai.

— Et, comme je le disais, il était capable d'entendre les battements des cœurs.

— Les battements des cœurs ? répéta le docteur Erikson, comme s'il cherchait à vérifier qu'il m'avait bien comprise.

— Oui. Mon père pouvait reconnaître quelqu'un aux battements de son cœur et il avait découvert que chaque cœur faisait un bruit différent et que cette tonalité était en réalité une fenêtre révélant l'état intérieur d'une personne ; tout comme une voix. Il est tombé amoureux d'une jeune fille parce que jamais auparavant il n'avait entendu son plus harmonieux que le battement de son cœur.

— Très intéressant, dit-il avec un air soucieux. Vous avez d'autres fantasmes ou bien voyez-vous parfois des choses que les autres ne voient pas ?

— La fille s'appelait Mi Mi, continuai-je, imperturbable. Elle était extrêmement belle mais elle ne pouvait pas se tenir debout car elle avait les pieds difformes. Alors mon père la portait sur son dos. Il devint ses jambes et elle devint ses yeux, si vous voyez ce que je veux dire.

Le docteur Erikson hocha la tête.

— Bien sûr, mademoiselle Win, je vois ce que vous voulez dire.

— Plus tard, grâce à une opération, il a recouvré la vue mais il a perdu cette ouïe extraordinaire. Ce n'est pas qu'il est devenu sourd, mais son audition n'était plus aussi développée.

— Et vous ? demanda-t-il doucement. Vous percevez également les battements de cœur ?

— Malheureusement non.

Le docteur Erikson regarda sa montre avec un air ouvertement sceptique.

Qu'est-ce que tu cherches ici ?

Le moment que je redoutais depuis le début.

— Taisez-vous, ordonnai-je.

Qu'attends-tu de cet homme ?

— De l'aide. J'attends de l'aide.

Tu n'as besoin d'aucune aide.

— Oh que si !

Cet homme ne peut pas t'aider.

— Et pourquoi pas ?

Parce qu'il n'a pas compris un mot de ce que tu as dit. Il croit que les gens voient avec leurs yeux. Comment pourrait-il t'aider ?

— Comment savez-vous cela ?

C'est l'évidence même.

— Quelque chose ne va pas ?

— Qu'est-ce qui pourrait ne pas aller ?

— Vous êtes toute pâle. Vos lèvres tremblent. Entendez-vous la voix actuellement ?

J'acquiesçai.

— Que dit-elle ?

— Que je n'ai besoin d'aucune aide.

Un sourire averti se dessina sur son visage.

— Autre chose ?

— Que vous ne pouvez pas m'aider.

— Et pourquoi ? La voix vous l'a-t-elle également révélé ?

Dis-lui. Il ne te comprend pas.

60

Je pris le temps de réfléchir.

— Non, la voix n'a rien expliqué.

— Je m'en doutais. La voix qui est en vous se sent menacée par ma présence. C'est une réaction défensive typique.

Il est fou.

— Essayez d'ignorer cette voix.

— Si c'était aussi simple, je ne serais pas là, en face de vous.

— Je sais, mais essayez. Vous devez apprendre à le faire. Laissez la voix s'exprimer. Ne l'écoutez pas. Quoi qu'elle dise, ça ne compte pas. Cette voix n'a rien à voir avec vous.

Il n'a pas la moindre idée de ce dont il parle. Il est cinglé. Fais-moi confiance. C'est un Saya Gyi typique.

C'était quoi, un *Saya Gyi* ? Je pensai à U Ba. Je pensai à Amy. J'avais la tête qui tournait.

— Je vais vous prescrire du Zyprexa, l'entendis-je dire comme s'il parlait de l'autre côté d'un mur. Prenez-en cinq milligrammes plus tard dans la journée et ensuite la même quantité tous les soirs pendant sept jours. Cela vous aidera. Il y a des risques d'effets secondaires. Vous vous sentirez peut-être fatiguée et somnolente pendant les premiers jours. Vous devriez vous mettre en congé jusqu'à la fin de la semaine. Beaucoup de patients se plaignent aussi de prendre du poids. D'avoir des vertiges. De souffrir de constipation. Dans la plupart des cas, c'est transitoire. Toute action entraîne une réaction. Mais, avec ce traitement, vous serez prête à retourner travailler juste après Thanksgiving, au plus tard. Il faut que vous reveniez me voir d'ici une semaine. Vous irez beaucoup mieux d'ici là. Je vous le promets.

J'avais ce que je voulais : un premier diagnostic. Une ordonnance et l'assurance absolue que cela allait marcher. N'empêche, je quittai le cabinet plus angoissée que je n'y étais entrée.

L'employé de la pharmacie m'expliqua à nouveau les effets secondaires du médicament mais j'étais trop épuisée pour y prêter vraiment attention. De retour chez moi, je me rendis directement dans la cuisine sans même enlever mon manteau. Je remplis un verre d'eau tiède, sortis le médicament de ma poche et pris un comprimé au creux de ma main.

Ne prends pas ça ! Jette-le.

Tenter d'ignorer la voix.

Ça ne va pas t'aider.

Vous devez apprendre à le faire. Ne l'écoutez pas.

Ne fais pas ça.

Rien de ce qu'elle dit ne compte.

Je déposai le comprimé sur ma langue et avalai une gorgée d'eau.

Peu de temps après, je me sentis submergée par une immense fatigue. Je m'allongeai sur mon lit tout habillée et je m'endormis aussitôt.

6

Dans les jours qui suivirent, la voix continua à me harceler de questions ; la nuit, elle me réveillait avec ses sanglots. J'étais complètement épuisée par le manque de sommeil. Tout mon corps était doulou reux ; je n'avais aucune attention pour rien. Même lire le journal, je ne tenais pas plus de quelques minutes. Lire un livre, il n'en était même pas question.

Peu importait ce que j'étais en train de faire, peu importait où j'allais ou ce que j'avais sous les yeux, je ne pensais qu'à une seule chose : la voix dans ma tête. Même quand elle se taisait.

J'écrivis un message d'excuse dramatique à Mulligan, où je faisais allusion à de graves problèmes de santé sur lesquels je ne m'étendais pas ; mais des analyses plus poussées s'avéraient indispensables. Il me répondit par un message inquiet en me souhaitant un prompt rétablissement.

Au cours d'une de mes errances lourdes d'angoisse à travers la ville, je remarquai un homme dans la station de métro d'Union Square. Il avait à peu près mon âge et portait un costume noir et une chemise blanche. Un attaché-case entre les jambes. Autour de lui, les gens se pressaient d'un quai à l'autre. L'homme, lui, était enraciné à sa place. Au milieu du rugissement assourdissant des rames qui arrivaient, je ne pouvais distinguer que des bribes de phrases isolées. «Écoutez la parole du Seigneur… tous sommes des pécheurs… croyez le Seigneur… vous vous êtes égarés…» Personne à part moi ne lui prêtait la moindre attention. Même si quelqu'un l'avait pris en pitié et s'était arrêté pour écouter, il était impossible de saisir ne fût-ce qu'une seule phrase complète. Je me demandai ce qui le poussait à agir ainsi. Entendait-il une voix, lui aussi ? Une voix qui lui ordonnait de prêcher devant les rames de métro dans une des plus grandes stations de New York ? Quel pouvoir cette voix prendrait-elle sur moi au fil du temps ?

En dépit de mes craintes, je ne pris le médicament prescrit que deux fois. Ce ne furent pas les objections de la voix qui me retinrent. Pas plus que les éventuels effets secondaires. Non, c'était l'effet prévu. Le fait de consommer une substance chimique qui s'emparerait de moi. Qui me dirigerait, me contrôlerait. Dès la première prise, j'avais déjà été submergée par une lourdeur inconnue. L'impression d'être étrangère à mon propre corps.

Chaque fibre de mon être résistait à cette idée. En aucun cas, je ne désirais me rendre esclave de ces petites pilules blanches. Je n'en étais pas encore arrivée là. Il devait exister un autre moyen pour me libérer de la voix. J'avais besoin d'essayer quelque chose de totalement différent, seulement je ne savais pas quoi. Devais-je suivre le conseil d'Amy et faire retraite avec elle dans les forêts au nord de l'État de New York ? Méditer ? Je craignais que le calme qui devait régner là-bas n'empire encore mon état.

La seule chose qui m'aidait, c'était la musique classique. Lorsque j'étais allongée sur le canapé en train d'écouter Mozart, Bach ou Haydn, la voix gardait le silence. Le son du violon, du violoncelle et du piano avait sur elle un pouvoir d'exorcisme. Comme si leurs mélodies parvenaient à l'apaiser. Cependant, je devais prendre garde à ne rien faire d'autre en même temps. Ni lecture, ni ménage, ni cuisine. Elle intervenait bruyamment aussitôt. *Ça suffit ! Prends une décision : lire ou écouter de la musique. Préparer le dîner ou écouter de la musique. Ça ne marchera pas si tu essaies de faire les deux en même temps.* Je tentai toujours de faire beaucoup trop de choses à la fois plutôt que de me concentrer sur une seule. Cela ne pouvait pas me mener bien loin. Cela lui serait insupportable.

Thanksgiving ne fit qu'empirer la situation. Pour la première fois de ma vie, j'allais passer cette fête seule. Amy était partie chez un de ses proches à Boston. Les quelques autres amis dont j'aurais pu apprécier la compagnie passaient la fête dans leurs familles. La moitié du pays allait être en déplacement. J'avais décliné, des semaines auparavant, la proposition peu enthousiaste de mon frère de venir à San Francisco.

Je n'avais jamais vu la ville aussi vide. Pas une voiture dans la rue, les magasins et les cafés fermés. Même le SDF qui était toujours assis à l'angle de la Deuxième et de la Cinquante-neuvième avait disparu. Je téléphonai à une dizaine de restaurants pour commander des plats à domicile ; ils étaient tous fermés.

À l'heure du dîner, l'immeuble entier sentait la dinde rôtie. De l'appartement situé sur le même palier fusait le rire des invités. Le cliquetis des verres. L'arôme des canneberges, des carottes glacées, des haricots verts, des patates douces et de la tarte à la citrouille.

La misérable puanteur de la solitude.

Je mangeai des restes du frigo et, en dépit des protestations vociférantes de la voix, je bus presque toute une bouteille de vin. Il s'avéra qu'elle avait raison. L'alcool ne me fit aucun bien. Je commençai à m'apitoyer sur moi-même. Je finis en larmes, roulée en boule sur le canapé.

Le dimanche soir, Amy revint du Massachusetts. Nous nous étions téléphoné à plusieurs reprises au cours des derniers jours. Elle avait été soulagée d'apprendre que j'arrêtais les médicaments et elle ne cessait de m'inviter à passer quelques jours à la campagne avec elle. Elle se faisait du souci pour moi. Ne voulais-je pas l'accompagner finalement au centre bouddhiste ? Cela me ferait du bien de débrayer. Elle le promettait. Et si ce n'était pas le cas, nous pouvions revenir à Manhattan en trois heures. Je n'avais rien à perdre.

À ce moment-là, l'endroit où nous allions m'était bien égal. J'étais au bout du rouleau. Je ne pouvais plus supporter de rester seule. Et j'avais impérativement besoin de quitter la ville.

7

Le taxi fit demi-tour et repartit lentement dans l'autre sens. Le chauffeur nous jeta un ultime regard plein de commisération avant de disparaître au premier virage.

Amy et moi, nous restâmes là, enveloppées dans un silence surnaturel. Pas d'oiseaux, pas d'insectes. On n'entendait même le murmure du vent dans les arbres.

Je regardai autour de moi. Pas beaucoup de couleurs. Des arbres sans feuilles, des broussailles clairsemées, des rochers surgissant de la terre. Un univers tout en gris-brun. Vide.

Pendant un long moment, j'eus le sentiment d'avoir été abandonnée.

Amy mit son sac sur son dos, me fit un signe de tête et ouvrit la marche. Nous suivîmes le chemin en traversant un bout de forêt jusqu'à ce qu'un drôle de bâtiment surgisse à flanc de colline devant nous. Une construction massive, plate, avec de grandes fenêtres, qui évoquait un centre de conférences. On avait rajouté dessus un toit de pagode, complet avec coupole octogonale, petites tours, incrustations dorées et symboles bouddhistes bien visibles à chaque angle. Le sentier y montait tout droit.

Une femme mince vêtue d'une robe rose pâle nous accueillit à l'entrée. Elle avait les cheveux coupés court et, avec son sourire et la douceur de ses traits, on avait du mal à lui donner un âge. Même si Amy et elle paraissaient bien se connaître, elle me souhaita la bienvenue avec tout autant de chaleur. Elle nous emmena de l'autre côté du bâtiment principal, vers les chambres réservées aux hôtes. Le souffle court, elle grimpa jusqu'au deuxième étage pour nous montrer nos quartiers.

Ma chambre mesurait environ deux mètres cinquante sur trois. Il y avait un lit, une chaise et un petit placard. Sur la table de chevet trônait un bouddha sculpté dans du bois clair. Derrière, dans un vase, une fleur d'hibiscus en plastique. Au mur étaient accrochés l'image d'un bouddha en pleine méditation et un panneau avec certains de ses aphorismes : «Nulle tristesse ne s'abat sur ceux qui ne tentent jamais de posséder choses et gens.»

Je pensai à mon frère en Birmanie. S'était-il approprié cette pensée? Était-ce la raison pour laquelle il demeurait si serein? En dépit du dénuement dans lequel il vivait?

La nonne nous conduisit dans le couloir pour nous montrer où se trouvaient les toilettes et la douche. Au premier étage, nous apprit-elle, il y avait une cuisine collective. La nourriture dans le réfrigérateur et dans les placards était à la disposition de tous. Il y aurait cinq autres hôtes dans la maison. Si nous le souhaitions, nous pouvions participer d'ici une heure à la méditation collective qui se tenait tous les jours à 16 heures. Le dîner était à 18 heures et, comme toutes les autres activités, la participation était sur la base du volontariat.

Amy souhaitait que nous buvions ensemble une tasse de thé avant la méditation mais je ne me sentais pas d'humeur.

Je posai mon sac à dos, je fermai la porte et j'ouvris la fenêtre.

Un monde sans sirène de police. Sans voiture. Sans musique de l'appartement voisin.

Un silence sans la voix.

Elle n'avait pas prononcé un mot depuis que nous étions parties de New York. Cela faisait des jours qu'elle ne s'était pas tue pendant aussi longtemps. Pourquoi, brusquement, la bouclait-elle ?

— Salut ?

Timidement.

— Où êtes-vous ?

Encore plus timidement.

Pas de réponse.

Je m'allongeai sur le lit. J'attendis. Impatiemment. D'un côté, je souhaitais ardemment être débarrassée d'elle pour de bon.

D'un autre côté…

La vague conscience que cela ne se produirait pas à son initiative à elle. Que j'allais devoir aller jusqu'au bout de ce qui était en train de se passer à l'intérieur de moi. D'où venait la voix. Ce qu'elle attendait de moi.

La salle de méditation était plus grande qu'elle ne le paraissait de l'extérieur. Elle pouvait accueillir plusieurs centaines de personnes. Moquette rouge au sol. Dans un coin, des piles de couvertures, rouges, et de coussins de méditation, bleus. Dans trois vitrines en verre, toute une exposition de la statuaire bouddhiste ; sur des petites tables, des offrandes : deux oranges, des bananes, des biscuits. La salle était remplie de l'odeur sucrée des bâtons d'encens en train de se consumer.

J'arrivai un peu en retard. Amy et les autres étaient déjà assis en rang, en pleine méditation. Prenant un coussin et une couverture, je m'installai à côté d'eux, dans la position du lotus. Je fermai les yeux et j'écoutai leur respiration paisible. J'étais incapable de parvenir à trouver la paix, comme eux. Mon cœur battait la chamade ; j'avais le souffle court, rapide. Dans ma tête, c'était le raffut. Les pensées filaient comme des nuages avant la tempête. Je pensai à Mulligan avec ses sourcils broussailleux. Aux petites oreilles de mon frère, héritées de notre mère. Au longyi vert d'U Ba, usé jusqu'à la corde. Je vis un morceau de banquise fondre lentement dans un lac, jusqu'à disparaître totalement. Je pensai à mes chaussures, qui avaient besoin d'être cirées. Au lait qui allait se gâter dans mon réfrigérateur.

Plus je m'efforçais à la concentration, plus mes pensées devenaient anodines et envahissantes. C'était exactement comme lorsque j'avais tenté de méditer pendant mes cours de yoga. Le « Aum » profond de mon professeur n'avait pas trouvé à résonner en moi. Le vide de la détente, la sérénité bouddhiste n'étaient pas descendus sur moi. Plutôt la frustration. Contre moi-même. Pourquoi étais-je incapable de rester assise sans bouger, sans rien faire ? Pourquoi ne pouvais-je pas réguler le flot continu de mes pensées ?

J'ouvris les yeux. Il ne s'était même pas écoulé dix minutes. À quoi bon rester ainsi immobile pendant encore trois quarts d'heure en me soumettant à la torture de ces pensées inutiles ? N'avais-je pas mieux à faire de mon temps ? Aller me promener ? Lire ? Aider à préparer le dîner ? J'étais sur le point de me lever lorsque j'entendis des pas derrière moi. La démarche légère, agile d'un enfant. Je me retournai. Un moine, de petite taille, un Asiatique âgé vêtu d'une robe rouge foncé, le crâne rasé, s'approcha et s'assit à côté de moi. Nos regards se croisèrent et il me salua avec un petit rire sympathique.

Comme si nous nous connaissions depuis des années.

Je ne parvenais pas à le quitter des yeux. Il portait des lunettes démesurément grandes avec des verres épais et la monture noire était bien trop large pour son visage mince. Il avait un nez particulièrement pointu et des petits yeux. Ses lèvres pleines m'évoquèrent le Botox. Quand il souriait, on voyait qu'il avait des dents de lapin. En même temps, il dégageait une grâce considérable. Il irradiait une dignité que je trouvais impossible à réconcilier avec une apparence extérieure dont il n'avait nullement conscience ou à laquelle il était totalement indifférent.

Il posa les mains sur ses genoux, ferma les yeux et je vis les traits de son visage se détendre.

Je décidai de réessayer mais, désormais, je voyais en permanence le visage de ce vieil homme. En moins d'une minute, je me sentis gagnée par une intense agitation. J'avais mal au bassin et le dos douloureux. Ma gorge me grattait. C'était une torture; hors de question de méditer.

À un moment, le gong retentit pour indiquer la fin de la séance. Soulagée, j'ouvris les yeux. Le vieux moine assis à côté de moi avait disparu. Je parcourus la salle des yeux, légèrement irritée. Amy n'avait pas encore bougé. Les autres se levaient lentement.

Du vieux moine, pas la moindre trace.

Peu de temps après, nous retrouvâmes les autres hôtes pour le dîner. Ils venaient tous de New York. Un professeur de yoga, à peu près de mon âge. Un veuf plus tout jeune qui espérait, à travers la méditation, réussir à dire adieu à sa femme morte un an auparavant. Une étudiante à la recherche de quelque chose, elle ne savait pas très bien quoi. Un journaliste qui passait presque tout son temps à parler d'un livre sur lequel il travaillait, intitulé *La Force du silence*. Je mangeai mon curry de légumes en espérant que son écriture était plus charmante que sa conversation. Et, pendant tout ce temps, je ne parvenais pas à oublier le vieux moine. Entre Amy et moi, un seul regard était suffisant pour nous comprendre et, quelques minutes plus tard, nous étions assises dans ma chambre.

Elle avait apporté un sac. D'un air plein de mystère, elle en sortit une bougie, deux petits verres, un tire-bouchon et une bouteille de vin.

— Est-ce autorisé ? dis-je, surprise.

Toujours légaliste.

Amy sourit et mit un doigt sur ses lèvres.

Elle alluma la bougie et éteignit la lumière, ouvrit discrètement la bouteille, nous versa à chacune un verre et s'assit à côté de moi sur le lit.

— Le Bouddha dit : « L'insensé reconnaissant sa folie est, en vérité, sage. Mais l'insensé qui se croit sage est vraiment fou. »

— Je crois qu'il n'apprécie pas non plus qu'on boive de l'alcool. Ou bien boire du vin fera-t-il de nous des sages ?

Elle hocha la tête avec une expression conspiratrice.

— Alors, tu es bouddhiste ou pas ?

— Presque.

— Ça veut dire quoi, « presque » ?

— Le Bouddha dit : « Vivre, c'est souffrir. »

— Et ? demandai-je, maintenant curieuse.

Elle se pencha vers moi et murmura.

— Le maître se trompe : vivre, c'est aimer.

— L'amour et la souffrance ne s'excluent pas, répliquai-je, amusée. Peut-être même que l'un implique l'autre ?

— N'importe quoi. Quiconque aime sincèrement ne souffre pas, riposta-t-elle, toujours en chuchotant. Mais de plus en plus bas.

— Oh, je t'en prie.

— Non, je t'assure. Crois-moi.

Elle se rejeta en arrière, sourit et leva son verre.

— À ceux qui s'aiment.

— À ceux qui souffrent.

Je n'avais pas envie de poursuivre cette conversation et je lui demandai si, pendant la méditation, elle avait remarqué le vieux moine avec ses lunettes disproportionnées.

Amy secoua la tête.

— Non, mais la nonne m'a dit qu'ils recevaient un moine venu de Birmanie.

— Qu'a-t-elle raconté à son propos ? demandai-je, curieuse d'en apprendre davantage.

— Je crois qu'il est très âgé et, en Birmanie, il jouit d'une grande estime et il est entouré de nombreux disciples. Il paraîtrait que les gens viennent de partout pour lui demander conseil dans les situations difficiles. Il a été obligé de fuir le pays, je ne sais pas exactement pourquoi. Il est ici depuis un mois et mène une vie de reclus dans une petite cabane au fond de la forêt. Ils ne le voient pas très souvent ; d'après elle, généralement, il ne participe pas aux séances de méditation. C'est drôle qu'il apparaisse juste aujourd'hui.

Pendant un long moment, nous fixâmes sans rien dire la flamme des bougies.

— Que dit la voix à propos de notre expédition ?

— Rien du tout.

— Ne t'avais-je pas affirmé que cela te ferait du bien de partir loin de tout ça ? Tu devrais m'écouter plus souvent.

— Je ne suis pas sûre que ce soit seulement lié au fait de s'éloigner.

— Quoi d'autre, alors ?

— Peut-être… Je ne sais pas.

— Le temps le dira. Tu veux rentrer demain ou on reste un peu plus longtemps ?

Je hochai la tête. Nous trinquâmes. Sans faire de bruit. Telles deux conspiratrices.

Il gela pendant la nuit. Au réveil, une fine couche de givre recouvrait l'herbe. La maison était vide ; les autres étaient déjà partis pour la première séance de méditation. Je vis leurs empreintes sur la pelouse. Chaque pas que l'on fait laisse une trace.

Je m'habillai et je sortis. Un air froid et limpide. Ça sentait l'hiver. Les arbres maigres et dénudés ressemblaient à des bâtons enfoncés dans la terre par quelque géant.

Le soleil se levait, le ciel était rouge.

Je n'étais pas prête à souffrir pendant une autre séance de méditation. Mieux valait aller se promener. Un sentier bien tracé partait de la maison vers les bois.

Un ruisseau. Les premiers glaçons sur les branches qui sortaient de l'eau.

Le craquement des brindilles sous mes pieds.

Pourquoi sommes-nous ici ?

Aucune joie, certainement pas. Mais un étrange soulagement.

— Parce que je cherche des réponses.

À quelles questions ?

— Pourquoi je vous entends. D'où vous venez.

Silence.

— Où étiez-vous durant tout ce temps ?

Aucune réaction.

— Qu'est-ce qui vous tracasse ?

Je veux sortir d'ici.

— Pourquoi ?

J'ai peur, répondit-elle dans un souffle.

— De quoi ?

La peur m'étouffe. Aide-moi.

Il ne restait désormais plus trace du ton impératif, intrusif avec lequel elle me brutalisait à New York. Elle paraissait maintenant faible et abandonnée.

— De quoi avez-vous peur ?

Je ne sais pas. Elle garda le silence un long moment. *Des bottes. Des bottes noires. Bien cirées. Tellement brillantes que je vois ma peur se refléter dedans.*

— Les bottes de qui ?

Les bottes de la Mort.

— Qui les porte ?

Les émissaires.

— Quels émissaires ?

Les émissaires de la Peur.

— Qui les envoie ?

Silence.

— De quoi vous souvenez-vous ?

De pagodes blanches. De taches rouges. Partout. Par terre. Sur le bois. Un liquide rouge s'échappe des bouches. Colore tout. Mes pensées. Mes rêves. Ma vie.

— Du sang ? Vous vous souvenez du sang ?

Ça ruisselle le long de mon visage. Dans mes yeux. Ça brûle. Oh, comme ça brûle.

Elle eut une brusque crise de larmes. Je tressaillis.

— Que se passe-t-il ?

Ça fait mal. Ça fait tellement mal.

— Qu'est-ce qui fait mal ?

Le souvenir.

— Quel souvenir ? D'où venez-vous ?

D'un pays que tu connais bien.

— Où exactement ?

De l'île.

— Quelle île ?

*Thay hsone thu mya, a hti kyan thu mya a thet shin
nay thu mya san sar yar kywn go thwa mai.*

— Qu'avez-vous dit ?

Elle répéta les syllabes inconnues.

— C'est quoi, cette langue ?

Je ne tiens plus. Je t'en prie, aide-moi.

— Comment puis-je vous aider ?

Quitte cet endroit. Je ne veux pas y revenir.

— Revenir ? Revenir où ?

Sur l'île.

— Nous n'allons sur aucune île.

*Mais si, nous y allons. Nous nous dirigeons tout droit
là-bas.*

— Je ne comprends pas de quoi vous parlez. Il faut
que vous m'expliquiez.

Le silence retomba.

— Ne partez pas, restez ici. Essayez de vous souvenir.

Pas de réponse.

Comment étais-je censée assembler ces fragments de souvenirs ? Un pays que je connais ? Les
bottes de la Mort ? Les émissaires de la Peur ? Que
signifiait tout cela ? Je n'en avais pas la moindre
idée.

Soudain, une petite cabane surgit au milieu des
arbres. Une cabane en forme de A, construite avec des
rondins de bois foncé. Des deux côtés, le toit s'incli-
nait jusqu'à terre. Sur la véranda, une robe de moine
séchait sur une corde. De la cheminée s'échappaient
des panaches de fumée d'un blanc de neige. Je me
dirigeai droit dessus, sans hésiter.

Comme si quelqu'un m'avait appelée.

Par la grande fenêtre, je vis le moine de la veille. Assis au milieu de la pièce sur un tatami, il lisait un livre. Un bon feu brûlait dans un poêle à bois derrière lui.

Je frappai et ouvris la porte sans attendre la réponse. Il leva les yeux et posa son livre.

— Quel plaisir de vous voir, dit-il avec un accent britannique prononcé. Entrez.

J'ôtai mes chaussures et j'entrai en refermant la porte. Je me tins devant lui, hésitante. Qu'est-ce que je faisais là ?

— Approchez. Je vous en prie, asseyez-vous.

Il montra d'un geste un endroit par terre, à côté de lui.

J'hésitai encore, mal à l'aise.

Plus un mot ne fut échangé. Il était un maître dans l'art d'attendre.

Je finis par faire quelques pas et par m'asseoir.

— Savez-vous qui je suis ? demandai-je timidement.

— Je suis moine, pas devin, répondit-il avec un petit sourire narquois.

Le silence de nouveau. Le crépitement du bois en train de brûler. Il me regardait. Un regard qui ne recelait aucune exigence. Petit à petit, j'eus l'impression d'être à ma place dans cette pièce.

— Vous venez de Birmanie ?

Le vieux moine acquiesça.

— Mon père aussi.

Il acquiesça à nouveau.

— J'ai entendu dire qu'en Birmanie les gens viennent vous consulter quand ils ont besoin de conseils.

— Parfois, oui.

— Comment les aidez-vous ?

— J'écoute leur histoire et je les amène à se rappeler.

— De quoi ?

— De quelques vérités que nous connaissons tous mais que nous oublions parfois.

— Quelles vérités ?

— N'êtes-vous pas trop pressée ?

— C'est mal ?

— L'herbe ne pousse pas plus vite quand on tire dessus. Avez-vous jamais médité ?

— Oui, hier. À côté de vous, répliquai-je, agacée.

— Vous étiez assise là à ne rien faire. Ce n'est pas la même chose.

— Comment le savez-vous ?

Il sourit.

— Si vous le souhaitez, je vous aiderai.

— À quoi ?

— À trouver le repos.

Je n'avais aucune raison de refuser. Il glissa vers moi jusqu'à se retrouver assis juste en face. Genou contre genou. Il ne fit rien qu'attendre à nouveau patiemment. Derrière lui, le feu flambait dans le poêle. Il me donnait le sentiment d'avoir tout le temps du monde. Mon souffle, bien trop rapide, ralentit progressivement. Il saisit mes mains froides, que je lui abandonnai bien volontiers. Comme si j'attendais depuis toujours que cela se produise. Il les examina lentement sur les deux côtés. Je fermai les yeux et laissai les choses se faire. J'entendais son souffle régulier. Je sentais ses doigts tièdes. Sa peau douce et ridée. Une sensation de chute. Comme une feuille venue de très haut et tombant jusqu'à terre. Sans hâte. Inexorable. Accomplissant calmement son destin.

Il me tenait les mains, il les soutenait. Il me soutenait.

Je perdis toute notion du temps.

Lorsque je revins dans la maison d'hôtes, Amy était déjà en train de débarrasser son petit déjeuner.

— Où étais-tu ?

— Dans les bois, répondis-je spontanément.

— En train de méditer ?

Je hochai la tête.

— Avec le vieux moine ?

Je hochai à nouveau la tête, abasourdie une fois de plus de constater à quel point Amy me connaissait bien.

— Dommage qu'il ne soit pas un peu plus jeune, ajouta-t-elle en me faisant un clin d'œil.

Le lendemain matin, je me réveillai avant le lever du soleil. J'aurais aimé plus que tout me rendre directement auprès du vieux moine mais j'attendis que les autres soient partis pour la salle de méditation. Ensuite, je me levai, je m'habillai et je me mis en route.

— Entrez, asseyez-vous, dit-il, nullement surpris de me revoir. Ou allongez-vous, si vous préférez.

J'ôtai mes chaussures et je m'étendis de tout mon long par terre. Ce ne fut qu'à ce moment-là que je me rendis compte que j'étais gelée et que je tremblais comme une feuille. Il m'enveloppa d'une couverture et s'accroupit à côté de moi. Il posa brièvement ses mains sur mes tempes puis les glissa comme un mince oreiller sous ma tête. Elles étaient merveilleusement chaudes. Je fermai les yeux. Ma respiration ralentit, les frissons disparurent et une sensation de calme descendit sur moi, une sensation que je n'avais jamais connue qu'avec mon frère U Ba. Comme si je pouvais tout remettre entre les mains de ce vieillard. Le poids de mon monde tout entier.

— Qu'est-ce qui vous perturbe ?

Parfois, il suffit d'une seule question.

Et donc, je commençai à raconter. Un amour démesuré et mon désir d'en savoir davantage. Des vies jamais vécues. Des papillons qu'on reconnaissait aux battements de leurs ailes. Le *Livre de la solitude* et ses nombreux chapitres. Les ailes puissantes du Mensonge, qui obscurcissait les cieux jusqu'à ce qu'ils fussent noirs. Les innombrables couleurs du chagrin. Et de la peur. La voix et ses questions. Et les miennes. La crainte qu'elle m'inspirait. Et ma crainte de moi-même.

Je sentais les larmes ruisseler sur mes joues. Emportant dans leur flot des choses que je croyais définitivement enterrées.

Il ne disait rien.

Je savais qu'il comprenait chaque mot. Quand j'eus terminé, il repoussa les cheveux qui me cachaient le visage et, doucement, me caressa le front. Il avait les doigts aussi doux que ceux d'un enfant.

— Il vous est arrivé une chose extraordinaire. Dans ma vie entière, je n'ai croisé ce phénomène qu'une seule fois.

Il parlait lentement, tranquillement, mais soudain, sa voix trahit l'urgence.

— Vous savez que nous, les bouddhistes, nous croyons à la renaissance. Le corps meurt tandis que l'esprit, si vous le souhaitez, continue à vivre. Il quitte le corps et se glisse dans un nouvel être. Nous appelons ce processus la réincarnation. Le karma de l'existence précédente détermine l'avenir. Si vous avez fait le bien, alors quelque chose de bien croisera sans doute votre route. Si vous avez maltraité vos semblables, il vous faudra en subir les conséquences. Rien ne disparaît. Beaucoup de bouddhistes pensent que les individus ayant un mauvais karma peuvent renaître sous l'aspect d'un singe ou de vermine. Ce n'est pas conforme à mes croyances.

Le moine s'interrompit. Il s'exprimait par énigmes. Je n'avais pas la moindre idée de la suite de son raisonnement ni en quoi il me concernait.

— Dans votre cas, il y a quelque chose de particulier.

Il hésita.

— Je ne trouve pas le moyen d'exprimer ce que je comprends qui, pour vous, ne ressemblerait pas à du charlatanisme.

Il garda le silence un long moment.

— Dans votre cas, quelque chose a mal tourné, pour parler sans détour, durant l'un de ces processus de transformation. Je vais tenter de vous expliquer la situation.

Il se leva, remit une bûche dans le feu et vint se rasseoir à côté de moi.

— C'est une voix de femme que vous entendez ?

— Oui.

— Elle se souvient de pagodes blanches et de taches rouges sur le sol ? Des bottes noires lui font peur ?

— Oui.

— Hier, elle a prononcé des phrases dans une langue étrangère et ça ressemblait à *Thay hsone thu mya, a hti kyan thu mya a thet shin nay thu mya san sar yar kywn go thwa mai.* Ai-je bien compris ?

— Ça ressemblait effectivement à ça, oui.

— C'est du birman. Ça signifie «L'île de la Mort. L'île des Amours. Des Solitaires». Étant donné tout ce que vous m'avez dit de cette voix, étant donné ce qu'elle sait et ce qu'elle ne sait pas, je soupçonne qu'elle vivait en Birmanie. Il devait s'agir d'une âme très troublée. Une personne inquiète dont l'esprit n'a pas pu trouver le repos après la mort mais s'est réfugié en vous. Ce qui signifie que, désormais, deux âmes cohabitent dans votre corps.

Je me redressai brusquement. Il paraissait surpris. Je me sentais dubitative.

— Deux âmes ? répétai-je.

— Oui.

— Je ne peux pas y croire.

Tout ce qui est explicable n'est pas vérité. Toutes les vérités ne sont pas explicables.

— Je ne peux pas vous le reprocher. C'est une histoire des plus inhabituelles. Cependant, je suis convaincu que les choses se sont passées exactement ainsi.

— Combien de temps cette âme va-t-elle rester en moi avant de se décider à partir ?

— Jusqu'à votre mort.

— Pour toujours ? Je n'en serai jamais débarrassée ?

Balançant le haut du corps d'avant en arrière, il me saisit les mains.

— Il existe une possibilité pour la ramener... (Le moine s'interrompit et me dévisagea longuement.) Il vous faudrait trouver qui était cette femme. Découvrir pourquoi elle est morte. De cette façon et seulement de cette façon elle aura une chance de trouver la paix. Alors, elle pourrait quitter à nouveau votre corps. Mais vous allez vous mettre en route pour un long voyage. Un voyage dont la destination vous est inconnue. Êtes-vous prête à vous lancer là-dedans ?

8

Un vent tiède jouait dans mes cheveux; le soleil aveuglant brillait presque à la verticale. Debout à l'arrière de l'avion, dans l'ombre, une main en visière au-dessus des yeux, j'examinais les alentours. L'aéroport d'Heho n'était constitué que d'un seul et minuscule terminal, d'une piste et d'une tour qui ne dépassait pas le sommet des arbres. Il n'y avait qu'un seul avion : le nôtre. Il était garé là comme un intrus venu d'un monde très lointain, tout à fait inconnu.

Le pilote avait éteint les moteurs et je n'entendais que le rugissement du vent. Les autres passagers, un voyage organisé venu d'Italie, quelques Birmans et deux moines, étaient déjà descendus et se dispersaient peu à peu dans la zone d'arrivée. Trois hommes tiraient un chariot à bagages surchargé de valises, de sacs et de sacs à dos. Une bourrasque de vent souleva un léger tourbillon de poussière grise qui parcourut tout le terrain. Je ramassai mon sac et suivis les trois hommes d'un pas hésitant. Je ne cessai de m'arrêter pour regarder autour de moi. Comme si je cherchais à me rassurer sur l'endroit où j'avais atterri.

Depuis ma conversation avec le moine, j'avais passé des journées entières dans une espèce de transe. Ma décision de suivre ses conseils. Les encouragements d'Amy, comme si elle craignait que je n'aille pas au bout de ma décision. La préparation hâtive de mon voyage. Le long vol jusqu'à Bangkok, l'arrivée retardée, la correspondance ratée pour Rangoun. Les heures d'attente dans une salle. Pendant une grande partie du voyage, j'avais somnolé.

Maintenant, à chaque pas, je larguais mon stress. Ma fatigue et ma lassitude s'envolaient. L'anticipation était trop intense. Je mourais d'impatience à l'idée de revoir mon frère. Avec son aide, je serais capable de reconstituer le destin de la voix qui était en moi.

Devant l'aéroport, il n'y avait strictement aucune activité. Une vieille Toyota cabossée attendait, les vitres baissées, garée sur un bout de terrain sableux devant une cabane. Le conducteur dormait derrière le volant. Quelqu'un avait peint le mot «Taxi» en noir sur la portière. Je tapai d'un doigt hésitant sur le capot. Le conducteur ne bougea pas. Je tapai une deuxième fois, de façon plus assurée. Il leva la tête et me regarda, les yeux dans le vague.

— Vous pourriez m'emmener à Kalaw?

L'homme sourit joyeusement, bâilla et s'étira. Il descendit de voiture, renoua son longyi, ouvrit le coffre avec un tournevis, chargea mon sac à dos et tenta, en dépit de la serrure cassée, de refermer le coffre. Comme cela ne marchait pas, il utilisa un bout de fil de fer qu'il fit passer par un trou que la rouille avait creusé dans l'aile. Il m'ouvrit la portière de l'intérieur. On devinait les ressorts à travers la garniture minable de la banquette. Devant, il n'y avait ni commandes ni tableau de bord, rien qu'un embrouillamini de fils et de câbles jaunes, rouges et noirs. J'hésitai.

Il me fit un signe de tête encourageant et je montai. Nous nous arrêtâmes très vite devant une petite baraque sur le bord de la route. Le chauffeur acheta un sac de noix de bétel et une guirlande fraîchement tressée de jasmin blanc qu'il suspendit au rétroviseur. Pendant un grand moment, ce parfum remplit toute la voiture.

Sur la route, le vent était frais et sec. J'essayai de remonter une des vitres mais il n'y avait aucune poignée.

Je sentais le regard du chauffeur qui m'observait dans le miroir.

— Vous avez froid, mademoiselle ?

— Un peu.

Il hocha la tête. Pendant quelques secondes, il alla moins vite mais reprit sa vitesse après le premier virage.

— Où puis-je vous déposer à Kalaw, mademoiselle ?

— Le Kalaw Hotel existe-t-il toujours ?

— Bien sûr.

— Alors, ce sera très bien.

Nos regards se croisèrent dans le miroir. Il fit un léger mouvement de la tête et sourit. Il avait les dents tachées de rouge sang après avoir mâché les noix de bétel.

— Si mademoiselle le souhaitait, je pourrais lui recommander d'autres hôtels.

— Qu'est-ce qui ne va pas avec le Kalaw Hotel ?

Il ne répondit pas tout de suite.

— Rien, mademoiselle. C'est seulement que nous, les Birmans, ça ne nous plairait pas de nous installer là.

— Pourquoi ?

— On dit qu'il y a des fantômes là-bas.

J'aurais dû m'en douter.

— Quel genre de fantômes ? demandai-je avec un petit soupir.

— Oh, c'est une très triste histoire. Pendant la guerre, l'hôtel a servi d'hôpital. Malheureusement, plusieurs Anglais y sont morts. Leurs fantômes errent toujours dans la maison, à ce qu'on raconte.

— Je ne crois pas aux fantômes. En avez-vous déjà vu ?

— Non, bien sûr que non.

— Eh bien alors ?

— Mais je ne dors pas au Kalaw Hotel.

Il secoua à nouveau la tête en souriant.

— Avez-vous jamais rencontré quelqu'un qui en a vu un ?

— Non, mademoiselle. Mes clients ne dorment pas là.

— J'ai déjà passé quinze jours dans cet hôtel et je n'ai pas croisé un seul fantôme.

Je soupçonnais qu'il devait toucher une meilleure commission de la part d'autres établissements et nous en restâmes là.

Nous traversions un paysage vallonné où les travaux agricoles ne devaient pas être faciles. Non loin de la route, un homme labourait un champ avec un buffle. Il avait dû pleuvoir peu de temps auparavant.

La terre était glissante; homme et bête étaient couverts de boue. Le buffle décharné se traînait péniblement dans ce bourbier; le paysan, vêtu seulement d'un longyi trempé, menait la charrue en y mettant toutes ses forces. Ils paraissaient tous deux sur le point de défaillir.

Deux cents mètres plus loin, un *stupa* doré, ce monument par excellence du bouddhisme, étincelait au soleil. Cachés au milieu des champs et des collines, entre les arbres ou au milieu des bambous, j'aperçus des pagodes, des monastères, des temples.

À un moment, il fallut faire un arrêt brutal à cause de deux bœufs obstinés dont la charrette bloquait le passage.

Une bonne heure plus tard, la voiture s'arrêta devant l'entrée du Kalaw Hotel. Le chauffeur descendit, prit mon sac à dos dans le coffre, me donna sa carte avec son nom et son adresse, au cas où je changerais d'avis et souhaiterais trouver un autre hébergement, me souhaita un bon séjour à Kalaw et partit. Il n'y avait aucun employé de l'hôtel en vue.

La porte était grande ouverte, je montai donc les quelques marches et, le cœur battant, je pénétrai dans le bâtiment. Un seul coup d'œil à la réception me suffit pour que les souvenirs reviennent en foule. Les pendules sur le mur qui donnaient l'heure à Bangkok, Paris, Tokyo, New York et en Birmanie; aucune n'était juste. Les murs dont le plâtre pelait, comme de la peau après un coup de soleil. L'armoire à clés, dans laquelle je n'avais jamais vu la moindre clé. Ni lors de mon séjour précédent ni maintenant. La froide lumière du néon. Les parquets abondamment cirés.

Les tentures jaunes qui s'agitaient mollement dans le vent.

L'impression de rentrer chez soi. Comme si j'avais passé des années de ma vie dans cet hôtel.

— *Hello !* criai-je, mais je n'obtins aucune réponse.

Dans une pièce adjacente, la télévision était allumée et un jeune homme dormait devant, allongé sur un banc.

— *Hello !* répétai-je plus fort, en tapant sur le cadre de la porte.

Le jeune homme se réveilla et me dévisagea d'un air surpris. Un client, voilà bien la dernière chose à laquelle il s'attendait.

Ma chambre, la 101, n'avait pas changé.

Grande et haute de plafond, les murs blanchis à la chaux, deux lits séparés par une petite table de chevet, une table et deux fauteuils devant la fenêtre, même le minifrigo coréen se trouvait encore à la même place. Toujours hors d'usage.

La jeune femme à la réception était très amicale. Elle connaissait quelques mots d'anglais. Elle ne connaissait pas U Ba.

Je sortis pour trouver la maison de thé où j'avais rencontré mon frère pour la première fois. Là-bas, il y aurait sûrement quelqu'un qui connaîtrait son adresse. Je descendis la rue qui allait de l'hôtel au centre-ville. Bordée de poinsettias, de lauriers-roses et de bosquets de sureau, elle était en meilleur état que dans mon souvenir. Des piétons déambulaient sans hâte, la plupart se tenant par la main ou par le bras. Presque tout le monde me saluait en souriant. Un jeune garçon sur un vélo bien trop grand pour lui s'avança vers moi en criant :

— Comment ça va ?

Il avait disparu au coin de la rue avant que j'aie eu le temps de lui répondre.

Je parvins à un carrefour. Je m'arrêtai pour tenter de me repérer. Sur la droite, il y avait un jardin public envahi par la végétation galopante d'un parcours de minigolf. À l'entrée, deux voitures à cheval attendaient dans l'ombre d'un pin. Sur la gauche, l'artère principale conduisait dans le centre-ville. Je la suivis et passai devant une école où les voix des enfants s'échappaient par les fenêtres ouvertes.

Et puis je vis U Ba. Je le reconnus de loin. Je le reconnus à sa démarche, à son pas légèrement élastique. À la façon dont il retenait son longyi de la main droite afin de pouvoir marcher plus vite. Il avançait dans la rue et se dirigeait droit sur moi. Je sentis mon cœur battre plus vite. Les souvenirs me submergeaient.

Mes yeux se remplirent de larmes. Je déglutis en serrant résolument les lèvres. Mais où étais-je partie depuis si longtemps ? Pourquoi n'avais-je jamais cédé à mon désir de revoir U Ba, de revoir Kalaw ? Comme c'est difficile de suivre les élans de son cœur. Ces dix dernières années, quelle vie avais-je donc menée ?

Il leva la tête et m'aperçut. Chacun de nous ralentit l'allure. Brève pause puis continuer jusqu'à nous retrouver face à face.

L'une grande et l'autre petit. L'une plus si jeune et l'autre pas encore si vieux. Frère et sœur.

J'avais envie de le prendre dans mes bras, de le serrer contre moi mais mon corps refusait d'obéir. Ce fut U Ba qui rompit la tension. Il fit un dernier petit pas vers moi, ouvrit les bras et prit mon visage avec précaution entre ses deux mains. Me regarda de ses yeux fatigués, épuisés. Je vis comment ils devenaient humides. Comment ils se remplissaient, larme à larme, jusqu'à déborder.

Il avait les lèvres tremblantes.

— J'ai pris mon temps, chuchotai-je.

— Oui. Pardonne-moi de ne pas être venu t'accueillir à l'aéroport.

— U Ba ! Tu ne savais même pas que je venais.

— Non ?

Un sourire, très rapide.

Je l'étreignis. Il se dressa sur la pointe des pieds et posa sa tête sur mon épaule.

Certains rêves sont grands. D'autres sont petits.

— Où sont tes bagages ?

— À l'hôtel.

— Alors, nous irons les chercher plus tard. Tu vas venir loger chez moi, n'est-ce pas ?

Je pensai à sa cabane. Je pensai à l'essaim d'abeilles, au canapé défoncé, au cochon sous la maison.

— Je ne sais pas. Je ne voudrais pas être un fardeau.

— Un fardeau ? Julia, ce serait un honneur. (Il eut une brève hésitation avant de continuer tranquillement, en faisant un clin d'œil :) Sans compter le fait que la population de Kalaw ne m'adresserait plus jamais la parole si on apprenait que j'ai laissé ma sœur dormir dans un hôtel alors qu'elle a traversé la planète pour venir me voir. Hors de question.

U Ba me prit par le bras et m'entraîna dans la direction d'où il venait.

— Pour commencer, allons boire un thé et manger un morceau. Tu dois avoir faim après ce long voyage, non ? Est-ce qu'on vous donne de quoi vous nourrir, dans ces avions ?

Nous traversâmes la rue pour nous diriger vers un restaurant. Il y avait un vaste patio avec des parasols, des tables basses et de minuscules tabourets. C'était bourré de monde. Nous nous installâmes sous un parasol à la dernière table libre. Mes genoux dépassaient.

À côté de nous, il y avait deux femmes plongées dans une discussion animée, et, de l'autre côté, deux soldats en uniformes verts. U Ba les salua d'un bref signe de tête.

— Cet établissement appartient aux gens qui possédaient la maison de thé où nous nous sommes vus pour la première fois, m'expliqua-t-il en toussant.

Je pensai à la vieille baraque minable avec le sol poussiéreux et les vitrines graisseuses dans lesquelles s'entassaient des pâtisseries et des gâteaux de riz pleins de mouches.

— Ça s'est beaucoup amélioré, remarquai-je.

— Tu leur as porté chance, répondit U Ba en m'adressant un grand sourire.

Mon frère m'observa pendant un long moment sans dire mot. Le thé arriva, servi dans deux tasses à espresso. Un insecte mort flottait dans la mienne.

— Oh désolée, dit la serveuse lorsque je le lui montrai du doigt.

Elle prit une petite cuillère, repêcha la bestiole et la lança par-dessus la rambarde. J'étais trop surprise pour réagir et elle s'éloigna en traînant les pieds.

— Tu en voudrais un autre ? s'enquit U Ba.

J'acquiesçai.

Il échangea adroitement nos tasses.

— Ce n'était pas ce que je voulais dire, protestai-je, embarrassée.

Le thé avait un parfum très particulier que je n'avais jamais rencontré qu'en Birmanie. Très fort, une trace d'amertume, recouverte par le lait concentré sucré.

U Ba sirotait sa tasse sans me quitter des yeux. Ce n'était nullement un regard qui se voulait provocateur. Ni une évaluation, ni une analyse, ni un examen. Simplement, un regard posé sur moi. N'empêche, il me déstabilisait. Dix ans avaient passé. Pourquoi ne débordions-nous pas de mots à échanger ? *Comment vas-tu ? Qu'est-ce que tu deviens ?* N'avions-nous donc rien à nous dire après tout ce temps ?

J'étais prête à rompre ce silence mais il m'ordonna du regard de surseoir encore un moment. La serveuse nous apporta deux bols fumants de soupe de nouilles.

— « Défier l'éphémérité. Ne t'égare pas dans tes pensées en avance de toi-même mais ne lambine pas non plus dans le passé. Tel est l'art de l'arrivée. L'art d'être dans un seul endroit à la fois. De l'absorber par tous tes sens. Sa beauté, sa laideur, sa singularité. De te laisser submerger, sans la moindre crainte. L'art d'être qui tu es. » J'ai lu ça un jour dans un livre que j'étais en train de restaurer. Je crois qu'il s'intitulait *En voyage*. Ça te plaît ?

J'acquiesçai, même si je n'étais pas tout à fait sûre du sens de sa question.

Il pencha la tête sur le côté en me souriant.

— Tu es ravissante. Encore plus que dans mon souvenir.

Je ris, gênée.

— Aujourd'hui, on est le 15. Quelle coïncidence, dis-je en espérant qu'il saisirait l'allusion.

— Je sais. Comment pourrais-je l'oublier ?

Une ombre passa sur son visage.

— La procession en l'honneur de Mi Mi et de notre père continue-t-elle à avoir lieu ?

U Ba secoua la tête avec gravité en jetant un coup d'œil méfiant autour de lui. Il se pencha vers moi en chuchotant :

— Les militaires l'ont interdite.

— Quoi ? dis-je.

Fort. Beaucoup trop fort.

— Mais pourquoi ?

Il ne put s'empêcher de tressaillir. Les soldats à la table voisine se levèrent pour partir en nous regardant avec curiosité. Devant la maison de thé, ils montèrent dans une Jeep de l'armée et s'éloignèrent. Ils soulevèrent derrière eux un nuage de poussière qui dériva vers nous avant de se déposer tristement sur les tables et les tabourets. Une brève toux m'échappa.

Mon frère, par contraste, semblait respirer plus aisément.

— L'armée n'apprécie pas les manifestations.

— Même quand elles commémorent deux amants ?

— Encore moins, répondit-il en buvant un peu de thé. De quoi ont surtout peur les gens qui portent des armes ? Des autres gens armés ? Non ! Que craignent principalement les individus violents ? La violence ? Je dirais non ! Par quoi les personnes cruelles et égoïstes se sentent-elles vraiment menacées ? Tous ces gens-là ne craignent rien plus que l'amour.

— Mais les gens se contentaient d'apporter des fleurs dans la maison de Mi Mi. Qu'y a-t-il de si dangereux là-dedans ?

— Les gens qui s'aiment sont dangereux. Ils ignorent la peur. Ils obéissent à d'autres lois.

U Ba voulut payer. La serveuse dit quelque chose en birman que je ne compris pas ; mon frère répondit par quelques phrases puis ils se mirent à rire tous les deux.

— Ils ne veulent pas de notre argent. C'est la maison qui nous l'offre.

— Merci.

— C'est elle qui te remercie.

— De quoi donc ?

— De lui avoir permis de te faire un cadeau.

J'étais trop fatiguée pour comprendre ce raisonnement. Je hochai la tête d'un air aimable et je me levai.

— Allons-nous prendre une charrette pour aller à l'hôtel ? Je suis sûr que tu es fatiguée après tous ces efforts.

— Non, tout va bien. Ce n'est pas loin. Je peux marcher.

U Ba toussa à nouveau. Une toux sèche, sifflante.

— Tu es enrhumé ?

Il secoua la tête et me prit par le bras. Nous suivîmes la rue principale vers l'hôtel. J'eus l'impression de sentir mon frère me retenir doucement chaque fois que j'essayais d'accélérer le pas.

Le soleil projetait des ombres longues et ne tarderait pas à plonger derrière les montagnes. L'air avait beaucoup fraîchi.

À l'hôtel, U Ba attendit à la réception pendant que je montais au deuxième étage rassembler mes affaires. Par courtoisie, je payai pour deux nuits.

U Ba, sourd à toutes mes protestations, prit mon sac à dos et ouvrit résolument la marche.

9

Je mourais d'envie de voir si mon frère avait rénové ou modifié sa maison. Avec l'argent que je lui avais envoyé, il aurait dû pouvoir la rebâtir entièrement.

Nous suivîmes un étroit sentier qui descendait jusqu'à la rivière, bordée de papayers et de bananiers. U Ba s'arrêtait régulièrement pour reprendre son souffle mais il refusait toujours de me laisser porter mon sac. Nous traversâmes la rivière sur un pont de bois. Puis nous escaladâmes la berge escarpée en passant devant des cabanes qui paraissaient prêtes à être emportées par la prochaine tornade. Les murs et les toits de guingois étaient faits d'un tissage de palmes séchées, de bambous et d'herbe. Dans bien des cours, il y avait un feu et des colonnes de fumée blanche s'élevaient toutes droites dans le ciel nocturne. Il y avait partout des enfants qui jouaient et qui, dès qu'ils nous voyaient, faisaient silence en nous observant avec curiosité.

La maison de mon frère était cachée derrière une gigantesque haie de bougainvillées couverte de fleurs rouges qui avaient tout envahi jusqu'à la porte. Nous

nous frayâmes un chemin à travers le jardin. La maison était bâtie sur pilotis à un mètre cinquante du sol. En teck noir avec un toit en tôle ondulée et une petite véranda. Un cochon se vautrait en dessous. Conformément à mes souvenirs.

Nous montâmes les marches qui menaient à la véranda. À première vue, l'intérieur non plus n'avait pas beaucoup changé. Le fauteuil de cuir brun était toujours là, les deux canapés avec leur tapisserie usée jusqu'à la corde, une petite table basse, le buffet sombre, même la peinture à l'huile représentant la Tour de Londres. L'autel rouge accroché au mur était neuf, avec une photo de Mi Mi et une autre de Tin Win à New York que j'avais envoyée à U Ba. Devant les photos étaient disposés des hibiscus rouges et du riz. Sauf erreur de ma part, un bouddha occupait cet endroit la dernière fois que j'étais venue. Je me demandai au fond de quel carton encore fermé se trouvait cachée la photo de notre père telle que je l'avais encadrée.

Je remarquai plusieurs seaux en plastique répartis sans ordre apparent un peu partout dans la maison. Je cherchai en vain la ruche.

— Où sont les abeilles ?

— Hélas, elles se sont envolées pour aller s'installer ailleurs, expliqua mon frère en posant mon sac.

Je poussai un soupir de soulagement.

— À la place, deux serpents sont venus.

— Deux quoi ? dis-je en m'immobilisant.

— Deux cobras.

— Tu ne parles pas sérieusement ?

Il me regarda, surpris.

— Nous partagions la maison.

— U Ba ! Les cobras sont extrêmement venimeux. Une morsure et tu es mort !

— Ils ne m'ont fait aucun mal, répondit-il tranquillement, apparemment surpris de me voir aussi énervée.

— Et où sont-ils maintenant ?

J'avais envie de sauter sur la table devant le canapé.

— Je ne sais pas.

— Tu ne sais pas ?

J'étais prête à basculer dans la crise d'hystérie.

— Un jour, ils ont disparu.

— Disparu ? Mais comment ça ? Quand les as-tu vus pour la dernière fois ? La semaine dernière ? Il y a un mois ?

U Ba se mit à réfléchir intensément.

— Je ne sais pas exactement. Comme tu sais, le temps ne joue pas un grand rôle dans ma vie. Ça doit faire un an. Peut-être deux.

— Tu veux donc dire qu'ils ne sont plus ici ? insistai-je.

Manifestement, mes questions le laissaient perplexe.

— Oui, c'est ce que je veux dire. Quoi d'autre ?

Ma respiration devint plus facile.

— Mais tu n'avais pas peur ?

— De quoi ?

Mon frère n'était pas en train de se moquer de moi. Il ne comprenait vraiment pas de quoi j'avais tellement peur. Je le voyais dans ses yeux. Des petits yeux bruns, qui disaient : «J'aimerais bien comprendre de quoi elle parle.»

— De quoi? Mais d'être mordu, tiens! De mourir.

Il prit le temps de réfléchir longuement avant de me répondre.

— Non, finit-il par dire. Non, je n'avais pas peur de cela.

Je l'enviais.

— Bien sûr, tu dormiras dans mon lit.

Il tira un rideau d'un vert passé pour révéler une petite chambre avec une étagère en bois, une table de chevet et une chaise. Du plafond pendait une ampoule électrique clignotante.

— J'ai même un matelas, déclara-t-il fièrement. Mon plus grand luxe. (Il laissa retomber le rideau.) Maintenant, je vais aller nous préparer du thé.

Il se rendit dans la cuisine; je le suivis. Dans un placard sans porte étaient rangés deux bols et deux assiettes en fer émaillé. Sur l'étagère du bas, il y avait des œufs, quelques tomates moisies, de l'ail, du gingembre et des pommes de terre. Dans un coin, des bûches en train de se consumer. Au-dessus était accrochée une bouilloire noire de suie. U Ba s'agenouilla, entassa un peu de petit bois sur les braises et souffla avec force à plusieurs reprises jusqu'à ce que le bois sec s'enflamme. La fumée sortait par un trou dans le toit.

Dans quoi m'étais-je fourrée? Allais-je vraiment réussir à vivre dans cette cabane? À utiliser des latrines, à me laver au puits dans la cour? J'étais en train de chercher quelle excuse je pourrais offrir à mon frère pour retourner m'installer au Kalaw Hotel.

Sur un plateau, il disposa un Thermos de thé, deux tasses et une assiette de graines de tournesol grillées puis nous retournâmes ensemble dans le salon.

La température avait baissé. Je sortis une polaire de mon sac et je l'enfilai. Dans le mouvement, je heurtai accidentellement un des seaux.

— Pourquoi as-tu autant de seaux en plastique répartis dans la maison ?

Il regarda autour de lui comme s'il les remarquait pour la première fois.

— Ah oui, les seaux. Ma maison est vieille ; le toit fuit en plusieurs endroits. Mais ne t'inquiète pas, la chambre est au sec.

— Pourquoi ne fais-tu pas changer le toit ?

— C'est très cher ; le prix du bois a explosé…

— Mais avec l'argent que je t'ai envoyé, l'interrompis-je, tu aurais eu de quoi faire construire une maison flambant neuve.

Il pencha la tête en me regardant d'un air pensif.

— C'est vrai.

— Alors, pourquoi ne l'as-tu pas fait ? Qu'est-ce que tu as fait de l'argent ?

La question m'avait échappé. Et posée sur un ton qui me fit aussitôt m'empourprer de honte. Comme s'il avait besoin de se justifier. Je n'attendais pas de lui qu'il me rende des comptes. Cet argent était un cadeau.

Quand même.

— Bien sûr, ça ne regarde que toi mais je m'attendais à…

U Ba fronça les sourcils, plongé dans ses réflexions.

— Tu as complètement raison, petite sœur. C'est une bonne question : qu'est-ce que j'ai bien pu faire de tout cet argent ? Laisse-moi réfléchir. J'en ai donné une partie au propriétaire de la maison de thé pour qu'il puisse s'offrir ce nouvel établissement. La femme de mon voisin était très malade. Elle devait absolument aller à l'hôpital de la capitale et elle avait besoin d'argent. Le fils d'un ami était étudiant à Taunggyi ; je lui en ai donné à lui aussi.

J'espérais que c'était la fin de la liste. Ma honte ne faisait qu'empirer à chaque nouvel exemple.

— Il y a quelques années, nous avons eu un temps particulièrement sec et les récoltes ont été très mauvaises. Quelques familles avaient besoin d'être soutenues. Quoi d'autre ?

Il garda le silence un petit moment.

— Oui ! s'écria-t-il soudain. J'ai également acheté quelque chose pour moi. Quelque chose d'authentiquement merveilleux.

U Ba se dirigea vers la bibliothèque et montra avec fierté un magnétophone à cassettes.

— Ça, je l'ai acheté pour moi avec ton argent et, chaque fois que quelqu'un va à Rangoun, on me rapporte une nouvelle cassette. Attends voir.

Il mit une cassette dans l'appareil, appuya sur la touche « play » et me jeta un regard plein de fierté.

Cors et cordes commencèrent à jouer, de la musique classique.

— Parfois, mes voisins viennent et ils amènent leurs voisins, expliqua-t-il avec solennité, jusqu'à ce que nous soyons tellement nombreux que nous nous retrouvons assis par terre en rangs serrés à écouter la musique ensemble. Pendant toute une soirée.

Je me concentrai sur le morceau et tentai de deviner ce que l'orchestre était en train de jouer. C'était à la fois familier et extrêmement bizarre. Comme si des musiciens ivres tentaient Beethoven ou Brahms. Ça sonnait comme un magnétophone fait en Chine – métallique, aigu et très irrégulier.

— Je crois que la vitesse n'est pas constante.

U Ba en fut décontenancé.

— Ah bon ?

Je n'en étais pas sûre et je hochai prudemment la tête. La musique heurtait mes oreilles.

— Tu crois vraiment ?

Je hochai à nouveau la tête.

Il demeura silencieux un long moment.

— Ça n'a pas d'importance. Je trouve quand même cette musique très belle. (Mon frère ferma les yeux en suivant la ligne mélodique d'un violon.) En plus, je n'ai aucun point de comparaison, déclara-t-il, les yeux toujours clos. C'est le secret d'une vie heureuse.

Je voyais bien à quel point il était ému par la musique. Il rouvrit les yeux un instant et me lança un regard reconnaissant puis il les referma et, à chaque note, les sons parasites prenaient de moins en moins d'importance jusqu'à ce que je les oublie presque totalement. Au milieu d'un délicat solo, le violon s'interrompit brutalement. Il faisait si sombre que je ne distinguais même plus la silhouette de mon frère. L'espace d'un instant, je n'entendis plus rien que le bourdonnement des insectes. Puis les voix des voisins.

— Le courant, soupira U Ba dans l'obscurité. Ces dernières semaines, il y a eu beaucoup de coupures.

Il se leva et, très vite, j'aperçus son visage éclairé par la lueur tremblante d'une allumette. Il alluma plusieurs bougies qu'il répartit dans toute la maison.

Leurs flammes baignaient la pièce d'une lumière chaude et douce.

— Parfois, le courant revient au bout de quelques minutes, parfois, il faut attendre le lendemain, dit U Ba en remplissant ma tasse.

Je bus quelques gorgées de thé. Les tensions du voyage commençaient à avoir raison de moi.

— La vie et les étoiles t'ont-elles souri ces derniers temps ? demanda-t-il une fois rassis.

Je vais bien, merci. Parfait. Super. Je ne me plains pas. Ça pourrait être pire. Je passais en revue dans ma tête les réponses toutes faites que j'aurais trouvées pour réagir à une question similaire à New York. Avec mon frère, elles auraient toutes été de l'ordre de l'insulte.

— Une bonne question, dis-je d'un ton évasif.

— Une question idiote, protesta-t-il. Pardonne-moi de la poser aussi étourdiment. On découvre souvent bien des années plus tard si la vie et les étoiles nous ont souri ou pas. La vie peut prendre les tournants les plus surprenants. Ce qui paraissait être à première vue un malheur peut se révéler une bénédiction et vice versa, non ? Je voulais seulement savoir comment tu t'en sors. Si tu es heureuse ? Si tu es aimée. Le reste ne compte pas.

Je le regardai à la lueur des bougies et je ravalai mes larmes. Je ne parvenais pas à savoir si c'était la tristesse qui m'empêchait de répondre à cette question par un oui tonitruant ou mon frère qui provoquait chez moi une profonde émotion.

Étais-je aimée ? Par ma mère, sûrement. À sa manière. Par mon autre frère, je n'en étais pas convaincue.

Par Amy.

Deux personnes. Deux formes d'amour très différentes. Personne d'autre ne me venait à l'esprit.

Était-ce suffisant ? Suffisant pour quoi ? Par combien de personnes fallait-il être aimée pour être heureuse ? Deux ? Cinq ? Dix ? Ou peut-être seulement une. Celle qui nous permet de voir. Qui nous débarrasse de la peur. Qui insuffle du sens à notre existence.

Pour moi, nul ne jouait ce rôle.

Quand commence l'amour ? Quand s'achève-t-il ?

Le regard d'U Ba était posé sur moi. Il jeta un œil sur mes mains. Mon annulaire. Je compris à quoi il pensait.

— Monsieur Michael est une longue histoire, dis-je.

Soupir.

Pas d'amour éternel. Mais l'envie était toujours présente.

Mon frère sentit mon malaise.

— Pardonne-moi de t'avoir posé cette question. Comme c'était présomptueux de ma part. Comment ai-je pu t'interroger de façon aussi directe, avec autant d'insouciance, alors que tu viens à peine d'arriver chez moi ? Comme si demain n'existait pas. Comme si nous n'avions pas tout le temps du monde pour nous raconter tout ce que nous avons à nous raconter. Je suis infiniment désolé. Ce doit être l'excitation des retrouvailles. Le plaisir de te revoir enfin. Bien sûr, cela n'excuse en rien mon comportement. Je ne puis qu'espérer ton indulgence. (Il mit un doigt sur ses lèvres.) Et plus un seul mot ce soir à propos de ces questions indiscrètes.

Sa façon de s'exprimer me faisait rire.

— Promis. Mais je crois qu'il faut que j'aille me coucher, quoi qu'il en soit.

Il se leva d'un bond.

— Bien sûr. Encore une étourderie de ma part. Je vais te préparer ton lit tout de suite.

J'insistai pour dormir sur le canapé. Après avoir hésité, il finit par accepter ma décision, sortit une couverture chaude et un oreiller d'une commode et souffla les bougies, l'une après l'autre. Il posa une lampe de poche sur la table basse au cas où j'aurais besoin de trouver mon chemin jusqu'aux toilettes pendant la nuit. Il me demanda à plusieurs reprises si j'étais bien installée, si j'avais tout ce qu'il fallait pour dormir, il me souhaita bonne nuit et me caressa doucement le visage à la lumière de la dernière bougie.

Je l'entendis encore faire je ne sais quoi avec de l'eau devant la maison puis il monta les marches de la véranda en toussant avant de se glisser dans son lit qui grinçait. Quelques instants plus tard, il souffla sa bougie.

Le canapé était plus confortable que je ne l'aurais cru. Je me souvenais maintenant à quel point j'y avais bien dormi lors de mon premier voyage. Ce soir, cependant, en dépit de ma fatigue, j'avais du mal à trouver le sommeil.

Je pensais à mon père et, pour la première fois depuis fort longtemps, j'aurais voulu qu'il soit assis à côté de moi, qu'il me tienne la main et qu'il me parle de sa voix si apaisante. J'avais oublié quelqu'un dans mes comptes. L'amour d'un défunt, c'était aussi à comptabiliser. Nul ne peut nous retirer ça.

Une pensée rassurante, pourtant, le sommeil me fuyait. Je sentais que je n'allais pas tarder à avoir de la compagnie. Il me suffisait de rester allongée tranquillement quelques minutes à écouter les insectes pour l'entendre.

Je t'en prie, quitte cet endroit.

C'était la première fois qu'elle intervenait depuis mon départ. Je savais ce qu'elle voulait. À New York, elle m'avait mise en garde bien des fois contre ce voyage.

— Pas question. Je reste.

Ne fais pas ça. Va-t'en. Vite. Avant qu'il ne soit trop tard.

— Pourquoi ?

Je connais cet endroit, là où nous sommes actuellement. Le malheur va s'abattre sur toi.

— Quel genre de malheur ?

Ils vont venir te prendre.

— Personne ne va venir me prendre.

C'est ce que tu crois. Tu ne les connais pas.

— Qui ?

Les bottes noires. Ils viennent pendant la journée. Ils viennent pendant la nuit. Ils viennent quand ils veulent. Ils prennent qui ils veulent.

— Pas moi.

Toi aussi.

— Mon frère me protégera.

Personne ne peut te protéger d'eux.

— Je suis une étrangère.

Ça leur est égal. Ils prennent les vieillards, les femmes et les enfants, si ça leur plaît.

— Que font-ils d'eux ?

On entend toutes sortes d'histoires. Peu reviennent pour les raconter. Ceux qui reviennent ne sont plus pareils.

— Ils vous ont emmenée ?

Pas moi.

— Qui alors ?

Mon fils. C'est bien pire. Ceux qui restent ne sont plus pareils, eux non plus.

— Où trouverai-je les bottes noires ?

C'est eux qui te trouvent. Quand ils arriveront, ne les regarde pas dans les yeux. Ne les regarde pas dans les bottes.

— Pourquoi ?

Parce qu'elles ont des pouvoirs magiques. En elles se reflète toute la cruauté, toute la méchanceté dont nous sommes capables.

— Qui est-ce, « nous » ? l'interrompis-je.

Nous les humains. Dans le monde qu'on voit se refléter dans ce cuir brillant, ciré, il n'existe ni amour ni pardon. Dans ce monde, il n'y a que la peur et la haine. Certaines visions sont insupportables. Elles font de nous des individus différents. Ne regarde pas là.

Elle n'avait encore jamais révélé tant de choses sur elle. J'attendis un long moment pour voir si elle souhaitait continuer à parler.

— Qui êtes-vous ? D'où venez-vous ?

Silence.

C'était toujours pareil. Dès que je voulais apprendre quelque chose sur son histoire ou ses origines, elle se fermait comme une huître. Comment vous appelez-vous ? Où êtes-vous née ? Où vivez-vous ? Pas une seule fois, elle n'avait livré ne serait-ce qu'un début de réponse à aucune de ces questions. Maintenant, au moins, je savais qu'elle avait un lien avec Kalaw, qu'elle avait eu un fils et que les bottes noires – quelles qu'elles fussent – étaient venues le prendre.

Ne lui parle pas de moi. Pas un mot.

— À qui ?

À ton frère.

— Vous le connaissez ?

Silence.

— Je vais tout lui raconter. C'est la raison de ma présence ici. Il va m'aider à vous trouver.

Il n'y a plus de moi. Je suis morte.

— À trouver qui vous étiez. Pourquoi vous êtes morte.

Je te l'interdis.

— Pourquoi ?

Cela ne fera qu'empirer la situation.

— Comment ? Dites-le-moi !

Je ne peux pas te le dire. Cela doit rester secret. Pour toujours.

— Vous essayez de me faire peur. Ça ne marche pas.

Je n'essaie pas de te faire peur ; je tiens à te mettre en garde. Tu ne dois pas me chercher. Tu dois repartir pour New York dès demain.

— Alors dites-moi comment vous êtes morte.

Non. Jamais.

— Quelqu'un vous a-t-il tuée ?

Silence.

— Les bottes noires ? Elles vous ont tuée ?

Rien.

— Était-ce un accident ? Étiez-vous vieille et malade ? Vous êtes-vous suicidée ?

Silence implacable.

— Si vous ne me dites rien, il faudra bien que je trouve toute seule.

Je n'attendais aucune réponse.

Mes yeux finirent par se fermer.

Je fus réveillée au milieu de la nuit par le bourdonnement d'un violon. Le concerto pour violon de Beethoven. Là, à moitié endormie, je le reconnus aussitôt.

Le courant était revenu.

J'entendis mon frère tousser, je me retournai et je me rendormis.

10

J'ouvris un œil au milieu de bruits inhabituels. Les chants d'oiseaux, les reniflements du cochon, les appels des coqs. Des voix d'enfants. Il me fallut quelques secondes pour les identifier et me souvenir de l'endroit où je me trouvais. J'avais dû dormir longtemps. Le soleil était haut dans le ciel. Il faisait chaud. La faim faisait gronder mon estomac.

Quelqu'un était en train de balayer devant la maison. Je me levai pour aller regarder par la fenêtre sans vitre. U Ba nettoyait la cour. Lorsqu'il me vit, il posa son balai et monta les marches en hâte.

— Bonjour. Tu t'es bien reposée ?

Je hochai la tête d'un air endormi.

— Tu dois être au bord de l'inanition.

Je hochai à nouveau la tête.

— Alors, je vais préparer le petit déjeuner tout de suite. Je n'ai pas de douche mais tu peux te laver au puits dans la cour.

Il me donna un longyi et une vieille serviette puis disparut dans la cuisine. Je me déshabillai et m'enveloppai dans le tissu en le remontant si haut que j'étais couverte des aisselles aux genoux. Le puits, c'était un mince tuyau qui passait par-dessus la haie du voisin et tombait dans un vaste évier en ciment. À côté il y avait deux grands seaux de plastique rouge et une bassine blanche émaillée. Je remplis la bassine et la versai à deux mains sur ma tête. L'eau était glacée en dépit de la douceur de l'air. À la troisième douche, je m'étais habituée à la température et, à la cinquième, j'appréciais cette fraîcheur revigorante. Une fois lavée de la tête aux pieds, je me sentis parfaitement d'aplomb.

Lorsque je revins dans la maison, le petit déjeuner attendait sur la table basse, devant le canapé. Deux tasses remplies d'eau chaude, à côté d'un sachet de café instantané, de deux morceaux de sucre et de lait en conserve. U Ba avait préparé des œufs brouillés avec des tomates et des poivrons. Sur une autre assiette, il avait disposé des tranches de pain blanc grillé recouvertes d'une couche épaisse de beurre fondant.

— Ça a l'air divin. Merci. Comme c'est gentil de ta part. Où as-tu trouvé du beurre ?

Mon frère sourit d'un air ravi.

— Je l'ai eu ce matin par un ami dans un hôtel.

Nous nous assîmes. Les œufs étaient délicieux. Même le café était bon. Ce ne fut qu'après ma deuxième tranche de pain que je me rendis compte que mon frère ne mangeait rien.

— Tu n'as pas faim ?

— J'attends que tu aies terminé.

— Pourquoi tu fais ça ?

— Parce qu'on ne mange pas en même temps que ses hôtes. On attend qu'ils soient repus. Telle est la coutume ici. Ce n'est pas comme ça aux États-Unis ?

Je ne pus m'empêcher de rire.

— Non, ce serait très mal élevé. Nous mangeons tous ensemble. En plus, je ne suis pas une invitée ; je fais partie de la famille, non ?

Il sourit pour marquer son accord et, timidement, prit des œufs et une tranche de pain.

Nous mangeâmes ensemble. Sans rien dire. Cela ne paraissait pas le déranger. Moi, cela suffisait à me perturber.

— Comment as-tu vécu les dernières années ? demandai-je, histoire de briser ce silence.

Mon frère réfléchit si longtemps que je commençai à m'inquiéter de la réponse.

— Bien, finit-il par dire.

— Bien ?

— Oui, bien. Bouddha dit : « La santé est le plus beau des dons, la satisfaction la plus belle des richesses, la foi en l'autre la meilleure des relations. » Je suis en bonne santé et satisfait. Ma foi en l'autre est inébranlable. Et comme tu peux le voir – il écarta les bras et des yeux, parcourut toute la pièce – je ne manque de rien. Alors, quelle raison aurais-je donc de me plaindre ?

J'examinai la pièce à mon tour.

— Je peux penser à quelques bricoles qui pourraient t'être utiles, dis-je en plaisantant à moitié.

— Vraiment ? répliqua-t-il, surpris.

— Une douche, par exemple. De l'eau chaude. Une plaque chauffante, peut-être ?

— Tu as raison. Ces objets rendraient ma vie plus confortable. Mais en ai-je besoin ?

Plongé dans ses pensées, U Ba se gratta le côté droit de la tête avec la main gauche. J'avais vu mon

père faire le même geste lorsqu'il réfléchissait intensément.

— Je ne pense pas.

Il se mit à tousser, la main devant la bouche.

— Depuis combien de temps tousses-tu ainsi ?

— Je ne sais pas. Sans doute une quinzaine de jours.
Peut-être un peu plus longtemps.

— Tu as de la fièvre ?

— Non.

— Le nez qui coule ou mal à la gorge ?

— Non.

— Mal quelque part ?

— Pas vraiment.

Je ne pus m'empêcher de songer à Karen. Une
collègue au cabinet, deux ans de plus que moi, la
seule femme associée chez Simon & Koons. Pendant des semaines, elle avait souffert d'une toux
sèche et tenace qui ressemblait beaucoup à celle
de mon frère. Karen n'avait pas de fièvre, aucun
symptôme de rhume et, estimant qu'il s'agissait
d'une allergie, n'était pas allée consulter un médecin. Quand elle s'était enfin décidée à le faire, le
radiologue avait découvert une masse au poumon,
un symptôme de cancer. Des examens plus poussés
avaient confirmé le diagnostic. Six mois plus tard,
elle était morte.

— Tu es allé chez le médecin ?

Il secoua la tête en souriant.

— C'est apparu tout seul et, le moment venu, ça
disparaîtra de la même manière.

— N'empêche, tu devrais aller consulter un médecin, par précaution.

— Je crains que ce ne soit une vraie perte de temps et, même si j'en possède beaucoup, je répugne à le gaspiller. Ici, nous n'avons aucun médecin spécialisé dans les toux sèches. Nous n'avons que deux hôpitaux : l'un pour les urgences, l'autre pour l'armée. Le premier ne peut pas soigner les malades et le deuxième ne s'intéresse qu'aux siens. Ne t'inquiète pas ; ce n'est rien de grave. Ce sera fini d'ici quelques jours. Dis-moi plutôt si je peux t'aider d'une manière quelconque.

— Qu'est-ce qui te fait penser que j'ai besoin d'aide ?

— Je le vois dans tes yeux. Je le vois dans la façon dont tu me souris. Je l'entends dans ta voix et notre père affirmerait probablement qu'il l'entend dans les battements de ton cœur.

Je hochai la tête, sans rien dire.

Je pensai à tout ce que la voix m'avait raconté la veille au soir. Et si elle avait raison ? Si me mettre à sa recherche s'avérait dangereux ? Si sa vie et sa mort recelaient un secret qui ne devait pas être révélé ? Qui pourrait me protéger si les choses se gâtaient ? Certainement pas U Ba. L'ambassade américaine à Rangoun se trouvait très loin d'ici. Je n'avais même pas un numéro de téléphone pour les prévenir en cas d'urgence. Mais je n'avais pas parcouru la moitié de la planète pour me laisser intimider. Je devais découvrir le destin caché de la voix qui était en moi.

— Tu as raison. Je ne vais pas si bien que ça.

Le souffle court, je lui racontai.

Le souffle court, il m'écouta.

Puis il fronça les sourcils d'un air inquiet, se gratta la tête et ferma les yeux.

117

Son corps efflanqué était enfoui dans le fauteuil de cuir. Il avait les joues légèrement creuses, les yeux profondément enfoncés dans leurs orbites. Ses bras minces, brun foncé, bien plus forts qu'ils ne le paraissaient, pendaient à ses côtés. Il avait l'air vulnérable.

— Je pense pouvoir t'aider, dit-il brusquement en me regardant d'un air grave.

— Tu connais la voix ? demandai-je, surprise.

— Non.

— Tu sais qui sont les bottes noires ?

U Ba hésita. Puis il secoua lentement la tête sans me quitter des yeux.

Me disait-il la vérité ? Je n'en étais pas très sûre.

— Mais je sais par où commencer nos recherches.

II

1

U Ba était plongé dans ses pensées. Sa démarche
n'avait plus rien de sautillant. Il parcourait la ville
à grands pas, presque comme si on le pourchassait,
prêtant peu d'attention à quiconque nous saluait et
répondant à mes questions avec tant de brusquerie
que je cessai d'en poser.

Nous étions passés devant la maison de thé, devant
la mosquée et devant le monastère où notre père avait
vécu, pendant son noviciat. Après avoir tourné à
gauche au grand banian, nous suivîmes la rue jusqu'à
tomber sur un bon chemin qui nous fit escalader une
colline et atteindre l'autre côté de la ville.

Nous fîmes halte devant les vestiges délabrés d'un
portail enfoui sous la végétation. D'une main, mon frère
repoussa les branches pour entrer dans la cour où, à
côté d'une cabane, poussaient un bananier, un papayer
et plusieurs palmiers. La petite maison avec ses murs
d'herbe sèche était bâtie sur des pilotis de bambou à
environ un mètre du sol. Quelques marches menaient à
une minuscule véranda où un longyi rouge et une chemise blanche, posés sur la rambarde, séchaient au soleil.

U Ba cria un nom et attendit avant de renouveler son appel.

Khin Khin était une femme à qui je n'aurais pas su donner d'âge. Elle pouvait avoir cinquante ou quatre-vingts ans. Elle avait des yeux sombres, petits et étroits. Le front et les joues creusés de rides profondes. Une large cicatrice divisait son menton en deux moitiés inégales.

Une vie entière sur un visage.

La tête enveloppée d'un tissu rose, elle tenait à la main un cigare qui fumait.

Pourquoi mon frère m'avait-il amenée là ? En quoi mon destin était-il lié à celui de cette femme ?

Elle accueillit U Ba avec un sourire surpris et, d'un geste, nous invita à entrer. Sa cabane ne comportait qu'une seule pièce. Dans un coin, il y avait des couvertures roulées et quelques vêtements ; au-dessus, un petit autel avec un bouddha allongé, devant lequel étaient déposés un peu de riz et un vase contenant une fleur fanée. Une bouilloire pleine était accrochée au-dessus d'un petit tas de charbon de bois. Nous nous assîmes sur une natte de paille. Sans me quitter des yeux, elle sortit trois tasses et nous servit du thé pris dans un Thermos. J'imagine qu'elle aussi se posait la même question : pourquoi U Ba a-t-il amené cette inconnue chez moi ?

Mon frère commença à raconter une histoire sous la forme d'une chanson rythmée. Nous l'écoutions toutes deux attentivement. Elle comprenait les paroles, moi seulement la mélodie et sa voix. Cela ressemblait à un plaidoyer vibrant, parfaitement construit. Parfois évoquant l'urgence, toujours exigeant puis à nouveau suppliant et, entre les deux, léger et joyeux.

De temps en temps, elle secouait la tête d'un air incrédule, tirait sur son cigare, faisait de brefs commentaires, souriait ou me dévisageait d'un air étonné. À la fin de la chanson, elle se mit à rire posément en secouant à nouveau la tête.

Mon frère ne se laissa pas distraire. Il continua à parler, comme si c'était le deuxième mouvement, l'adagio, de quelque vaste composition musicale. Il parlait doucement, il se penchait en avant, il laissait ses paroles résonner, il chuchotait. Leurs regards se croisèrent à maintes reprises et aucun des deux ne cherchait à éviter celui de l'autre.

Elle était maintenant pensive, les sourcils froncés, et laissait son cigare se consumer ; elle m'observa un long moment. Lorsque U Ba se tut, elle but une gorgée de thé. Elle lui jeta un coup d'œil. À moi aussi. Un rapide hochement de tête.

Mon frère se pencha vers moi.

— Elle est prête à nous raconter la vie de sa défunte sœur, annonça-t-il tranquillement. Je vais te traduire ce qu'elle dit.

— Qu'est-ce qui te fait penser que sa sœur, elle entre tous, a partie liée avec la voix qui est dans ma tête ? chuchotai-je, ébahie.

— Tu vas comprendre dès que tu auras entendu son histoire.

2

L'épouse d'un petit paysan. Un grand cœur avec étonnamment peu de place. Mais c'était le seul qu'elle avait.

Deux garçons et leur mère. Un amour immense qui, néanmoins, ne rendait personne heureux. Mais c'était le seul qu'ils avaient.

Ou peut-être l'histoire commença-t-elle beaucoup plus tôt. Peut-être commença-t-elle lors de cette première semaine, lorsque Nu Nu rencontra la mort pour la première fois. Son père s'était réveillé avec un mal de tête épouvantable et une fièvre de cheval. Depuis la veille, il souffrait de diarrhées bénignes. Les herbes recommandées par le guérisseur local, écrasées en un mélange nauséabond par la mère de Nu Nu, ne faisaient aucun effet. Tout aussi inefficaces se révélèrent les pierres chauffées dans l'âtre qu'elle posait sur le ventre de son époux et la teinture d'iode dont elle lui massait les mollets et les pieds pendant des heures.

La fièvre montait. Quoi qu'il bût ou mangeât, il ne parvenait pas à garder quoi que ce fût dans son corps qui s'affaiblissait progressivement. La vie s'échappait de lui. Par l'écoulement d'un flot brun qui finit quand même par s'assécher.

Nu Nu affronta la mort une deuxième fois à peine quinze jours plus tard lorsque sa mère mourut dans des circonstances analogues.

Les voisins racontèrent qu'elle était restée assise à côté de sa mère moribonde pendant trois jours et trois nuits, sans lui lâcher la main. Sans prononcer un mot. Après, on l'aurait crue sculptée dans la pierre. Un petit corps décharné, immobile, les yeux grands ouverts, regardant fixement droit devant elle. Même lorsque les hommes emportèrent le corps hors de la maison, elle ne bougea pas. Debout à côté de la tombe, elle ne versa pas une seule larme.

Nu Nu ne savait tout cela que par le récit des autres. Elle n'avait que de vagues souvenirs des semaines durant lesquelles elle avait été confrontée pour la première fois à la mort. Un silence, de plus en plus profond, voilà tout ce dont elle se souvenait. Un feu qui s'éteignait. Si bien qu'un feu en train de mourir devint pour toujours un spectacle qui lui était insupportable.

Et une main chaude. De plus en plus froide.

Nu Nu avait tout juste deux ans à cette époque.

Les frères et sœurs de son père ne voulaient pas d'elle. Un enfant devenu orphelin si jeune devait avoir un mauvais karma. Pareils signes de malheur ne pouvaient que présager des catastrophes. Sans parler du fait que, chez eux, ils avaient déjà bien assez de bouches affamées à nourrir.

Finalement, un des frères de sa mère la prit chez lui. Il était jeune, il vivait dans le même village et, marié depuis peu de temps, il n'avait pas encore d'enfants. C'était un travailleur dur à la tâche, un paysan compétent qui avait souvent de la chance avec ses récoltes de légumes. En même temps, c'était quelqu'un d'un calme imperturbable qui possédait des réserves – excessives – de patience.

Nu Nu eut rapidement l'occasion de s'émerveiller de la sérénité de son oncle. Comment pouvait-il rester d'humeur égale alors que les rats avaient une fois de plus pillé les réserves de riz familiales ? Alors que les pluies venaient trop tard, quand la terre desséchée se fendillait et que toute la récolte était menacée ?

Comment pouvait-il demeurer calme alors que, dans un jeu de hasard pendant un festival de la Pagode, sa femme avait misé à répétition leur argent sur l'éléphant ? Alors que la souris, le tigre et le singe n'avaient cessé de sortir jusqu'à ce qu'elle ait joué leur dernier kyat, et là, l'éléphant avait surgi trois fois de suite ?

Une telle sérénité d'esprit était inimaginable pour elle. Son âme d'enfant savait déjà trop de choses. De la vie. De la mort. Des mains chaudes, qui deviennent si rapidement froides.

Son humeur était aussi instable que la météorologie pendant la saison des pluies. À un moment, elle était têtue et contrariante et, juste après, on la voyait inquiète et peu sûre d'elle.

Elle était lunatique, son chagrin s'embrasait aussi vite que sa joie. Une assiette de riz gaspillée pouvait lui faire verser des larmes amères. Une affirmation fausse, une insulte banale et irréfléchie proférée par le gamin d'à côté pouvaient la préoccuper pendant des jours. Même sa peau avait des réactions impulsives. À la plus légère contrariété, des taches rouges se développaient sur ses bras et ses jambes, souvent aussi sur son ventre et sa poitrine, des taches rouges qui la démangeaient comme si tous les moustiques de l'État de Shan l'attaquaient en même temps. Nu Nu se grattait comme une possédée et se réveillait la nuit couverte de sang. Aucun guérisseur ne trouvait de remède ; aucun baume, aucune incantation n'avait le moindre effet. Au bout d'un moment, l'éruption disparaissait d'elle-même.

Lorsque Nu Nu jouait avec d'autres enfants dans les bois et que, brutalement, elle se retrouvait en proie à un chagrin disproportionné, elle était incapable de donner la moindre raison. Des nuages noirs et épais se rassemblaient au-dessus de sa tête pendant les heures qui suivaient ; le monde pouvait s'obscurcir pour elle plus rapidement que dans les minutes précédant une méchante tempête. Voir un papillon mort sur le bord de la route suffisait à la faire sangloter. Dans ces cas-là, elle désirait plus que tout se retrouver seule. N'importe quelle activité exigeait trop d'énergie : jouer, allumer le feu, couper les légumes, même regarder droit dans les yeux sa tante ou les autres enfants. Des journées comme ça, elle avait seulement envie de rester couchée sur sa mince natte de paille sans parler à personne.

Le lendemain matin, les nuages s'étaient dissipés, aussi vite qu'ils étaient apparus.

D'autres jours, par contraste, elle se sentait légère, de façon presque insupportable, et accomplissait sans rechigner les corvées les plus fatigantes, comme arracher les mauvaises herbes dans le potager ou transporter le lourd seau plein d'eau.

Nu Nu ne pouvait fournir aucune explication à ces phénomènes.

Elle était pénible, disait parfois son oncle, épuisé. Qu'est-ce que cela signifiait, voulut-elle savoir un jour. Il réfléchit un moment et répondit d'un ton grave : que son âme était souvent à la peine.

Plus tard, elle s'imagina que c'était la raison pour laquelle elle s'était toujours trouvée décalée dans la famille. Non pas indésirable. Pas du tout. Mais différente. Des âmes de même sang sans être des âmes sœurs.

Souvent, elle restait éveillée tard le soir à écouter les craquements apaisants du feu, les voix étouffées de son oncle et de sa tante et, plus tard, le souffle régulier de leur sommeil. Elle ne doutait jamais de l'amour qu'ils lui portaient. Ils étaient très attentifs. Ils n'exigeaient d'elle jamais plus qu'elle ne pouvait donner. Ils ne se mettaient jamais en colère. L'oncle et la tante étaient depuis longtemps devenus père et mère.

Et pourtant.

Comme s'ils étaient séparés par quelque mur invisible.

Nu Nu faisait un rêve récurrent dans lequel, jeune fille, elle marchait le long d'un cours d'eau paresseux. Ses parents l'attendaient sur la rive d'en face. Elle avait peur, elle se sentait isolée et mourait d'envie de traverser la rivière. Cependant, elle redoutait le courant et les crocodiles qui l'attendaient dans l'eau. En proie à une angoisse grandissante, elle parcourait la berge au pas de course à la recherche d'un gué. Elle appelait, elle faisait de grands gestes mais ses parents ne lui accordaient aucune attention. Lorsqu'elle les voyait prêts à partir, Nu Nu oubliait sa peur et sautait dans l'eau. Immédiatement, elle sentait une force étrange l'attirer vers le fond. Elle résistait, nageant à coups de brasses courtes et puissantes, exactement comme son père le lui avait appris. Parvenue au milieu de la rivière, elle se retournait vers les prédateurs lancés à ses trousses. Elle accélérait l'allure, de plus en plus, mais ils la rattrapaient toujours. Elle était à cinq brasses du rivage et du salut. Encore plus près. Quatre brasses. Et encore plus près. Trois brasses. Au moment où le crocodile, gueule béante, était sur le point de l'avaler, elle se réveillait. En sueur. La peur lui coupant le souffle.

Son oncle et sa tante riaient quand elle leur racontait ce rêve. Quelle sotte tu fais. Il n'y a plus de crocodiles dans l'État de Shan. Pendant longtemps, Nu Nu eut peur de s'endormir tant elle craignait le retour de ce cauchemar.

Cette sensation de distance ne diminua nullement quand, au fil des ans, deux frères et une sœur débarquèrent dans le paysage. Ils avaient hérité de leurs parents leur caractère paisible.

Cinq esprits sereins et un perturbé. Couvert de taches rouges.

Peut-être était-ce la raison pour laquelle Nu Nu désira très tôt construire sa propre famille. Elle ne rêvait pas d'une maison en pierre. Ni d'un toit bien couvrant. Ni d'un voyage dans la capitale de la province. Son seul désir était de trouver un mari et de faire un enfant avec lui. Son enfant à elle. Elle le porterait en elle pendant neuf mois. Elle en accoucherait. Elle le nourrirait et elle le protégerait. Un morceau d'elle-même, même après la naissance.

Une âme sœur.

3

Nu Nu avait dix-sept ans lorsqu'elle reçut sa première demande en mariage. Elle était devenue une belle jeune femme et, au marché, elle faisait tourner la tête des hommes venus d'autres villages. Les regards timides mais pleins de désir des jeunes gens dans les champs ne lui échappaient pas. Elle était grande et mince et se tenait toujours droite, même lorsqu'elle portait un lourd fardeau en équilibre sur sa tête. Elle avait une physionomie agréable : un front inhabituellement haut, des lèvres rouges et pleines et de grands yeux, très vifs, très bruns.

La personnalité de ce prétendant rendait la décision difficile. Outre qu'il était poli et modeste, il avait les plus beaux yeux du monde et, en même temps, les plus tristes. Ils avaient grandi ensemble au village et depuis qu'ils étaient enfants ils s'entendaient bien. Il avait une demi-tête de moins qu'elle et, parce qu'il avait la jambe gauche plus courte que la droite, il boitait. Lui aussi connaissait la solitude. Lorsque la jeunesse revenait au crépuscule après avoir travaillé dans les champs, il se retrouvait inévitablement assez loin derrière eux. Lorsqu'ils jouaient au foot, il attendait patiemment que la sélection des équipes soit faite. Et si personne ne le choisissait, il s'asseyait sur le bord en espérant que quelqu'un lâcherait la partie et qu'il pourrait peut-être alors se glisser dans le jeu.

Il était la seule personne à qui elle eût jamais parlé des murs invisibles. Des ténèbres qui l'envahissaient si brutalement. Des papillons morts sur le bord de la route. De sa peur des feux moribonds.

À sa manière de la regarder, de l'écouter, de poser parfois une question, elle savait que les esprits troublés étaient loin de lui être inconnus.

Ainsi que les mains chaudes. Devenant lentement froides.

Qu'il savait ce que signifiait le mot « affinités ».

Et à quel point cela était important.

Parfois, sur un seul regard, chacun était capable de dire ce que ressentait l'autre.

Elle éclata en sanglots lorsqu'il lui demanda d'être sa femme.

Si elle refusait, elle savait qu'il n'aurait jamais le courage de refaire cette proposition à une autre femme. Elle hésita. Demanda le temps de la réflexion. Jusqu'au lendemain matin. Passa une nuit d'insomnie assise près du feu à essayer de mettre de l'ordre dans son cœur.

À côté d'elle dormaient cinq esprits sereins. Il n'y en avait pas un seul à qui elle pouvait demander conseil.

Lorsque les oiseaux annoncèrent l'aube d'une nouvelle journée, elle avait pris sa décision.

L'amour avait bien des ennemis. Parmi eux la pitié.

C'était un ami. Elle n'en trouverait jamais de meilleur. Mais ce n'était pas un amoureux.

Le deuxième prétendant n'eut pas plus de chance. Il était le fils du plus riche cultivateur de riz de la province. Il vint au village car il avait entendu parler de la beauté de Nu Nu. Lui-même était séduisant et ses bonnes manières conquirent les parents de la jeune fille, mais elle sut au bout de quelques minutes qu'il ignorait tout du chagrin et de la joie dénués de tout fondement. Comment son amour à elle pourrait-il s'épanouir s'il n'y avait pas de terreau pour prendre racine ?

Elle aurait pu aussi bien laisser passer Maung Sein.

Non pas parce qu'il était de petite taille. Au contraire, il devait avoir quelque ancêtre anglais ; sinon, comment expliquer la blancheur de sa peau ou, mieux encore, sa stature athlétique ? Maung Sein avait la poitrine large, des biceps extraordinairement développés et des mains si grandes que la tête de Nu Nu disparaissait presque dedans.

Nu Nu s'intéressait surtout aux hommes de haute taille mais, ce jour-là, un jour de marché, elle se faisait beaucoup de souci pour sa petite sœur. Khin Khin avait une grosse fièvre et était étendue à côté d'elle, épuisée, sous le parasol. Devant elles, rangé en belles piles, se trouvait le fruit du travail de leur père : tomates, aubergines, gingembre, choux-fleurs et pommes de terre. Il faisait chaud. Toutes les deux minutes, Nu Nu trempait un mouchoir dans un bol d'eau tiède, l'essorait et le posait sur le front de sa sœur. Voyant que celle-ci somnolait, elle décida d'en profiter pour livrer une commande de tomates, plusieurs livres, à un restaurant non loin de là. Dans sa précipitation, elle chancela, perdit l'équilibre, sentit le panier plein glisser de sa tête et vit les légumes s'éparpiller dans toutes les directions. Rouler de l'autre côté de la rue, dans l'herbe haute et loin sous les buissons. Elle se mit à quatre pattes pour les récupérer. Lorsqu'elle revint au panier, il était à nouveau plein. À côté se tenait un jeune homme, qui souriait timidement. Il la regarda puis, l'air gêné, baissa les yeux.

C'était un sourire qu'elle n'oublierait jamais. Chaleureux, sincère mais modéré par la compréhension que toute tristesse n'exigeait pas d'être justifiée.

Inquiète comme elle l'était pour sa sœur, elle aurait très bien pu le remercier sans conviction et ne plus jamais penser à lui. En fait, au cours des jours précédents, plusieurs signes inhabituels avaient attiré son attention.

Nu Nu se demandait comment on pouvait vivre dans l'illusion qu'il n'existait pas d'autre réalité que celle qu'on percevait directement, avec les cinq sens. Elle était convaincue qu'il existait des forces au-delà des connaissances humaines, des forces qui agissaient sur les hommes en laissant parfois des traces. Des traces que, simplement, il fallait savoir voir et interpréter. Nu Nu étudiait intensément la silhouette des bananiers et des papayers au crépuscule, la forme des volutes de fumée qui montaient du feu et la configuration des nuages. Passant beaucoup d'heures à contempler le ciel, elle observait leur formation et cherchait à lui donner un sens. Elle était fascinée par la fugacité de leur présence. Ils changeaient constamment de forme, moulés par quelque main invisible, avant de disparaître au bout d'un instant dans l'infini d'où ils avaient surgi.

Elle ressentait de la pitié pour ceux qui ne voyaient là que des nuages, porteurs de rien d'autre que d'un temps clément ou d'un orage. Nu Nu, elle, distinguait des singes et des tigres, des gueules affamées, des cœurs brisés, des visages en larmes.

Au cours des semaines précédentes, elle avait repéré dans le ciel plusieurs éléphants, symboles de force et d'énergie. Quelques jours auparavant, un nuage blanc s'était soudain transformé sous ses yeux en oiseau. Elle y avait vu une chouette, signe de chance, en train de déployer ses ailes. Pour Nu Nu, c'était limpide : quelqu'un ou quelque chose approchait, venu de très loin.

La veille, dans le champ, elle avait découvert une pierre grosse comme le poing et d'une forme des plus inhabituelles. Elle l'avait retournée en tous sens et, suivant la façon dont elle la tenait, elle pensait à un objet ou à un autre. Un entonnoir. Un *stupa*. Ou, avec un peu d'imagination, un cœur. Elle n'aurait su dire exactement ce qu'évoquait cette pierre.

Et, aujourd'hui, Maung Sein se tenait là, devant elle.

Il venait d'une province lointaine et passait quelques mois chez un oncle pour l'aider à nettoyer un champ.

Elle lui demanda s'il lui serait possible de livrer les tomates au restaurant puisqu'elle devait s'occuper de sa sœur fiévreuse; elle lui demanda aussi de bien vouloir rapporter l'argent jusqu'à leur éventaire.

Sans dire un mot, il prit le panier et le chargea sur son épaule.

Quelques instants plus tard, lorsqu'il se tint à nouveau devant elle, elle remarqua ses grandes mains.

Il lui tendit un billet et quelques pièces puis lui demanda s'il pouvait l'aider en quoi que ce soit.

Oui, répondit-elle aussitôt. Sa petite sœur était malade. S'il l'aidait à la ramener à la maison d'ici deux heures, elle lui en serait très reconnaissante. Peut-être cela ne le dérangerait-il pas de revenir là en fin de journée?

Cela ne le dérangerait nullement d'attendre là, répliqua Maung Sein. À condition, évidemment, qu'elle l'y autorise. Il ne voulait surtout pas encombrer.

Nu Nu acquiesça, surprise.

Il s'accroupit dans l'ombre, aux pieds de sa sœur endormie dont elle gardait la tête sur ses genoux.

Maung Sein lui proposa d'aller chercher de l'eau fraîche, bien froide. Elle préféra refuser; l'eau se réchaufferait très vite. Elle n'avait pas envie de le voir s'éloigner.

Les gens passaient devant eux et nombreux étaient ceux qui échangeaient des regards de connivence en voyant le jeune homme athlétique assis à côté d'elle. Sans arrêt, des clients s'arrêtaient pour acheter des tomates, du gingembre ou des aubergines et en profitaient pour examiner l'inconnu d'un œil critique.

Maung Sein n'avait pas vraiment conscience de l'intérêt qu'il suscitait. Assis le dos droit, comme plongé dans la méditation, les yeux baissés presque en permanence, il croyait à peine à ce qu'il avait fait. Lui, en temps normal si timide qu'il se fermait comme une huître dès qu'une fille entrait dans la pièce ou même approchait, il avait soudain eu l'audace de demander à cette jeune femme, la plus belle qu'il ait jamais vue, s'il pouvait s'asseoir à côté d'elle. Il ignorait où il avait puisé ce tout nouveau courage. Il était là, voilà tout. Comme si la bravoure n'attendait qu'une occasion favorable pour se manifester. Qui savait, pensa Maung Sein, de quoi il était vraiment capable.

De temps à autre, Nu Nu lui posait une question, à laquelle il répondait courtoisement ; cependant, il s'aperçut qu'il devait répéter chacune de ces réponses tant il s'exprimait à voix basse.

Maung Sein était un individu particulièrement silencieux ; bien souvent, il ne prononçait pas plus de deux phrases dans une journée. Non parce qu'il était grossier, morose ou indifférent, mais parce qu'il sentait que le monde s'expliquait mieux à travers les actions qu'à travers les mots.

Et parce qu'il chérissait le silence.

Il avait passé sa jeunesse dans un monastère, comme novice. Là, les moines lui avaient enseigné à ne pas attribuer trop de sens à sa propre vie. Après tout, ce n'était qu'une vie dans une chaîne infinie. La justice et le bonheur qui échappaient à un individu au cours de sa vie lui seraient offerts dans la suivante, s'il le méritait. Ou au cours de celle qui viendrait encore après. Ce n'était pas la précision dans les détails qui comptait.

En outre, les moines lui avaient appris à se montrer amical et serviable à l'égard des autres. Non pas parce qu'il le leur devait. Parce qu'il se le devait à lui-même.

Telles étaient deux des maximes au moyen desquelles il souhaitait mener sa vie. Le reste suivrait.

Ou sinon, tant pis, ça n'avait pas d'importance.

Maung Sein se creusait la tête pour trouver quelque chose à raconter à la jeune femme assise à côté de lui.

Sur son travail de bûcheron ? Il ne pouvait pas imaginer que cela l'intéresse. Sur son oncle, qui venait juste d'engendrer un enfant avec la fille de ses voisins, âgée de trente ans de moins que lui ? Non, il aurait bien du mal à trouver un sujet de conversation moins adapté à la situation.

Sur lui ? Sa famille, où la Mort était une visiteuse assidue. Une présence silencieuse à qui personne ne demandait rien, qui prenait qui lui chantait. À son frère cadet, elle était apparue sous le déguisement d'un serpent. Le gamin avait tendu la main innocemment pour attraper ce bâton dans les broussailles. Que peut bien connaître un enfant de quatre ans de l'art du camouflage, des secrets du mimétisme ?

La mort avait poussé son frère aîné du haut de la cime d'un eucalyptus. Un garçon de huit ans qui avait envie de savoir à quoi ressemblait le monde vu de haut.

Seules des ailes auraient pu le sauver.

Non, il préférait parler du Bonheur. Il ne lui était pas inconnu même si ses visites étaient moins fréquentes et plus brèves que celles de la Mort. Tant qu'il l'avait à l'œil, il le croisait à intervalles réguliers.

Aujourd'hui, le Bonheur lui était apparu sous la forme d'une tomate qui était venue rouler sous ses pieds, au terme d'une trajectoire qui l'amena jusqu'à un panier renversé.

Il aurait pu aussi bien choisir de passer son chemin. Il ne faut pas se laisser duper par les nombreux déguisements du Bonheur.

Plus il y réfléchissait, plus il s'avouait clairement qu'il n'avait pas du tout envie de parler. Rester assis tranquillement était bien suffisant. Être à côté d'elle. Pouvoir lui jeter un coup d'œil de temps en temps et la voir réagir.

Nu Nu appréciait ce silence, même si réfréner sa curiosité exigeait d'elle d'immenses efforts. Elle était persuadée qu'elle apprendrait tout ce qu'elle devait savoir le moment venu.

Durant les brefs moments où leurs regards se croisaient, elle voyait bien qu'il ne serait nullement surpris de voir des larmes couler pour un papillon mort ; et il prendrait garde à ce qu'il y ait toujours une bûche dans le feu.

Lorsque le marché se termina, Nu Nu remit les légumes qui n'avaient pas été vendus dans un panier. Il était lourd et elle demanda à Maung Sein s'il voulait bien le lui mettre sur la tête. Il le souleva avec difficulté et déclara qu'elle ne pourrait jamais porter seule pareil fardeau. À la façon dont il le dit, elle comprit qu'il serait plutôt prêt à faire le trajet deux ou trois fois plutôt que de la laisser porter ce panier. Il saurait donc veiller à ce qu'elle ne manque de rien. À tous égards.

Ils prirent le panier à deux, chacun d'un côté. Il installa la petite avec précaution sur son épaule, ce que Khin Khin accepta sans protester. Et ainsi, ils se mirent en route.

Au moment de se séparer, il lui demanda la permission de la revoir le lendemain.

Ce soir-là, Nu Nu resta longtemps éveillée. Elle se souvenait de la pierre trouvée la veille. Elle savait désormais quelle en était la forme.

4

Nu Nu, étendue près de son mari endormi, écoutait le bruit de la pluie. Elle pouvait dire, à l'oreille, sur quoi elle tombait. Sur les feuilles épaisses du bananier, elle tambourinait avec puissance. Sur les petites feuilles minces du bambou, elle dansait, rapide et douce à la fois. Dans les flaques de la cour, elle gargouillait. Le vieux toit avalait les gouttes d'eau pour les recracher aussitôt sous forme de ruisseau jacassant dans les gouttières. Les nattes d'herbes sèches et de palmes qui recouvraient sa maison fuyaient en plusieurs endroits. Nu Nu entendait des éclaboussures inquiétantes sur le plancher. Il n'y avait pas d'argent pour les réparer. Il faudrait qu'elles tiennent encore un an. Au moins.

Chez un voisin, la pluie martelait le toit de tôle, brutale, agressive. Elle, elle ne pourrait jamais dormir avec un bruit pareil, pensa-t-elle, en dépit du fait que ce devait être pratique.

Il avait commencé à pleuvoir la veille, pendant l'après-midi, et depuis ça n'avait pas cessé. C'était inhabituel. À cette époque de l'année, généralement, la pluie tombait à seaux par brutales averses qui duraient une heure, peut-être deux, rendant l'air aussi lourd que chargé d'humidité. La terre absorbait l'eau et le soleil dévorait ce qu'il en restait de ses rayons impitoyables. En très peu de temps, le sol était à nouveau sec et attendait impatiemment l'averse suivante.

Dehors, l'aube approchait peu à peu. Les premiers rais de lumière passaient entre les fissures du mur. Nu Nu se blottit contre son mari et étendit le bras en travers de sa poitrine. Pendant quelques minutes, elle savoura la chaleur de son corps, le rythme régulier des battements de son cœur sous sa main à elle, de son souffle à lui sur sa peau à elle. Puis elle se leva, attisa les cendres, accrocha la bouilloire au-dessus des flammes, s'assit sur le seuil de la maison et regarda l'eau transformer leur cour en une mare boueuse sans cesse grandissante.

Elle adorait la saison des pluies. Elle adorait ces mois revêtus de gris argenté alors que la terre s'éveillait, alors que la vie s'épanouissait dans les endroits les plus imprévisibles, de façon débridée, en recouvrant tout d'un voile vert. C'était également la période où elle n'avait pas besoin de se lever avant le soleil pour arriver à l'heure aux champs. Quand Maung Sein et elle disposaient de plusieurs heures pour eux parce qu'il n'y avait rien d'autre à faire qu'écouter le bruit de la pluie. Ou bien tresser un panier.

Ou se laisser porter par la passion.

Elle sentit le désir s'embraser en elle et envisagea de se recoucher à côté de son mari pour le séduire dès qu'il ouvrirait l'œil, mais elle se ravisa. Vu la façon dont les choses se présentaient, ils auraient toute la journée pour cela et les novices seraient devant leur porte d'ici une heure au plus pour recevoir leur offrande quotidienne. Elle se leva pour aller surveiller le feu, mit le riz en route et choisit plusieurs tomates et aubergines particulièrement grosses pour préparer un curry végétarien. Toujours le meilleur pour les moines même si la nourriture venait parfois à manquer chez eux et si Maung Sein s'emportait régulièrement contre sa générosité.

Quand elle pensait aux deux années qui venaient de s'écouler, Nu Nu se sentait toujours envahie par un profond sentiment de gratitude et d'humilité et elle désirait montrer sa reconnaissance chaque fois qu'elle le pouvait dans la modeste mesure de ses moyens. Elle se demandait ce qu'elle avait bien pu faire pour mériter pareil bonheur. Quelles bonnes actions avait-elle accomplies dans une vie antérieure pour justifier une aussi somptueuse récompense dans celle-ci ?

Grâce à un prêt accordé par l'oncle de Maung Sein lorsqu'ils s'étaient mariés, ils avaient pu acheter cette vieille cabane, le terrain sur lequel elle était construite et un champ, dans un village situé à deux jours de marche de l'endroit où elle était née. La cabane était assez grande, avec, dans un coin, un espace percé d'une cheminée d'aération où on pouvait faire la cuisine. Sur une étagère en bois derrière le foyer il y avait des bols, des assiettes métalliques, des tasses ainsi que quelques casseroles cabossées et noires de suie. Les couverts et deux cuillères en bois étaient enfoncés dans le mur fait de palmes tressées. À côté de l'étagère étaient rangées leurs maigres provisions : un demi-sac de riz, des tomates, du gingembre, des aubergines et un flacon de sauce nuoc-mâm.

Au-dessus de la porte, Nu Nu avait accroché une vieille pendule dont les aiguilles étaient bloquées sur 6 heures depuis belle lurette. En face, il y avait un autel avec le bouddha en bois. Entre les poutres, son mari avait accroché deux tiges de bambou sur lesquelles ils pendaient leur linge et leurs vêtements. Une serviette pour chacun, un longyi, une chemise, quelques T-shirts et des sous-vêtements. Tout ce qu'ils possédaient.

Dans la cour poussaient deux papayers élancés, des bananiers, des bambous, des palmiers. Derrière la cabane, il y avait de la place pour les tomates et d'autres légumes.

De Maung Sein le bûcheron, le père de Nu Nu avait fait un paysan dont l'enthousiasme compensait un peu le manque de savoir-faire inné. Il arrivait souvent parmi les premiers aux champs et il s'était donné pour règle d'aider son beau-père afin que celui-ci lui transmette son savoir. Avec des résultats modestes. Les légumes de Maung Sein n'étaient jamais très beaux. Le chou était maigrichon, les tomates avaient un goût médiocre. Le rendement de sa rizière, également, était bien inférieur à la récolte des voisins.

Certains jours, ils avaient si faim que Maung Sein doutait de pouvoir subvenir aux besoins d'une famille. Il envisageait d'aller travailler comme bûcheron mais, dans leur région, il ne restait plus guère de ces tecks majestueux. Il aurait été obligé de partir dans des provinces lointaines et serait resté absent plusieurs mois par an. Pas plus lui que Nu Nu ne le souhaitait. Chaque heure passée loin l'un de l'autre était une heure perdue.

Une vie de privations ne les dérangeait nullement ; c'était la seule qu'ils avaient jamais connue.

Ensemble, ils avaient découvert quelque chose d'entièrement différent : leurs corps.

Leurs premières caresses timides avaient ouvert la voie à un désir presque inextinguible.

Le désir de Nu Nu l'avait arrachée à sa tristesse insondable. Au cours des premiers mois, il y avait eu encore quelques journées durant lesquelles cette tristesse revenait sournoisement et Nu Nu avait fait de son mieux pour la décourager en la cachant à son époux. Mais, en ce qui concernait les humeurs de sa femme, Maung Sein avait un sixième sens. Il lui suffisait de la regarder au fond des yeux. Lorsqu'il voyait l'énergie qu'elle devait déployer le matin simplement pour sortir du lit, à quel point elle avait du mal à préparer le repas, à bavarder avec un voisin ou à aller au marché, il redoublait d'attention pour elle sans pour autant la bombarder de questions ou de réprimandes. Comme si c'était la chose la plus naturelle du monde de voir une jeune femme accablée d'une peine si prégnante, source d'épuisement et d'abattement.

Désormais, elle ne parvenait même plus à se souvenir de la dernière fois où elle s'était sentie le cœur lourd.

Un esprit serein et un esprit troublé trouvant peu à peu la paix.

Depuis qu'elle avait rencontré son mari, Nu Nu était fermement convaincue que certains individus appartenaient l'un à l'autre.

Des âmes sœurs. Des esprits complices.

Plus tard, bien plus tard, elle se demanda parfois si elle n'avait pas dépensé presque tout son bonheur durant les deux premières années de la vie commune avec Maung Sein. Était-ce possible ? Existait-il quelque chose comme une réserve limitée de moments heureux ? Venait-on au monde avec une quantité de chance attribuée dont on pouvait profiter pendant la vie, selon les cas, plus tôt ou plus tard ? Auraient-ils dû se montrer plus économes de leur intimité ? Mais comment une personne peut-elle veiller à conserver son bonheur ? Ou bien tout ce qui arrivait n'était-il que pur caprice du destin ? Étions-nous des boules projetées en avant par des forces n'obéissant à aucune règle, qui faisaient de nous ce qu'elles voulaient, comme la rivière déchaînée s'empare d'une petite branche qui finit broyée par le courant ?

Dans ce cas, rien dans la vie n'aurait le moindre sens, rien n'aurait la moindre signification. Mais un seul regard sur son mari endormi – et plus tard sur son fils Ko Gyi – suffisait à la rassurer sur cette question. Un gage d'amour, un geste de compassion, une réaction bienveillante – dont l'ampleur importait peu – suffisait pour que Nu Nu sût que ses doutes n'étaient pas justifiés, qu'il existait une force qui prêtait à chacun d'entre nous et à tous sa valeur particulière.

Rien n'était infructueux. Rien n'était vain.

Grâce à Maung Sein et à son amour, elle en était persuadée jusqu'au tréfonds de son âme. Jusqu'à ces événements qui, à nouveau, ranimèrent tous ses doutes. Définitivement. À propos de tout.

Privèrent sa vie de sens comme le sel absorbe le liquide d'un corps jusqu'à le détruire.

Mais c'était plus tard. Beaucoup plus tard.

Le curry et le riz fumant étaient devant elle. Elle remplit une tasse de thé et s'accroupit à nouveau sur le seuil de la porte, attendant la procession des moines ou le réveil de son mari, qui s'étirerait, se tournerait vers elle et la regarderait avec des yeux embués de sommeil jusqu'à ce qu'un sourire illumine son visage.

La pluie diminuait peu à peu et Nu Nu remarqua quelques feuilles mortes qui tombaient d'un arbre dans une flaque au pied des marches. Minuscules messagères, emportées par la tempête, traquées par des gouttes de pluie grosses comme des haricots qui coulaient une feuille après l'autre. Une seule résistait, refusant la noyade. Nu Nu ferma les yeux et compta jusqu'à dix. Si, contre toute probabilité, la feuille flottait encore lorsqu'elle les rouvrait, elle saurait que ce n'était pas un pur hasard, mais un signe.

À dessein, elle se mit à compter lentement. À cinq, elle commença à se sentir nerveuse. À huit, elle envisagea ce que cela pouvait signifier. Lorsqu'elle ouvrit les yeux, la feuille gris-brun surnageait toujours à la surface de la flaque. Elle descendit l'escalier, la ramassa dans l'eau et examina attentivement sa forme et sa structure. À première vue, elle ne remarqua rien de particulier. Elle la retourna. De l'autre côté, il y avait deux taches noires qui la regardaient comme des petits yeux. La tige remontait jusqu'au milieu de la feuille. Ça faisait penser à une colonne vertébrale. Elle la tint à bout de bras et, à contre-jour, sur le ciel gris, elle distingua clairement ses nervures : on aurait dit des veines.

Des yeux. Une colonne vertébrale. Des veines.

Cette feuille morte était-elle le présage d'un enfant ? Pourquoi pas ? Elle était destinée à être découverte et déchiffrée par elle, Nu Nu ; sinon, pourquoi aurait-elle refusé de couler à pic comme les autres ?

Nu Nu voulait voir ses soupçons confirmés. Elle examina la feuille encore une fois puis se pencha et la laisser glisser de ses doigts. Si elle tombait dans la flaque et survivait à une deuxième attaque de pluie, cela mettrait fin à tous ses doutes. La trajectoire normale de la feuille aurait dû l'emporter quelque part sous les marches, mais le vent changea de direction. Elle se posa directement à la surface de la flaque, sur laquelle flottait déjà toute une nouvelle cargaison de feuilles. Nu Nu ferma les yeux et compta jusqu'à vingt-huit, pour plus de certitude. Huit était son chiffre fétiche. Le deux devant doublait sa chance.

Lorsqu'elle rouvrit les yeux, toutes les feuilles sauf une avaient disparu. Elle la reconnut aussitôt.

Le monde regorgeait de signes. Il fallait seulement savoir les repérer et les interpréter.

Depuis deux ans, Nu Nu attendait qu'un enfant s'annonce, un fils pour être précise. Elle avait imaginé que, après le mariage, la grossesse serait une histoire de semaines ou au plus de quelques mois. Au bout de six mois, ne détectant toujours aucun changement dans son corps, elle alla interroger sa mère qui l'encouragea à être patiente.

À la fin de l'année, elle consulta un guérisseur local, qui tenta de la traiter avec différentes herbes et infusions, en vain.

Elle rendit visite à un astrologue, qui effectua des calculs très compliqués pour déterminer les meilleurs jours de conception, des jours dont elle devait profiter à plein ; mais le seul résultat fut que Maung Sein se retrouvait avec des organes génitaux endoloris.

Elle n'hésita pas à faire toute une journée de marche pour se rendre dans la ville la plus proche et voir un astrologue renommé pour ses compétences hors pair. Lui aussi, après s'être plongé dans les livres et les tableaux, lui assura qu'elle mettrait au monde un fils magnifique qui serait suivi de près par un frère tout aussi magnifique. Il ne pouvait pas donner de date, précisément. Les signes donnaient des indications opposées. Cela pouvait prendre encore un certain temps. Peut-être même plusieurs années.

Nu Nu revint au village profondément déçue. Elle ne désirait rien de plus au monde qu'un fils. Les filles des voisins et ses amies étaient presque toutes déjà mères. Plusieurs années, avait dit l'astrologue. Un temps d'une longueur inimaginable. Ou peut-être se trompait-il et elle faisait partie de ces malheureuses femmes qui ne pouvaient pas enfanter, en dépit de tous leurs efforts ?

Il y avait des jours où elle ne parvenait pas à penser à autre chose ; un petit être qui n'appartiendrait qu'à elle. Qui aurait besoin d'elle comme personne d'autre, qui ne pourrait pas vivre sans elle. À quoi ressemblerait-il ? Grand et mince comme sa mère ? Ou avec les muscles de son père, sa peau claire et ses cheveux bouclés ?

Mettrait-elle au monde un esprit serein ou un esprit troublé ?

L'impatience de sa femme rendait Maung Sein perplexe. Quand ils auraient un enfant, fille ou garçon, ils n'auraient pas le pouvoir de décider s'il viendrait au monde malade ou en bonne santé, s'il vivrait au-delà de son premier anniversaire ou si, comme tant de nouveau-nés, il mourrait avant d'atteindre un an. Les choses essentielles de la vie étaient prédestinées. De son point de vue, tenter de toutes ses forces de les influencer était dangereusement présomptueux et ne pouvait apporter que du malheur. Il refusa de boire les divers mélanges que sa femme préparait selon les instructions du guérisseur, apparemment pour les rendre tous deux plus féconds. Il ne l'accompagna pas chez l'astrologue car il ne souhaitait rien savoir de ce que l'avenir leur réservait. De toute façon, il ne pouvait pas le modifier. Maung Sein supplia à maintes reprises sa femme de montrer plus de patience, de trouver une sérénité sans laquelle la vie était insupportable. Et même si pour une raison quelconque ils n'avaient jamais d'enfants, ce ne serait pas une tragédie. Il ne s'agissait que d'une seule existence. Une parmi tant d'autres.

Elle tombait d'accord avec lui, pour mieux l'assaillir de questions à nouveau deux jours plus tard. Pourquoi n'était-elle pas enceinte ? N'accepterait-il pas quand même d'essayer une potion spécialement préparée à son intention par une sage-femme ? Ou que pensait-il de tel ou tel prénom ?

Pendant très longtemps, ce fut l'unique point de discorde entre eux.

Nu Nu entendit le bois craquer et leva les yeux. Son mari était assis sur la natte et, dans le clair-obscur, il se frottait les yeux en bâillant. Elle admira son torse musclé, ses bras puissants qui pouvaient la soulever en l'air comme si elle était une enfant, ses mains qui savaient la caresser si tendrement ou la serrer si fort que ce simple contact suffisait à susciter le désir en elle. Elle dut faire appel à toute sa volonté pour résister à l'envie d'aller près de lui.

— Les moines sont déjà passés ? demanda-t-il.

Comme s'il avait lu ses pensées.

— Non.

— Laisse-moi deviner… Il pleut toujours ?

— Oui mais moins fort. Tu as faim ?

Son mari hocha la tête. Il se leva, resserra son longyi, enfila un T-shirt effiloché, attrapa deux bols métalliques, des cuillères, une tasse, lui donna un baiser sur le front, caressa tendrement son visage et s'accroupit à côté d'elle.

Le cœur de Nu Nu battait la chamade, tant elle était excitée.

Il se versa du thé, contempla le ciel d'un gris de plomb, les nuages bas et la cour boueuse pleine de flaques.

— Aujourd'hui, nous avons beaucoup de temps.

— Absolument, répondit-elle avec un sourire aguicheur.

Maung Sein ne réagit pas. Il remplit les bols de riz et de curry de légumes, lui en tendit un et se mit à manger sans rien dire.

Très vite, ils entendirent les moines demander l'aumône chez les voisins.

Nu Nu prit le grand plat de riz et celui de curry, les recouvrit d'un torchon, descendit les marches et pataugea dans la boue jusqu'au portail.

La pluie était tiède. L'eau ruisselait sur son visage, son cou, son dos et ses seins. En quelques instants, sa chemise et son longyi lui collèrent littéralement à la peau. Une longue procession de jeunes gens avec le crâne rasé et des vêtements rouge foncé dégoulinants de pluie s'avança. Elle déposa pieusement une petite cuillère de riz et un peu de légumes dans chaque bol de bois. Elle recueillit leurs expressions reconnaissantes et leurs bénédictions marmonnées en ne cessant de penser au corps de Maung Sein et à la passion qu'il provoquait en elle.

Lorsqu'elle fit demi-tour, son mari n'était plus là et le rideau était tiré devant la porte.

Les jambes tremblantes de désir, elle resta au portail jusqu'à ce que le dernier moine ait disparu. Elle remonta dans la cabane et repoussa le rideau.

Maung Sein était allongé sur la natte, il l'attendait.

5

Elle savait.

Elle sut immédiatement et au-delà de la moindre ombre de doute.

Comme si elle pouvait percevoir une chose encore imperceptible pour son corps.

Comme si elle pouvait voir ce qui était invisible pour ses yeux.

Un morceau de lui resterait en elle. S'y implanterait. Y grandirait.

Même si son époux devait plus tard sourire avec indulgence en objectant que c'était impossible. Que personne ne pouvait avoir une sensibilité aussi aiguisée.

Que savait-il du corps d'une femme et de ce qu'elle ressentait ?

Quelque chose ce matin-là s'était passé différemment. Ce n'était pas la façon dont il avait bougé en elle, même s'il s'était montré particulièrement ardent et passionné. Ce n'était pas non plus la façon dont il avait su enflammer son désir avant de l'étancher.

Le corps de Nu Nu avait été saturé par une sensation qu'elle n'aurait su nommer ni décrire.

Lorsque ce fut terminé, ils restèrent allongés côte à côte, le souffle court. Nu Nu tremblait et les larmes ruisselaient sur son visage, mais elle ne s'en aperçut pas immédiatement.

Maung Sein s'inquiéta et lui demanda s'il l'avait blessée en s'abandonnant comme il l'avait fait.

Non, dit-elle, pas du tout.

Pourquoi pleurait-elle, alors ?

De joie, expliqua-t-elle. De joie.

Il la prit dans ses bras et elle n'en pleura que davantage.

Plus tard, elle devait souvent réfléchir à ce moment et se demander si ces larmes, ce matin-là, étaient authentiquement des larmes de joie. Ou soupçonnait-elle déjà dans le tréfonds de son cœur la façon dont tout cela se terminerait ? Que tout grand bonheur entraînait un grand chagrin corrélatif ? Que chaque commencement contenait déjà sa propre fin, qu'il n'y avait pas d'amour sans la douleur de la séparation, que toute main finissait par se refroidir.

Avait-elle, en dépit des nombreuses épreuves de ses premières années, compris seulement maintenant ce qu'enseignait vraiment le Bouddha ? Vivre signifie souffrir. Rien n'est éternel.

— Dis quelque chose, chuchota Nu Nu.

Maung Sein se redressa sur un coude et lui caressa les cheveux avec tendresse.

— Que pourrais-je dire ?

— N'importe quoi, supplia-t-elle. J'ai besoin d'entendre ta voix.

— Je t'aime.

154

Elle étreignit son mari. Maung Sein ne prononçait pas souvent ces mots. La façon dont il venait de les dire, c'était un présent.

— Encore une fois. S'il te plaît.

— Je t'aime.

Elle s'accrocha à lui de toutes ses forces, comme si elle avait peur de couler. Jamais dans sa vie elle ne s'était sentie aussi vulnérable, aussi exposée. Pourquoi maintenant, au moment où son souhait le plus ardent commençait à se réaliser ? Pourquoi ne pas simplement accueillir cette nouvelle vie ?

— Je t'aime, moi aussi.

Nu Nu continua à être d'une sensibilité exacerbée pendant plusieurs jours. Elle avait du mal à s'endormir et se réveillait plus tôt qu'à l'ordinaire. Au marché et dans les champs, elle évitait de regarder quiconque droit dans les yeux et rien ne la rendait plus heureuse que de bavarder exclusivement avec son époux. Sa peau était en pleine révolte. Des taches rouges partout. Elle se grattait bras et jambes jusqu'à faire couler le sang.

Pires encore que la morosité et les démangeaisons, il y avait les angoisses ; elles lui empoisonnaient la vie, sans raison valable. C'était une peur omniprésente qui cherchait constamment de nouvelles justifications. Parfois, elle craignait que Maung Sein ne marche sur un cobra et ne rentre mort à la maison après une brève visite chez les voisins. Parfois, réveillée en pleine nuit, elle se laissait submerger par la panique, persuadée que Maung Sein avait cessé de respirer alors qu'il était allongé à côté d'elle. La vue d'un puits la mettait dans tous ses états parce qu'il s'enfonçait si profondément dans les ténèbres, tout comme les pluies torrentielles parce qu'elles pouvaient noyer le village. Le monde avait toujours été rempli de dangers et de menaces. Désormais, la seule question c'était de savoir quand elle allait succomber à l'un d'eux.

Durant ces semaines, Maung Sein prit encore plus soin de sa femme qu'à l'accoutumée. Le matin, il se levait avant elle pour préparer le repas des moines. Il rapportait l'eau du puits, il l'accompagnait au marché, plus bavard qu'il ne l'avait jamais été, afin de la distraire de ce chagrin dont il ne comprenait pas la cause. Aux champs, il ne la perdait pas de vue un seul instant. Dès qu'il avait l'impression qu'elle abusait de ses forces, il la ramenait chez eux et restait avec elle.

À la fin, cependant, ce ne fut pas Maung Sein qui l'aida. Ce fut la certitude que quelque chose grandissait en elle. Ce fut la sensation de donner la vie même si, de l'extérieur, il n'y avait aucun signe. Un léger pincement dans le ventre tôt le matin, une petite pression dans les seins – au début, ce furent les seuls indices d'un changement.

Mais, jour après jour, la confiance qu'elle ressentait vis-à-vis de ce qui lui arrivait augmentait, si bien que deux mois plus tard, l'angoisse et la tristesse s'étaient envolées. Elle allait avoir un enfant. Un fils. Il serait en bonne santé et elle survivrait à l'accouchement. C'était bien autre chose que la prophétie de l'astrologue ; elle le sentait au fond d'elle. Ses craintes laissèrent place à un optimisme qu'elle n'avait encore jamais connu, même pas pendant les heures de béatitude avec Maung Sein.

156

Quant à lui, il ne lui fallut pas longtemps pour remarquer ce qui arrivait à sa femme. Ce ne fut pas seulement son ventre qui retint son attention en commençant à gonfler mais aussi le calme qu'elle irradiait soudain. Comme si tous ses soucis s'étaient évanouis dans la nuit. Elle avait les yeux brillants, les lèvres encore plus charnues, le corps encore plus plein de courbes et il découvrit un côté d'elle dont il ignorait encore tout : son rire.

Aux champs et à la maison, il devait lutter contre le désir de sa femme de s'activer en permanence parce qu'il s'inquiétait à l'idée qu'elle ne s'épuise pour rien. Elle voulait emprunter de l'argent pour refaire le toit. Rajouter des nouveaux plants de tomates dans un coin du jardin en jachère. Construire un petit poulailler.

Une nuit, Nu Nu sentit un mouvement dans son ventre. Elle eut envie de réveiller son mari mais elle se ravisa. Ce moment ne devait appartenir qu'à elle.

À elle et à son fils.

Elle resta immobile à écouter son corps, le souffle coupé. N'était-ce qu'un effet de son imagination ? Quelques secondes s'écoulèrent et puis la même sensation revint : elle avait bien senti quelque chose. Un doux frémissement, le battement d'une aile de papillon.

Dès qu'elle pensait que personne ne la regardait, elle posait les mains sur son ventre, elle le caressait en parlant à son fils. Elle lui racontait la maison dans laquelle il y avait pour lui plus que de l'amour. Un père qui travaillait de l'aube au crépuscule pour éloigner la faim. Une mère qui l'attendait avec tant d'impatience qu'elle ne s'intéressait plus à grand-chose d'autre.

157

Une vie qui ne serait pas facile, il fallait que ce soit bien clair pour lui, mais qui, néanmoins – dans toute sa beauté et ses tourments –, était une vie qui valait la peine d'être vécue. La plupart du temps, du moins.

Plus son ventre s'arrondissait, plus elle avait besoin de temps pour elle et son enfant. Se pencher pour travailler aux champs devint épuisant. Chaque pas était une épreuve. Elle trouvait les tâches domestiques de plus en plus pénibles. Ses jambes enflèrent. La nuit, elle ne parvenait pas à trouver une position confortable. Le moindre mouvement provoquait quelque douleur. Ce qu'elle préférait par-dessus tout, c'était s'asseoir avec un Thermos de thé sur la dernière marche, adossée contre la véranda, une couverture dans le dos, et se frotter le ventre pour sentir son enfant.

Pour une fois, Maung Sein ne pouvait pas l'aider. Au contraire, il y avait des moments où la présence de son époux la dérangeait. Lorsqu'il tentait de la prendre dans ses bras avant de s'endormir le soir, elle se détournait parce qu'elle ne supportait pas cette promiscuité. Lorsqu'il revenait des champs, trempé de sueur, elle souhaitait qu'il aille directement à la rivière ; l'odeur qu'il dégageait et qu'elle avait tant aimée si peu de temps auparavant désormais la dégoûtait.

Un soir – ils avaient déjà soufflé la bougie et étaient allongés côte à côte dans l'obscurité –, elle l'entendit grincer des dents. Maung Sein ne faisait cela que lorsqu'il était nerveux et inquiet.

— Nu Nu ?

Elle eut envie de feindre le sommeil.

— Nu Nu ?

Elle ne put résister à ce ton implorant.

— Oui ?

— Y a-t-il un problème ?

Elle savait à quel point cette phrase avait dû être difficile à prononcer pour lui. Son époux n'était pas de ceux qui aiment poser des questions. Mais il n'y avait pas moyen de lui expliquer ce qu'elle était en train de vivre. Elle n'avait aucune envie de le blesser ni de l'offenser.

— Non. Pourquoi poses-tu cette question ?

— Tu es tellement… (Il chercha longtemps le mot exact.) Différente d'avant.

— Je porte notre enfant, répondit-elle en espérant que cela mettrait un terme à la conversation.

— Je sais, mais ce n'est pas de cela que je parle.

— De quoi, alors ? En quoi suis-je différente ?

Elle aurait aimé se tourner vers lui et lui donner un baiser rassurant ou lui caresser la tête, mais elle en était incapable.

— Je ne sais pas. Différente. Tu ne me regardes plus jamais dans les yeux. Tu n'aimes plus que je te caresse.

— Mais si, j'aime ça.

Elle n'était pas douée pour mentir.

— Tu n'aimes plus mon odeur.

— Ce n'est pas vrai. Qu'est-ce qui te fait dire ça ? répliqua-t-elle mollement.

— Et maintenant, tu racontes des mensonges.

Elle voyait bien à quel point il était blessé. À quel point il avait besoin d'elle. Nu Nu envisagea brièvement de lui raconter ce qu'elle ressentait. Mais il ne comprendrait pas.

Elle-même ne comprenait pas.

— Nu Nu ?

Elle n'avait pas envie de parler. Elle avait envie de se reposer et d'être seule. La mère et l'enfant, rien qu'eux.

C'était un sentiment étrange, irritant, auquel elle préférait ne pas trop réfléchir. Elle avait souvent entendu parler de femmes qui vivaient de bizarres sautes d'humeur durant leur grossesse. Elle ne voulait pas faire d'histoires. Tout cela disparaîtrait comme c'était venu.

— Tout va bien. N'y pense plus. Dormons maintenant.

— Ai-je fait quelque chose ?

— Non, répondit-elle si brutalement qu'il se tut.

Maung Sein resta longtemps éveillé cette nuit-là. Il ne comprenait pas ce que sa femme était en train de vivre et la seule explication qu'il trouvait à son comportement, c'était qu'il était lié directement à sa grossesse. Il était persuadé que leur ancienne intimité reviendrait après la naissance.

6

La mort attendait à la porte. Grande et mince. Nu Nu distinguait sa silhouette sombre qui se détachait dans la lumière du soleil levant. Elle avait repoussé le rideau et s'apprêtait à entrer.

Nu Nu serra le bout de tissu que la sage-femme avait glissé entre ses dents pour l'empêcher de se mordre les lèvres jusqu'au sang tant la douleur était forte. Elle savait que son corps avait atteint ses dernières limites. Elle souffrait déjà depuis un jour et une nuit. Cela avait commencé à l'aube avec une puissante contraction alors qu'elle distribuait les aumônes aux moines. Maung Sein avait réussi à la calmer et à la distraire durant les premières heures. Lorsqu'un flux torrentiel s'était échappé d'elle, il avait couru, très inquiet, chercher la sage-femme. Deux femmes plus âgées vinrent ensuite lui prêter main-forte. Elles avaient glissé à plusieurs reprises leurs longs doigts osseux dans son ventre pour déterminer la position du bébé et tâter sa tête. Elles étaient encore pleines d'optimisme; ce ne serait plus très long, affirmaient-elles.

Le temps passant, elles s'efforcèrent de le faire bouger et de le retourner, de la dilater avec leurs mains. Nu Nu se laissait faire, suivait leurs instructions, se levait, s'allongeait, s'agenouillait, s'accroupissait. Elles avaient essayé les herbes, les onguents, les compresses. Elles l'avaient massée, elles lui avaient fait respirer de mystérieuses vapeurs ; mais tout cela, en vain.

Son enfant ne désirait pas faire son entrée dans le monde.

Nu Nu voyait sur les traits des femmes que la situation devenait grave. Elle perdait du sang. Elle avait de plus en plus froid. Il n'y avait pas de médecin qui aurait pu lui ouvrir le ventre, pas d'anesthésique qui aurait pu soulager la douleur.

Le bébé ne bougeait pas.

Pendant des mois, elle l'avait senti jour après jour. Les coups de pied, les mouvements brusques, les grondements étaient devenus son lot quotidien.

Mais là, elle ne sentait plus rien. Elle avait l'impression de porter une pierre pesante dans son ventre, une pierre qui devenait plus lourde à chaque instant et qui l'entraînait irrésistiblement dans l'abîme.

La douleur ne cédait pas. L'enfant devait sortir, sinon ils mourraient. Tous les deux.

Les chuchotements des femmes. Leur impuissance. Elles sentaient ce qui allait se passer d'ici quelques minutes. Rien que dans l'année, cinq femmes du village étaient mortes en couches. C'était le risque que courait toute femme enceinte.

Le prix à payer pour donner la vie.

Nu Nu serra à nouveau les dents sur le bout de tissu. Quelqu'un repoussa ses cheveux trempés de sueur et lui tint la tête.

Une des femmes partit en hâte chercher Maung Sein. Il avait quitté la cabane au milieu de la nuit quand assister à la souffrance de sa femme lui était devenu insupportable. Pendant des heures, elles l'avaient entendu couper et scier du bois dans la cour, en pleine obscurité.

Elle eut une nouvelle contraction. Un vertige la saisit.

La mort rôdait toujours à la porte, répandant son odeur pestilentielle. Pourquoi n'entrait-elle pas ? Qu'attendait-elle ? Pourquoi la torturait-elle ainsi ?

Elle appela son mari. Elle cria son nom de toutes ses forces. Encore et encore. Pourquoi ne venait-il pas ? Elle voulait qu'il soit à côté d'elle lorsqu'elle mourrait. Elle voulait qu'il la prenne dans ses bras, lui et seulement lui.

La sage-femme lui remit le chiffon dans la bouche. Elle entendit les pas de Maung Sein.

Il s'assit derrière Nu Nu et l'entoura de ses bras, si bien que le buste de sa femme reposait sur ses genoux. Lorsque survint la contraction suivante, menaçant de l'emporter pour de bon, elle se cramponna à son genou, cracha le bout de tissu et mordit avec violence le bras de son mari. Maung Sein laissa échapper un cri de douleur et la serra avec tant d'énergie qu'il lui coupa le souffle.

Elle n'eut aucun souvenir des minutes qui suivirent.

Lorsqu'elle revint à elle, elle entendit la voix excitée de la sage-femme.

Et les pleurs d'un enfant.

Aux champs ou au puits, parmi les femmes à qui elle avait parlé, peu étaient capables de s'épancher sur les heures qui suivaient l'accouchement. Elles étaient heureuses d'avoir survécu. Elles avaient d'autres enfants, plus grands, dont il fallait s'occuper ou simplement elles souhaitaient oublier cette torture. Il n'en fut pas ainsi pour Nu Nu. Même des années plus tard, elle se souvenait encore des moindres détails, en dépit de son extrême fatigue. Le paquet couvert de sang et de liquide visqueux posé sur son sein. Les traits déformés de Maung Sein, son bras avec la grande plaie béante. Il lui manquait un bout de chair grand comme le pouce juste à côté du coude.

Son propre corps, tremblant, la douleur presque insupportable.

Le feu qui couvait sous la grosse marmite dans laquelle les femmes faisaient bouillir des serviettes pour elle.

Le cœur battant de son fils, son rythme si rapide, son souffle haletant. Ses petits doigts ridés et la façon dont il la regardait de ses yeux bruns tout gonflés. Elle n'oublierait jamais cette image. Ni le bonheur qu'elle avait ressenti.

Elle le serrait fort contre elle, bien décidée à ne jamais le lâcher. Il faisait partie d'elle et il en serait ainsi pour toujours.

Bon gré mal gré.

Puis elle perdit connaissance.

7

Nu Nu passa les semaines qui suivirent la naissance de son fils dans un état intermédiaire entre la vie et la mort. Elle n'avait qu'une vague conscience de la cabane, du feu, de la fumée et des visages penchés sur elle. Il n'y avait plus de frontière entre la nuit et le jour. Elle dormait longtemps, elle ne se réveillait que poussée par une soif dévorante ou les pleurs de son enfant affamé. Elle le nourrissait, mangeait et buvait ce que Maung Sein lui donnait, puis se rendormait. Les soins prodigués par la sage-femme, les jus qu'elle lui préparait, les pommades avec lesquelles Maung Sein la massait, elle laissait tout ça passer sur elle sans bouger.

Les quelques heures où elle était éveillée, elle restait dans le brouillard, trop épuisée pour se lever ou même échanger quelques mots. Dans ses narines, une odeur douceâtre de décomposition.

Maung Sein préparait de quoi manger. Il faisait bouillir les serviettes et le linge, il la changeait, il baignait son corps en sueur, il s'accroupissait à côté d'elle pour lui parler dans l'espoir que sa voix l'aiderait. De temps en temps, lorsque leur fils dormait, il prenait sa femme dans ses bras avec précaution et l'emmenait dans la cour pendant quelques minutes. Il était déconcerté de voir à quel point elle était devenue légère. À peine plus lourde qu'un sac de riz. Même si elle n'ouvrait les yeux que brièvement, même si elle n'avait presque aucune réaction, il l'emmenait faire lentement le tour de la maison. Il fallait qu'elle voie la bougainvillée en fleur. Les coquelicots. L'hibiscus jaune dont elle aimait tellement la couleur. Comme les tomates qu'il avait plantées pour elle poussaient bien, les fruits sur les plants de bananiers.

Il fallait qu'elle voie à quel point la vie l'attendait. À quel point elle lui manquait cruellement. La mort était une visiteuse silencieuse à qui nul ne posait de questions.

Qui prenait qui elle avait envie de prendre. Mais pas Nu Nu. Elle ne devait pas disparaître. Pas sans lui.

Le soir – la sage-femme était rentrée chez elle depuis longtemps –, il s'asseyait à la tête de son lit et s'essayait à la méditation. Sans succès. Au lieu de cela, il contemplait le visage de sa femme et de son enfant endormis. Il se souvenait des paroles des moines avec qui il avait vécu pendant si longtemps. Tout ce qu'il savait de la vie, c'était d'eux qu'il l'avait appris : que chaque individu est l'auteur de son propre destin. Sans exception.

Mais Maung Sein, à cette époque-là, ne se sentait pas du tout maître de son destin. On le conduisait, il n'était pas le conducteur. Esclave de ses peurs.

Quel crime avait-il commis pour mériter de perdre sa femme et leur enfant ? Il ne souhaitait pas faire grief à quiconque sauf à lui-même de sa douleur, mais était-ce vraiment sa faute s'il se retrouvait jeune veuf ? Quelle erreur avait-il commise ?

Maung Sein connaissait la réponse à ses questions : il n'aurait pas dû se marier. Il n'aurait pas dû donner son cœur à Nu Nu. S'il ne l'avait pas fait, il ne serait pas actuellement en train de souffrir, il devait bien l'avouer. Était-ce ce que prêchait Bouddha dans son infinie sagesse ? Si Nu Nu et lui n'avaient pas conçu d'enfant, il ne serait pas aujourd'hui dans la crainte de la voir perdre la vie. Mais quel genre d'existence serait-ce là ? Une vie sans attaches. Une vie sans personne à perdre. La vie d'un moine. Pas la sienne. Il ne redoutait rien plus que la mort de Nu Nu.

Le prix de l'amour.

Il n'était pas Bouddha. Il ne suivait même pas le bon chemin, en dépit de toute la méditation à laquelle il se livrait. Il était un être humain. Un simple être humain, vulnérable, plein d'espoirs et de craintes, de désir et de regrets, dont le bonheur était fragile. Il était persuadé de posséder un jour un cœur invincible.

Mais pas dans cette vie. Pas tant qu'existait Nu Nu.

Durant ces semaines-là, beaucoup de choses échappèrent à la conscience de Nu Nu. Elle avait l'impression que la mort rôdait toujours à sa porte, répandant sa puanteur, prête à entrer. Ne sachant pas encore sur qui fondre. La mère ou l'enfant ? Ou les deux ?

Elle n'avait pas peur. Même pour avoir peur, elle manquait d'énergie.

De son fils, elle ne percevait guère plus que ses lèvres qui tétaient régulièrement. Son souffle si doux sur sa peau. Les cris brefs et déchirants qui ne faisaient que s'affaiblir au lieu de devenir plus forts et plus vigoureux.

Il avait la peau toute molle et plissée. Elle le sentait lorsqu'elle caressait tristement son tout petit corps.

La sage-femme ne donnait pas beaucoup d'espoir à Maung Sein. Elle avait vu mourir trop de mères et de nouveau-nés. Le danger traînait partout après une naissance aussi difficile. Nu Nu avait perdu beaucoup de sang. Elle était trop affaiblie, tout comme le bébé, et le monde grouillait de microbes, de bactéries, de virus et de parasites qui n'attendaient que l'occasion de les infecter. Leur destin se déciderait dans les prochains jours, peut-être dans les prochaines semaines et, à part les soins qu'elle leur prodiguait déjà, il n'y avait pas grand-chose d'autre à faire. Pour plus de sécurité, deux fois par semaine, elle apportait une petite offrande à l'esprit qui vivait dans le figuier près de la maison. Du riz. Des bananes. Des oranges. Elle ignorait s'il était en son pouvoir, à cet esprit, de guérir Nu Nu, mais ce ne pouvait être néfaste que de chercher à le disposer favorablement.

Plus tard, alors que Nu Nu et son fils s'en étaient sortis, elle disait que c'était un miracle. Une fois, au cours de l'accouchement, et puis une deuxième fois, plus tard, elle avait considéré l'enfant comme mort et renoncé à tout espoir pour Nu Nu. Impossible de sauver une femme qui portait un enfant sans vie dans son ventre. Et impossible de sauver une femme qui avait si peu de sang dans les veines. Ils étaient l'un et l'autre en route pour une nouvelle existence; elle n'avait encore jamais vu ni mère ni enfant revenir parmi les vivants après être partis si loin.

Un matin, Nu Nu s'éveilla et comprit que la mort avait changé d'avis. Pour la première fois depuis la naissance, elle n'avait plus cette odeur de décomposition dans les narines, mais seulement le parfum sucré des mangues mûres. Pour la première fois depuis la naissance, elle sentait son corps sans pour autant être gelée. Elle respira profondément à plusieurs reprises, humant les cheveux de son fils qui dormait sur son sein.

Il n'avait plus la même odeur. Un soupçon d'amandes et de miel. L'odeur de la vie.

Elle examina la cabane autour d'elle. La porte était ouverte ; elle voyait clairement le papayer et les palmiers dans la cour. Deux papillons dansaient dans les rayons de soleil qui entraient par les fenêtres. Maung Sein, accroupi près du feu qui couvait, remuait quelque chose dans la marmite. À côté d'elle, il y avait des serviettes, une fleur d'hibiscus jaune dans un vase autour duquel étaient éparpillés les pétales d'une rose rouge.

Elle voulut s'asseoir mais elle était trop faible. Elle l'appela. Il ne réagit pas. L'espace d'un instant, elle crut qu'elle était en train de rêver. Peut-être n'était-ce pas un retour à la vie mais le moment du dernier adieu. Une peur atroce s'empara de Nu Nu. Elle ne voulait pas mourir. Pas encore. Pas avec son fils dans les bras. Elle rassembla ses forces et l'appela encore une fois. Haut et fort. Il se retourna. Surpris. Comme s'il n'en croyait pas ses oreilles.

— Nu Nu ?

— Oui, chuchota-t-elle.

Il se leva et approcha à pas prudents ; il se pencha vers elle.

— Nu Nu ?

Elle fit un pâle sourire.

8

La première fois qu'elle sortit de la maison, avec son fils endormi dans les bras, elle-même encore chancelante, Nu Nu examina la cour, effarée, tout en se retenant à la rambarde. C'était à la fois familier et étrange. Quelque chose avait changé, qu'elle ne put repérer d'emblée. Le soleil du matin perçait entre les buissons. Les feuilles des bananiers paraissaient plus vertes, leurs fruits plus gros et plus jaunes. L'hibiscus et la bougainvillée n'avaient jamais été aussi beaux. Un vent tiède lui caressait la peau. En contrebas, Maung Sein coupait du petit bois. À chaque coup de hache, il taillait des branches grosses comme le poing. La régularité de ses mouvements irradiait quelque chose de profondément rassurant.

Nu Nu regarda Ko Gyi qui dormait dans ses bras. Il avait son nez à elle. Sa bouche. Sa peau couleur cannelle. Elle saisit délicatement une de ses petites mains. Elle était chaude. Et elle le resterait toujours. Soudain, il cligna d'un œil, puis très vite de l'autre. Il avait aussi ses yeux, sans aucun doute. Ko Gyi contempla sa mère intensément, avec le plus grand sérieux. Elle

170

sourit. Les yeux brun foncé ne cillèrent pas. Ils se dévisagèrent longuement. Puis l'enfant eut un sourire tranquille. Personne n'avait jamais souri ainsi à Nu Nu. Personne ne l'avait jamais autant émue.

Elle était de retour.

Dans les semaines qui suivirent, ses forces lui revinrent de plus en plus et, au bout de peu de temps, elle put déjà aider son mari en accomplissant des tâches simples. Elle allait acheter des provisions au marché, portant jusqu'à leur cabane le grand panier de riz et de légumes posé en équilibre sur sa tête, Ko Gyi bien caché contre son sein. Contrairement à toutes les autres jeunes mères du village, elle n'aimait pas le porter dans le dos. Elle voulait le voir. Elle vou lait respirer l'odeur de ses cheveux. Elle voulait que leurs cœurs battent à l'unisson.

Elle se débrouillait pour accomplir les tâches ména- gères avec une seule main. D'une seule main, elle attisait le feu, elle préparait le repas, elle balayait la cour, elle enlevait les mauvaises herbes des plants de tomates, elle lavait longyis et serviettes, et elle réussit même à mettre au point une technique pour les essorer d'une seule main – et tout cela parce qu'elle se refu- sait à poser son fils par terre. Pas une seule seconde. Ensemble, ils avaient frôlé la mort, ensemble ils en étaient revenus. Il faudrait un long moment avant qu'elle n'accepte de le perdre de vue ne serait-ce que quelques minutes.

La meilleure partie de la journée de Nu Nu com- mençait le matin, lorsque Maung Sein partait travailler aux champs. Si Ko Gyi était réveillé, elle le déshabillait pour contempler son petit corps parfait. Le plus beau qu'elle ait jamais vu. Des cheveux abondants, un visage rond avec des yeux étonnamment grands et des lèvres pleines. Elle s'émerveillait de la douceur de sa peau, elle le reniflait. Elle prenait ses pieds et ses mains minuscules dans sa bouche, elle lui caressait le ventre encore et encore, elle voyait dans ses yeux à quel point il appréciait chacune de ses caresses. Les petits doigts minuscules du bébé se cramponnaient aux siens, comme s'ils voulaient ne jamais lâcher. Chaque jour, elle remarquait des changements, si ténus soient-ils. Il serrait plus fort. Ses yeux étaient plus grands, son regard plus vif, ses ruades plus turbulentes. Les premiers bourrelets de graisse apparurent sur les cuisses et les petits bras jusque-là si frêles. Le regard commença à se perdre, à errer loin d'elle. Fixant des ombres sur le mur. S'émerveillant de voir apparaître soudain ses propres petites mains comme des étoiles filantes passant dans son champ de vision avant de disparaître à nouveau, mystérieusement. Jusqu'à ce qu'il apprît à les contrôler pour les mettre dans sa bouche. Chaque jour qui passait, son âme s'avançait un peu plus dans le monde, songeait Nu Nu. Un bouton de rose se dépliant lentement.

Quand il se mettait à pleurer, elle le promenait dans la cour et la maison ; le mouvement était pour lui apaisant. Dans le même temps, elle lui décrivait en détail tout ce qu'ils voyaient. L'hibiscus d'un jaune brillant et les tomates mûres. Les insectes bien dodus. Les oiseaux qui chantaient.

En quelques secondes, Ko Gyi se calmait et écoutait attentivement la voix de sa mère.

Après avoir vu et décrit tous les alentours pour la deuxième fois, elle se mettait à inventer des histoires de son cru. C'était un flot continu de paroles qui, l'espérait-elle, envelopperait son fils et le transporterait, une mélodie qui saurait l'accompagner tout au long de sa vie et le protéger si cela s'avérait nécessaire.

Sans cesser de le bercer, elle s'asseyait souvent sur la véranda avec une tasse de thé et laissait Ko Gyi téter jusqu'à ce qu'il s'endorme ; elle le tenait dans ses bras ou sur ses genoux et elle le regardait s'assoupir. Ravie du moindre sourire que les rêves pouvaient amener sur ses lèvres. Du moindre soupir. Du moindre souffle.

Dès que Maung Sein rentrait, il la rejoignait mais, au bout de quelques minutes à peine, l'impatience le gagnait. Il ne comprenait pas comment sa femme pouvait contempler quelqu'un qui gisait là, immobile, les yeux clos.

— Tu ne t'ennuies jamais ?

— Non.

— Pourquoi ?

Elle haussait les épaules.

— Que vois-tu en le regardant ?

Nu Nu réfléchit.

— Tout, répondit-elle.

— Tout quoi ?

— L'Énigme de la vie. Et sa solution.

La seule réaction de Maung Sein, c'était la perplexité.

Elle se demandait ce que son fils avait bien pu lui faire. Même sa peau s'était calmée depuis qu'il était né.

Elle examinait sans cesse ses bras sans pouvoir y croire. Ses jambes. Son cou. Son ventre. Nulle part elle ne trouvait la plus petite trace de tache rouge.

Nu Nu se sentait si forte, si pleine d'assurance qu'elle n'accordait plus guère d'importance aux mauvais présages. Quand elle vit un chat mort, le museau couvert d'écume, sur le chemin du marché, elle ne lui attribua aucune signification particulière. Lorsque Maung Sein se blessa en sculptant un poisson de bois pour son fils, elle se contenta de considérer cela comme un incident.

Pas plus qu'elle ne fut inquiète lorsque la truie du voisin mit bas six porcelets le jour de son anniversaire, l'un d'eux avec deux têtes. Pendant un certain temps, elle se sentit immunisée contre les menaces et les caprices de la vie.

Jusqu'à ce soir-là.

Parfois, ce n'est qu'une question de secondes.

9

Elle le sut dès le premier instant.

Exactement comme elle l'avait su la première fois. Sans la moindre ombre de doute. Un fragment de lui resterait en elle. S'y implanterait. Grandirait. Quelque chose cette nuit-là avait été différent. Le désir qu'elle avait ressenti d'abord s'était mué en malaise. Elle répugnait à s'abandonner à lui. Elle n'avait aucune envie qu'on la touche. D'aucune façon.

Maung Sein ne paraissait rien remarquer ou peut-être pensait-il que son propre désir finirait par faire monter celui de sa femme. Il l'embrassait tendrement dans le cou. Il la caressait du bout des doigts mais tout ce qui d'habitude était pour elle source d'excitation lui semblait désormais de plus en plus désagréable.

Comme si elle sentait déjà que tout ce qu'ils feraient cette nuit-là ne pourrait que mal se terminer.

Elle envisagea de lui demander d'arrêter mais elle ne voulut pas le décevoir. Quelle importance si, pour une fois, il n'y avait pas de plaisir partagé ? Si elle laissait faire simplement pour qu'il soit satisfait ?

Lorsqu'il la pénétra, elle eut l'impression d'un coup de poignard dans le ventre, une douleur qui ne fit qu'augmenter avec l'ardeur de ses mouvements. À nouveau, elle voulut lui demander d'arrêter, elle hésita et laissa les choses se faire.

En elle.

Lorsque ce fut terminé, il s'allongea haletant à côté d'elle tandis que Nu Nu réprimait ses larmes avec difficulté. Un fragment de lui. Mais, cette fois, elle n'en voulait pas. L'idée de quelque chose qui grandirait en elle la dégoûta d'emblée.

Plus que tout, elle avait envie de sortir pour s'enfoncer un doigt dans la gorge et vomir jusqu'à chasser tout élément étranger de son corps.

Elle ne voulait pas d'un deuxième enfant. Pas pour l'instant. Plus tard. Peut-être.

Ko Gyi lui suffisait. Ko Gyi et son mari. La distance qui s'était creusée entre eux pendant les derniers mois de la grossesse avait peu à peu disparu, au profit de leur ancienne intimité. Elle était heureuse lorsqu'il revenait des champs, tout en sueur. Elle avait besoin de le sentir proche. De son calme. Nu Nu ne pouvait pas imaginer aimer un nouvel enfant autant que ces deux-là. Dans sa vie, il n'y avait pas de place pour quelqu'un d'autre. Plus tard. Peut-être. Pour l'instant, cela n'apporterait que du chagrin.

Les premiers jours, elle espéra s'être trompée. Elle allaitait toujours Ko Gyi et, pendant un certain temps, il n'y eut guère de changements dans son corps.

Puis vinrent les nausées matinales, les élancements dans le ventre.

Nu Nu implora son corps de chasser ce petit rien du tout. De l'emmurer. Qu'il cesse de l'alimenter pour s'en débarrasser finalement dans un flot de sang.

Cela ne fonctionna pas et elle tenta alors la force de la volonté. Elle s'accroupissait plusieurs fois par jour, elle fermait les yeux, elle respirait profondément et elle se concentrait sur cet objet étranger en elle. Va-t'en. Va-t'en. Va-t'en. Dehors. Dehors. Dehors.

Chaque matin, elle sollicitait l'appui de l'esprit qui vivait dans le figuier et elle lui apportait papayes et bananes en offrande. Il avait peut-être le pouvoir de mettre un terme à cette vie en elle.

Nu Nu se souvenait des propos que tenaient les femmes dans les champs. Durant sa première grossesse, elles lui avaient conseillé de ne rien porter de lourd pour ne pas risquer la vie de l'enfant. Cette fois, elle jeta toute prudence aux orties. Avec son fils sur le dos, elle assumait les plus lourdes tâches, tant aux champs qu'à la maison ; si bien que Maung Sein l'exhorta à se ménager. Ko Gyi avait besoin d'une mère en bonne santé.

Elle ne lui répondit pas mais elle espérait que l'épuisement lui permettrait d'atteindre son but. En proie à la colère et au doute, elle tambourinait des deux poings sur son ventre à en avoir les bras fatigués. En vain. Son ventre grossissait et elle, elle tentait d'ignorer son état de toutes ses forces. Comme si, confronté à cette indifférence, l'enfant allait cesser de se développer et disparaître.

Un soir, alors qu'ils étaient assis sans rien dire près du feu et que Ko Gyi dormait, Maung Sein contempla sa femme un long moment. La rondeur de son ventre était désormais patente.

— Tu n'es pas heureuse ? demanda-t-il presque comme si de rien n'était tout en raclant quelques grains de riz avec une cuillère métallique.

Nu Nu contemplait les flammes. Elle se sentait paralysée. Elle avait le souffle court. Elle inspira profondément. Son cœur battait la chamade. La peur était revenue. Tous les efforts de ces derniers mois n'étaient plus désormais qu'un pâle souvenir. Pourquoi son corps avait-il refusé de l'entendre ? Pourquoi n'avait-il pas éliminé cette chose en elle des semaines auparavant ?

Elle rassembla tout son courage.

— Non, je ne suis pas heureuse.

Il hocha la tête, comme s'il s'attendait à cette réponse.

— Pourquoi ?

Elle envisagea un instant de lui demander s'il n'en allait pas de même pour lui. Si, comme elle, il n'avait plus de place dans son cœur. S'ils ne devaient pas trouver, ensemble, une solution. Dans le village, il y avait des jeunes femmes qui ne pouvaient pas concevoir et qui auraient été ravies d'avoir un enfant.

— Je ne veux pas d'un deuxième enfant.

— Pourquoi ? répéta-t-il sans la regarder.

— C'est trop tôt.

Plus tard. Peut-être.

— Tu as peur de l'accouchement ?

Elle secoua la tête.

— Non.

— De quoi alors ?

Si seulement elle avait la réponse.

— Comment puis-je t'aider ?

— À être heureuse ?

Il hocha la tête et elle vit la sincérité de son regard. Si seulement c'était aussi simple.

— Et toi ? demanda-t-elle d'un ton hésitant.

Son éclat de rire dans la lueur des flammes.

— Je suis heureux. Très heureux. Rien ne pourrait être plus merveilleux. (Après un bref silence, il ajouta :) Pour moi.

— Tu n'as pas peur ?

— Non. De quoi ? Devrais-je avoir peur ? demanda-t-il en la dévisageant avec intensité.

Elle serra les lèvres et secoua à nouveau la tête.

— Je me demande si on ne devrait pas envisager…

Nu Nu ne termina pas sa phrase.

— Envisager quoi ?

— Il y a des femmes dans le village…

Elle vit le bonheur au fond de ses yeux. Il n'aurait pas pu comprendre cette façon de penser.

— Qu'est-ce qui te perturbe ? demanda-t-il avec inquiétude.

Elle haussa les épaules. Impuissante. Comment pourrait-elle expliquer ce qu'elle-même ne comprenait pas ?

Maung Sein s'approcha de sa femme et la prit par les épaules.

— Je t'aime, chuchota-t-il tendrement dans son oreille.

Deux mots qui avaient toujours atteint leur but.

— Je t'aime, répéta-t-elle doucement.

Un frisson remonta le long de sa colonne vertébrale.

— Ne t'inquiète pas. Le deuxième enfant est toujours plus facile. J'ai posé la question à la sage-femme.

Nu Nu acquiesça. Un instant plus tard, elle sentit une ruade violente qui la fit tressaillir.

Rien à voir avec les frétillements qu'elle avait connus avec Ko Gyi ; là, c'était un coup brutal et délibéré.

Maung Sein alluma une chandelle, la colla avec un morceau de cire sur une boîte de conserve et s'allongea à côté de sa femme en train d'allaiter. Il écouta les bruits de succion enthousiastes de leur fils. Lorsque Ko Gyi s'endormit, à bout de forces, Nu Nu l'emmaillota dans des linges et l'installa à côté de son mari. Les époux restèrent allongés côte à côte sans rien dire.

— Crois-tu qu'une personne puisse muer ? demanda-t-elle soudain.

Il regarda Nu Nu à la lueur vacillante de la bougie. Perplexe. À son regard, à ses sourcils légèrement froncés, elle voyait bien qu'il n'avait pas compris.

— Comment ça, « muer » ?

— Muer. Comme un serpent. Comme un amphibien.

Pensant que sa femme plaisantait, Maung Sein sourit. Il la pinça doucement au bras.

— Pas toi, en tout cas. Ta peau est bien tendue.

Nu Nu le dévisagea avec gravité.

— Je ne parlais pas de nos corps. Mais de nos âmes.

— Nos âmes ? répéta-t-il, surpris.

— Je veux savoir si on peut se dépouiller d'une partie de soi une fois que quelque chose s'est développé à la place. Comme une vieille peau de serpent. Un esprit tourmenté peut-il devenir serein ? Un esprit chagrin peut-il devenir joyeux ? Un esprit solitaire sociable ? Pas seulement pour un soir ou une semaine. Pour l'éternité.

Maung Sein croisa les mains sous sa tête et contempla le plafond. Pareille question ne lui était jamais venue à l'esprit. Il se demanda ce que les moines auraient répondu. Ils auraient peut-être dit que la véritable essence de chaque individu réside dans son âme ; que cette essence n'est pas statique mais dynamique. Que chaque individu est libre et nul, si ce n'est soi, ne peut détruire, sauver ou changer ce que chacun est. De cela au moins il était convaincu. Et si on avait le pouvoir de se changer, si l'essence même de nos âmes n'était pas gravée dans le marbre, alors rien n'empêchait un esprit tourmenté de devenir serein.

— Ou bien, l'entendit-il demander, sommes-nous coincés par qui nous sommes ?

— Non, répondit-il d'un ton assuré, nous ne sommes pas coincés.

Elle posa la tête sur sa poitrine et observa d'un air pensif leur fils qui dormait à côté de son père. Elle espéra de tout son cœur qu'il avait raison.

10

Thar Thar voulait vivre. Il brava toutes les tentatives de sa mère pour se débarrasser de lui. Avec obstination, il s'était enraciné en elle et s'était développé. En dépit de tous les coups et de tous les efforts de sa mère.

Après s'être endurci durant trente-neuf semaines et cinq jours, Thar Thar décida de ne plus attendre : il était impatient de faire son entrée dans le monde.

L'accouchement dura moins d'une heure et se déroula sans la moindre anicroche. La poche des eaux se rompit alors que l'aube approchait ; le soleil ne s'était pas encore levé au-dessus des montagnes que le flot le déposa sur quelques linges mouillés dans une petite cabane. Nu Nu n'eut même pas vraiment à pousser.

Elle s'aperçut rapidement que Thar Thar n'était pas du genre à dépendre de l'assistance des autres. Il était plus lourd et plus grand que son frère. Ses premiers cris furent si perçants que même les paysans qui vivaient de l'autre côté de la vallée juraient encore des années après qu'ils les avaient clairement entendus.

Un garçon costaud et en pleine santé, entendit-elle la sage-femme dire. Et beau en plus, comme sa mère. Quelqu'un le posa sur son ventre. Nu Nu releva la tête. La ressemblance lui échappait. Elle ne vit rien d'autre qu'une créature maculée de sang avec un crâne pointu. Hurlant de toutes ses forces. Des cris aigus, perçants. Ko Gyi n'avait jamais braillé de la sorte. Pas une seule fois.

Les voix apaisantes des femmes autour d'elle. Maung Sein essuyait la sueur de son visage avec un linge humide. Elles prirent son fils, elles le lavèrent et tentèrent de le calmer en le berçant, en le tapotant. Rien à faire.

Il doit avoir faim, il fallait qu'elle le nourrisse, dit la sage-femme.

Nu Nu n'en avait nulle envie. Elle était trop fatiguée. Plus tard.

La sage-femme le lui mit au sein, indifférente à sa résistance.

Cela lui fit mal d'emblée. Il ne tétait pas. Il s'empiffrait. Il tirait sur son sein brutalement, avec voracité, comme s'il espérait assécher définitivement sa mère, sans cesser de la regarder, les poings serrés.

— Un enfant pas banal, déclarèrent de façon unanime celles qui avaient assisté à la naissance, tout en la félicitant.

Elle pouvait être fière. Elle était maintenant mère de deux fils florissants. Quelle chance ! Toutes les femmes du village devraient avoir autant de chance !

Nu Nu ne voulait rien entendre de tout cela. Elle ne souhaitait nullement se sentir reconnaissante. Elle désirait seulement se retrouver seule.

Les hurlements de l'enfant la réveillèrent en pleine nuit. Maung Sein était déjà debout, il avait allumé la bougie et, à genoux à côté de son fils, il l'observait d'un air inquiet. Le corps de Thar Thar était raide comme un cadavre d'animal, il avait la bouche et les yeux grands ouverts, les lèvres tremblantes. Il criait à pleins poumons, tout le corps en transe, chaque cri plus angoissant que le précédent. Mais quelle douleur l'amenait donc à pousser des cris aussi déchirants ?

— Peut-être un cauchemar, suggéra son mari en regardant sa femme d'un air malheureux.

Nu Nu se demanda de quoi pouvait bien rêver un nouveau-né.

— Ou bien il a faim ?

Elle se glissa vers son fils et tenta de le mettre au sein mais il se détourna et ne fit que hurler de plus belle.

Son mari lui frotta la tête et le ventre, mais cela n'eut aucun effet.

— Tu crois qu'il souffre ?

Nu Nu haussa les épaules, perplexe. À ses oreilles, ces braillements traduisaient moins la souffrance qu'une accusation désespérée, pleine de colère.

— Il n'a peut-être pas envie d'être avec nous ? marmonna-t-elle entre ses dents.

— Où pourrait-il souhaiter être ? répliqua son mari.

— Je ne sais pas. Ko Gyi n'a jamais crié de cette façon.

Maung Sein secoua la tête, essuya quelques minuscules gouttes de sueur sur le front de Thar Thar, le prit dans ses bras et lui fit faire le tour de la cabane. Il chanta. Siffla. Dansa, tourna en rond.

En dépit de tous leurs efforts, ils ne parvenaient pas à communiquer avec leur fils. Celui-ci finit par se taire, parce qu'il était épuisé. Son petit corps se tortilla encore à plusieurs reprises puis ses yeux se fermèrent. Même dans son sommeil, il laissa encore échapper quelques profonds sanglots.

La sage-femme l'examina le lendemain mais n'identifia aucune raison à ses plaintes et recommanda la patience. Tous les enfants sont différents. Certains bébés pleurent plus que d'autres. Il ne fallait pas oublier le long voyage pour arriver jusque-là. Son premier-né lui paraissait si calme uniquement parce que, ensemble, ils avaient erré pendant des semaines entre la vie et la mort.

Au bout de trois jours, elle avait les seins tellement congestionnés qu'elle ne pouvait plus nourrir ni Thar Thar ni son frère. Ko Gyi était assez grand pour manger de la bouillie de riz et des légumes mais ce fut une jeune femme du village, qui venait elle-même d'accoucher, qui allaita Thar Thar. Nu Nu était contente chaque fois que Maung Sein l'emmenait et que, de nouveau, le calme régnait dans la cabane.

Thar Thar annonçait son retour imminent de très loin.

Nu Nu sentait la tension revenir dans son corps.

La patience de son mari l'émerveillait. À force de le porter, de le bercer et de lui chanter des chansons, il était désormais presque capable d'apaiser son fils. Un calme qui ne durait jamais longtemps.

Comme il continuait à hurler avec toujours autant d'intensité, la sage-femme l'examina à nouveau. En lui palpant le ventre, elle sentit qu'il avait des gaz. Grâce à quelques gestes habiles, elle parvint à l'en débarrasser sous la forme d'un long pet bruyant. Vérifia sa bouche, ses oreilles, son nez ; aucun signe d'infection. Il était capable de se concentrer sur son doigt et de suivre ses mouvements. Ses réflexes étaient bons ; bras et jambes, mains et pieds étaient conformes à ce qu'ils devaient être. Thar Thar était tout nu devant elle, il contemplait avec intérêt cette femme inconnue et tolérait l'auscultation sans protester.

— Physiquement, il va très bien, dit-elle en le remmaillotant.

— Alors, pourquoi pleure-t-il autant ?

— Je ne sais pas, avoua la sage-femme.

Nu Nu pensa alors aux heures passées la nuit, éveillée, à souhaiter que la vie qui grandissait en elle s'interrompît. Était-il possible qu'il ait compris quelque chose à ce moment-là ?

Qu'il ait compris le sens du riz, des papayes et des bananes qu'elle avait apportés en offrande, dans l'espoir qu'il mourrait ? De ses larmes amères ? Des coups de poing désespérés sur son ventre ? Connaissait-il son désir de le donner à une autre famille ? Impossible. Il n'avait que quelques semaines. Quelle idée absurde.

N'empêche, Nu Nu demanda à la sage-femme, le plus tranquillement qu'elle put, si, d'après elle, les nourrissons avaient une mémoire.

La sage-femme la regarda, manifestement surprise.

— Évidemment, répondit-elle.

— Vous le croyez vraiment ? Mes parents sont morts quand j'avais deux ans, réagit Nu Nu. Et, aujourd'hui, je ne saurais même pas vous dire à quoi ils ressemblaient.

La sage-femme acquiesça.

— C'est un autre problème. Les images s'effacent. Les bruits et les odeurs disparaissent de nos souvenirs. Mais le cœur n'oublie rien. L'âme d'un enfant sait tout.

Nu Nu sentit un frisson lui parcourir tout le dos.

— Pourquoi posez-vous cette question ?

— Simple curiosité.

Elle en resta là.

Mais la réponse de la sage-femme lui resta en tête. Et si elle avait raison ? Si quelque part dans le cœur de Thar Thar se cachait la conscience qu'il n'avait pas été désiré ? Quel mal cela pouvait-il lui causer ? L'oublierait-il au fil des années, comme elle, elle oubliait les détails anodins de l'existence ? Ou bien devrait-il vivre toute sa vie avec cette certitude ?

Elle demanda à son mari si, d'après lui, des pensées à elles seules avaient la force de nuire.

— Rien n'est dépourvu de conséquences, répliqua-t-il.

— Même les pensées ?

— Oui.

— Même des pensées datant de longtemps ?

Il ne comprenait pas à quoi elle faisait allusion.

— Je ne peux pas y croire, reprit-elle après avoir réfléchi. Moi, je crois que les pensées disparaissent purement et simplement si on ne les transforme pas en actes. Comme des nuages. Ou comme l'eau qui est absorbée par la terre.

Maung Sein sourit.

— Ce n'est pas parce que tu ne vois plus l'eau qu'elle a pour autant disparu. La végétation se nourrit de cette eau. Les bananes que nous mangeons. Les fruits du sorbier qui nous empoisonnent. Rien ne se perd. Même les pensées entraînent des conséquences.

Dans les semaines et les mois qui suivirent cette conversation, personne n'aurait pu affirmer qu'elle ne faisait pas tout ce qui était en son pouvoir pour aider son fils. Elle voulait être pour lui une bonne mère, de la même façon que Maung Sein était un bon père.

Nu Nu lui chantait des chansons. Elle lui parlait. Quand Maung Sein travaillait aux champs, elle promenait Thar Thar avec une patience égale à celle de son père. Il acceptait d'être dans ses bras mais il n'y trouvait pas le repos.

Pourquoi pleurait-il quand il était dans ses bras ? Pourquoi se montrait-il aussi avare de ses sourires ? Pourquoi donnait-il si souvent des coups de pied et de poing ?

Le regard même de l'enfant la mettait mal à l'aise. Il la regardait d'un œil pénétrant. Les sourcils froncés. Bien trop sérieux pour un bébé. Ou était-ce de la méfiance qu'elle lisait dans ses yeux sombres, presque noirs ?

L'âme d'un enfant sait tout. Un cœur n'oublie rien.

Avec Ko Gyi, le coup de foudre avait été immédiat mais Thar Thar restait pour elle un étranger.

Maung Sein la suppliait de cesser ces comparaisons entre les enfants.

— La comparaison est mère de tous les mécontentements.

Nu Nu se demandait si un esprit tourmenté relevait de l'inné ou de l'acquis. Une question à laquelle elle ne trouvait aucune réponse satisfaisante, en dépit de l'énergie qu'elle mettait à la chercher.

Dans le cas de Thar Thar, la tache de naissance qu'il avait sous le menton pouvait offrir un indice. Elle l'avait remarquée pour la première fois alors qu'il était âgé d'un jour mais elle n'y avait accordé aucune importance. Mais maintenant, elle se rendait compte à qui cette tache la faisait penser : au frère de son père, un ivrogne qui avait gaspillé le moindre kyat jamais gagné pour du saké. Femme et enfants l'avaient abandonné et, peu de temps après, un soir, il avait disparu du village et on ne l'avait plus jamais revu. Peut-être était-il mort récemment et son esprit s'était-il réincarné dans son fils ? Une tache de naissance de cette taille sur la même partie du corps. Pouvait-il s'agir d'une coïncidence ?

Maung Sein fut furieux lorsque, prudemment, elle voulut partager ces réflexions avec lui. L'oncle en question, à en croire la rumeur, aurait amassé tant de mauvais karma durant sa vie qu'il n'aurait jamais pu renaître dans la peau de leur fils. Un estropié, peut-être. Ou un aveugle. Ou le fils de quelque autre ivrogne. Pas le fils de deux parents aimants qui prenaient soin de leurs enfants comme eux le faisaient. Pensait-elle vraiment que naître au sein de leur famille était une punition ?

Il marquait un point.

Mais n'empêche.

Comment une mère peut-elle partager son amour ?

Si l'amour venait sous forme de perles, de feuilles ou de grains de sable, elle pourrait les compter et les répartir avec équité.

Si elle le souhaitait.

S'il venait sous la forme d'une grosse masse chaude et douce comme une galette de riz, elle pourrait la couper en morceaux de taille égale.

Ou sous forme de liquide épais et parfumé, elle pourrait le verser goutte à goutte dans des verres qu'elle offrirait à ses deux enfants.

Mais l'amour ignore la justice. L'amour suit ses propres lois. Même l'amour d'une mère.

11

Avec Thar Thar, rien n'était simple pour personne. Ni pour son père. Ni pour sa mère. Ni surtout pour lui-même.

Il demeura un bébé triste et nerveux qui considérait d'un œil suspicieux tout ce qui l'entourait. Seul Maung Sein, à force de cajoleries, parvenait à lui arracher un petit rire de temps à autre avec ses pitreries.

Il devint un enfant impatient, pour qui rien ne venait jamais assez rapidement. Il voulut tenir assis avant même que son corps n'en ait la force et chaque chute le mettait dans une colère noire. Il voulut ramper avant que ses muscles ne puissent le porter et il braillait quand son énergie l'abandonnait au bout de quelques mètres.

Il avait du mal à trouver le repos, il s'agitait dans son sommeil comme s'il souffrait et se réveillait à maintes reprises au cours de la nuit.

Une si petite âme. Une peur immense. Nu Nu restait couchée à côté de lui. Le cœur lourd. Et la conscience encore plus lourde.

Dès qu'il parvint enfin à se déplacer à quatre pattes, il refusa définitivement d'être pris dans les bras. Sa mère avait l'impression que ses déplacements à quatre pattes n'avaient toujours qu'un seul but : prendre la tangente. Loin d'elle. Si elle le couchait à côté d'elle, en quelques secondes, il était parti à l'autre bout de la cabane, le plus souvent en direction de la porte, sans regarder derrière lui. Il était sourd aux cris de Nu Nu. Elle devait courir après lui, le rattraper et le ramener à l'intérieur, un enfant furieux qui se débattait. Elle l'avait à peine posé qu'il reprenait le combat contre elle.

Un parfait contraste avec son frère. Ko Gyi n'était jamais plus heureux que quand il était près de ses parents. Il préférait être porté plutôt que de marcher et, quand il explorait les environs, il le faisait avec prudence et décision, ne s'éloignant jamais plus de quelques mètres et revenant au premier appel. Lorsque Nu Nu s'accroupissait à côté de lui et faisait rouler une orange sur le sol, il courait derrière en se dandinant et en poussant des cris de joie. Dès qu'il avait rattrapé le fruit, il le ramassait à deux mains et le rapportait fièrement pour le montrer à sa mère. Mère et fils faisaient souvent la course autour de la maison. Ou bien elle se cachait derrière une poutre en bois. Le bonheur de Ko Gyi quand il la découvrait !

Thar Thar ne s'intéressait nullement à leurs jeux.

Un jour – Nu Nu s'occupait de Ko Gyi –, il traversa la cabane pour aller droit sur le feu. Il s'accroupit devant et le contempla, fasciné par le vacillement des flammes et le rougeoiement des braises. Il écouta ses craquements. Curieux, il se pencha et tendit la main vers un charbon ardent de la taille d'un œuf. Nu Nu poussa un cri terrifié. Thar Thar referma les doigts dessus.

L'odeur de peau brûlée.

Il cria, lâcha la braise et, ébahi, regarda ses doigts puis cet objet scintillant devant lui, à nouveau sa main, maintenant toute rouge. Au lieu de se mettre à pleurer de douleur, il se retourna vers sa mère. Indigné.

Comme si elle était responsable.

Nu Nu courut à lui, le prit dans ses bras et lui plongea la main dans l'eau, souffla dessus de toutes ses forces, tenta de le consoler. Rien que de regarder la brûlure, elle en avait mal.

Thar Thar, quant à lui, ne se laissa aller à aucune autre manifestation. Pas de larmes. Pas de gémissements. Une blessure grave. Un enfant silencieux. Une mère effarée.

Il était pour elle un mystère. Et il le demeurait. Dans les années qui suivirent, elle fut souvent déstabilisée devant sa capacité à ne pas sentir la douleur, ou à ne pas laisser voir qu'il la sentait, elle n'était pas très sûre.

Mais elle en était également rassurée.

Qui était donc cette personne sortie d'elle? Un esprit tourmenté, à coup sûr. Pas le seul de la famille. Mais ce qui aurait pu rapprocher la mère et le fils servait au contraire à les séparer.

Nu Nu n'avait pas avec lui la même patience que son propre père avait montré avec elle. Sans patience, un esprit tourmenté ne peut jamais trouver le repos.

Nos propres défauts, ce sont ceux que nous sommes le moins disposés à pardonner chez les autres.

Dès que Thar Thar sut se tenir sur ses deux jambes, il entreprit de partir à la découverte du monde. En dépit de tous les avertissements et autres interdictions. Il ne cessait de franchir la haie épaisse qui délimitait la cour et partait vagabonder dans le village. Après qu'il fut tombé à deux reprises dans le puits – d'où il ne fut sauvé que par pur hasard – et après que Maung Sein et les voisins l'eurent réprimandée avec véhémence pour sa négligence, Nu Nu prit une corde qu'elle lui noua autour de la taille et dont elle attacha l'autre côté à un des poteaux qui tenaient la maison. Dès que Thar Thar comprit que son univers s'était rétréci à un cercle de cinq mètres de rayon, il se lança dans une colère noire, d'une violence encore inédite au village. Elle l'ignora dans l'espoir qu'il finirait par se taire de son propre chef.

Elle menaça de l'attacher directement au poteau s'il ne se taisait pas. Il ne se tut pas, elle mit donc sa menace à exécution. Elle n'avait pas l'intention de le détacher tant qu'il ne serait pas calmé.

Thar Thar n'était pas un enfant à se laisser impressionner par les punitions.

Ce soir-là, Maung Sein entendit les hurlements de son fils dès qu'il approcha du village. Le mélange habituel de colère et de désespoir. À la maison, il trouva un Ko Gyi désemparé et deux prisonniers. L'un attaché à un poteau, l'autre non.

Il n'avait jamais vu sa femme dans un tel état d'énervement.

Il voulut savoir ce qui s'était passé. Nu Nu n'avait aucune réponse à apporter à ses questions.

Ce soir-là, elle se retrouva avec le cœur plus lourd que jamais. Elle avait le sentiment que son univers et ce qui restait encore de bonheur était en train de s'écrouler petit à petit. Ko Gyi se réfugia encore plus avant dans le silence. Épuisés par les nuits sans sommeil, Maung Sein et elle en vinrent à se disputer. Les membres de la famille susceptibles de les aider vivaient à deux jours de marche. Les voisins avaient déjà la charge de leurs propres champs et de leurs propres enfants.

Quelques jours plus tard, Maung Sein eut une révélation et emmena Thar Thar avec lui aux champs. De ce jour, père et fils quittèrent la cabane ensemble le matin, juste après le lever du soleil, et ne revinrent qu'à la nuit tombée. Thar Thar faisait les deux premiers kilomètres par ses propres moyens. Après, il voulait être porté. Les mains encombrées d'outils très lourds, Maung Sein installait son fils sur ses épaules. Le gamin s'accrochait aux cheveux de son père et oscillait au rythme de ses pas. Parfois, il lui couvrait les yeux et Maung Sein faisait semblant de ne plus rien voir. Il commençait à tituber ou à foncer droit sur un fossé ou sur un arbre, pour faire volte-face au dernier moment tandis que son fils, perché sur ses épaules, poussait des cris de joie. Désormais, il lui fallait une heure de plus qu'avant pour atteindre le champ. Un temps qu'il aurait pu passer à travailler.

Dans le champ, il bâtit un abri pour Thar Thar avec des bambous et des feuilles de palmier, une protection contre le soleil et la pluie, et il lui montra un petit bout de terrain à « cultiver » lui-même.

Durant les premiers mois, Thar Thar modela des animaux avec des mottes de terre et joua avec eux à longueur de journée. Ensuite, il se mit à creuser avec passion des trous et des petites excavations à mains nues, choisissant les plus grosses pierres à extraire du sol, les tirant sur le bord, bâtissant digues et barrages pour créer un système d'irrigation miniature. Il se désintéressait totalement de ce qui l'entourait. Maung Sein aurait pu travailler dans un autre champ des heures durant; Thar Thar n'aurait rien remarqué. Maung Sein trouvait touchante la façon dont son fils s'absorbait dans sa tâche. Avec quelle ardeur il reconstruisait tranchées et fossés, sans une plainte, chaque fois qu'une averse les détruisait.

À l'heure du déjeuner, ils s'installaient tous deux à l'ombre de l'abri, ils mangeaient leur riz, ils buvaient de l'eau et contemplaient sans mot dire le paysage jusqu'aux montagnes verdoyantes qui se dessinaient au loin. Ils n'entendaient rien que leur propre souffle et, pendant la saison des pluies, le babil d'un ruisseau. Parfois, un gros oiseau noir avec un long bec pointu atterrissait non loin de leur refuge. Il se pavanait de long en large en guettant d'un œil vorace les grains de riz qui tombaient de leurs bols. Thar Thar se rapprochait alors de Maung Sein qui entourait le garçon d'un bras protecteur. Le repas terminé, ils se reposaient de conserve. La tête sur la poitrine de son père, Thar Thar s'endormait en quelques minutes.

Dans pareils moments, Maung Sein ne pouvait que s'interroger : pourquoi la mère et le fils ne parvenaient-ils pas à s'entendre ? Y avait-il des gens qui, simplement, n'avaient aucun point commun ? Qui s'aimaient mais qui, néanmoins, étaient bien plus heureux quand ils étaient séparés ? Certainement pas une mère et son enfant. Il ne pouvait s'agir, pour Nu Nu, que de patience et de sang-froid.

Le soir, pour rentrer à la maison, ils étaient tous deux si fatigués que Maung Sein devait porter Thar

Thar tout le long du chemin, en faisant des haltes à répétition pour se reposer. À deux reprises, il arriva qu'ils s'endorment bras dessus, bras dessous au bord de la route et s'ils réussirent à regagner finalement leurs pénates, ce fut parce que des paysans qui passaient par là les réveillèrent.

12

Les choses auraient sans doute tourné autrement si Maung Sein était resté à la maison. Peut-être l'intimité et le lien avec son père auraient-ils suffi, à la longue, à donner à Thar Thar la paix et la sécurité qu'il ne trouvait pas auprès de sa mère.

Peut-être cela aurait-il aidé son cœur à oublier.

Mais deux saisons des pluies bien trop sèches ajoutées à l'incompétence de Maung Sein en matière d'agriculture suffirent pour transformer un champ à faible rendement en un terrain dépourvu de toute valeur. Maung Sein avait beau se tuer à la tâche, Nu Nu et les enfants se couchaient de plus en plus souvent le ventre vide.

— Il faut que je trouve un autre travail, déclara-t-il un soir au coin du feu, alors que les enfants dormaient.

Combien de fois, au cours des derniers mois, Nu Nu avait-elle eu peur d'entendre cette phrase ? Tout en sachant secrètement que c'était la vérité.

— Quel genre de travail ? demanda-t-elle timidement.

Au village, il n'y avait que des paysans.

— Un travail de bûcheron.

C'était la seule réponse possible. Pourtant, ce n'était pas celle qu'elle avait envie d'entendre.

— Peut-être un de nos voisins aurait-il besoin d'aide ? suggéra-t-elle sans beaucoup de conviction.

— Je n'en doute pas, répondit-il. Mais avec quoi pourrait-il me payer ?

— Tu pourrais peut-être…

La phrase resta à jamais en suspens car elle n'avait pas de suite. Elle savait parfaitement qu'il n'y avait pas de travail pour lui au village.

Ils ne dirent plus rien pendant un long moment.

Nu Nu ne voulait pas le voir partir. Chaque fibre de son être s'insurgeait à cette idée. Il lui manquait déjà quand il partait aux champs toute la journée alors qu'elle restait au village avec Ko Gyi. Depuis leur mariage, ils n'avaient pas passé une seule nuit séparés. Elle avait besoin de lui pour aller se coucher. Elle avait besoin de lui le matin pour trouver la force d'affronter la journée. Elle avait besoin de son rire. De son caractère égal. De ses certitudes, lui qui pensait qu'on n'était pas impuissant face aux caprices du destin mais qu'on pouvait au contraire le déterminer. Aujourd'hui plus que jamais avec Ko Gyi et Thar Thar. Et eux, ils avaient besoin de leur père. Surtout Thar Thar.

Comme bûcheron, il voyagerait dans tout le pays. Il serait sur les routes des semaines et probablement des mois d'affilée. À quelle fréquence pourraient-ils se retrouver ? Deux fois par an ? Trois fois ? Cette simple idée était déjà insupportable. Elle sentit la pression monter derrière ses paupières. Elle sentit son cœur se serrer.

— Non, je ne le supporterai pas, chuchota Nu Nu en espérant qu'il ne remarquerait pas qu'elle s'était mise à pleurer.

— Avons-nous le choix ?

— Nous pourrions venir avec toi.

L'espace d'un instant, une étincelle de joie dans sa voix.

— Traîner les enfants d'un village à l'autre ?

— Pourquoi pas ?

Ne dis pas non. Je t'en supplie. Dis peut-être.

— Je ne resterai jamais longtemps au même endroit, mon amour. Je travaillerai dans des forêts d'un bout à l'autre du pays. Comment parviendrions-nous à nous débrouiller dans ces conditions ? (Comme elle ne répondait rien, il ajouta :) En plus, quelqu'un doit rester ici pour s'occuper du champ et des tomates. En tant que bûcheron, je ne vais pas gagner grand-chose.

— Alors, à quoi bon le faire ? protesta-t-elle.

Comme si elle le lui reprochait.

Nu Nu chercha longtemps une solution. N'importe laquelle. Tout vaudrait mieux que de vivre là seule avec ses fils.

— On pourrait envoyer Ko Gyi et Thar Thar dans un monastère, lâcha-t-elle.

— Ils ont cinq et six ans, ils sont beaucoup trop jeunes pour…

— On pourrait essayer pendant quelques mois, l'interrompit-elle, du fond de son désespoir. Et si ça ne…

— Non.

Oui. Oui. Oui.

— Peut-être un seul des…

— Nu Nu !

— Pourquoi pas ?

— Parce que, parce que…

Il la regarda, la voix lui manqua.

À la lueur du feu, elle le dévisagea.

Les yeux de Maung Sein étaient injectés de sang et il avait le visage grimaçant.

13

Leur séparation ne s'était pas déroulée comme il l'aurait souhaité. Un camion blanc était arrivé avant le lever du soleil pour les emmener, lui et un autre du village. Maung Sein n'avait pas voulu réveiller ses fils. La veille au soir, il n'avait pas eu le courage de leur dire au revoir.

Les jambes flageolantes, Nu Nu l'accompagna jusqu'au puits au centre du village, où attendait le camion.

Ils ne se dirent pas grand-chose en manière d'adieu. Aucun des deux ne se sentait d'humeur bavarde. Fais attention à toi. Toi aussi. Je t'aime. Je t'aime aussi. Reviens vite. Compte sur moi. Promis.

Maung Sein monta sur le plateau du véhicule cabossé, fourra le petit paquet de ses maigres possessions entre ses pieds et garda la tête basse.

Nu Nu fit un pas vers lui. Elle ne pouvait rien faire d'autre, sauf à grimper dans le camion. Et elle sentait sa résistance faiblir. Elle se tenait déjà à côté de lui, agrippée au hayon.

Le camion se mit lentement en route. Nu Nu marchait à côté, refusant de lâcher prise. Son mari était assis à moins d'un mètre d'elle. Elle pouvait encore le rejoindre.

Maung Sein leva la tête. Un regard désespéré, suppliant.

Ce fut à ce moment que Nu Nu comprit avec certitude ce dont elle avait le soupçon depuis le jour où Thar Thar était né : sa chance n'était pas illimitée.

Elle lâcha le métal, fit encore deux pas puis s'arrêta. Les ténèbres avalèrent très vite le camion.

Lorsqu'elle annonça aux enfants ce matin-là que leur père serait absent des semaines durant et qu'elle ne savait pas encore quand il reviendrait, Thar Thar refusa de la croire.

Serait-il de retour ce soir, il insistait pour le savoir.

Non, pas avant plusieurs semaines, répéta Nu Nu. Au plus tôt.

Était-il allé dans le village voisin s'occuper de quelque problème ?

Non.

Travaillait-il dans les champs ?

Non, répondit-elle en soupirant. Un camion était venu le prendre. Il était parti. Loin.

Thar Thar mangea son riz tranquillement, regardant sa mère comme si elle parlait d'un voisin.

Une demi-heure plus tard, il avait disparu. Il n'était ni dans la cour ni dans le petit poulailler où il aimait souvent se cacher. Elle attendit un moment dans l'espoir qu'il soit allé jouer quelque part. Aux alentours de midi, ne le voyant pas réapparaître, elle sortit le chercher dans le village. Aucun voisin ne l'avait vu. Elle se rendit à plusieurs reprises aux deux puits, le nouveau et l'ancien, asséché. Elle marcha jusqu'aux mares à l'extérieur du village et alla interroger les moines au monastère. Le soir venu, la moitié du voisinage s'était impliquée dans les recherches mais nulle part il n'y avait trace de Thar Thar. Qu'avait-il bien pu lui arriver ? Il était peut-être tombé d'un arbre en jouant et il était étendu quelque part, les jambes cassées. Était-il monté dans une des grottes proches, malgré l'interdiction formelle de sa mère, et aurait-il été incapable de retrouver la sortie ? Ou peut-être avait-il été attaqué par un chien errant ? Encore le mois dernier, un enfant du village d'à côté avait été la proie d'un chien enragé.

Elle passa une longue nuit sans dormir.

Le lendemain matin, quelques paysans le découvrirent au bord du champ que cultivait la famille. Il dormait dans l'abri que son père lui avait construit.

Nu Nu expliqua à nouveau à ses fils que Maung Sein avait changé de métier : il n'était plus paysan mais il coupait les arbres, il était très loin de chez eux et il reviendrait un jour ou l'autre. Thar Thar refusait de la croire. Des arbres, il y en avait ici aussi. On n'avait pas besoin de partir pour couper des arbres. Pendant une semaine entière, il quadrilla le village à sa recherche, passant d'une maison à l'autre en demandant à tous ceux qu'il croisait s'ils avaient vu son père ou s'ils savaient où il était. Quand il fut enfin convaincu que Maung Sein avait bel et bien disparu, pour quelque mystérieuse raison, il se replia sur lui-même. Nu Nu avait craint que, tout à sa colère et à sa rancœur, il ne devînt encore plus impulsif, plus rétif. Mais ce fut tout le contraire. Thar Thar s'enferma dans le silence.

Il cessa de se disputer avec son frère.

Il cessa de contredire sa mère.

Il dormait longtemps et n'avait plus aucun appétit.

Pendant que Nu Nu et Ko Gyi mangeaient, lui préférait s'isoler dans le poulailler et se contentait ultérieurement des restes.

Il n'était plus poussé par le désir de s'enfuir. Au contraire, il restait souvent assis dans la cour, sans rien dire, à tailler un vieux bout de bois. Pendant des heures.

Nu Nu observait son comportement avec inquiétude tout en étant secrètement soulagée. Elle savourait la paix qu'il lui laissait désormais et le temps qu'elle passait avec Ko Gyi. Leur attachement l'aidait à supporter l'absence de son mari. Lorsqu'elle se réveillait dans la nuit et qu'elle le trouvait couché à côté d'elle, elle avait l'impression qu'il avait la même odeur que son père.

De temps à autre, elle surprenait Thar Thar en train de les observer du coin de l'œil. Pleine de culpabilité, elle lui proposait alors de venir manger avec eux ou de s'asseoir près du feu ou de jouer dans la cour. Ce serait tellement plus agréable s'ils étaient tous les trois ensemble. Il se contentait de secouer la tête en la regardant d'une manière qui la mettait si mal à l'aise qu'elle était obligée de détourner les yeux.

L'âme d'un enfant sait tout.

Ce n'était que lorsqu'il traînait dans le village avec d'autres enfants qu'il multipliait les bêtises.

Il grimpait en haut des plus grands arbres, il sautait de branche en branche ou bien se balançait au sommet avec une telle violence que ceux qui étaient en dessous poussaient des cris effrayés. Le seul à braver l'obscurité glacée des grottes humides ; le seul à oser le saut périlleux dans la rivière du haut du pont. Les garçons plus âgés le craignaient parce qu'il ne se laissait intimider par personne et ne reculait jamais devant la bagarre.

Il était toujours prêt à prouver son courage.

À la maison, petit à petit, il commençait à se rendre utile. Bien qu'il eût un an de moins que son frère, Thar Thar était plus grand et plus costaud. Il avait hérité non seulement des cheveux ondulés de son père et de sa peau claire mais aussi de sa stature imposante. Un jour, pensait Nu Nu, il deviendrait un bel homme séduisant. Elle pouvait lui demander n'importe quoi, il acceptait toujours de l'aider sans se plaindre. Il rentrait les bûches dans la maison, il ramassait du petit bois dans la forêt. Dès qu'il eut compris quel bois était le meilleur pour allumer le feu et la bonne façon de le casser pour le lier en petits fagots, il préféra aller seul en forêt ; il restait absent de longs moments et revenait les bras chargés de bois sec. Les jours de marché, il portait des petits paniers très lourds, remplis de tomates et de gingembre, alors que Ko Gyi en était encore à tenir la main de sa mère. Thar Thar n'était guère bavard pendant qu'il accomplissait ces tâches. Si sa mère lui posait une question, il répondait succinctement.

Lorsque, au bout de six mois, Maung Sein revint chez lui pour la première fois quinze jours d'affilée, ce fut Thar Thar qui l'aperçut le premier. Il était en train d'empiler du bois sous la véranda quand il entendit grincer la barrière de la cour. Pendant quelques secondes, Thar Thar se figea. Maung Sein ouvrit grands les bras ; son fils posa doucement la bûche par terre sans quitter son père du regard. Comme s'il n'en croyait pas ses yeux. Comme s'il craignait qu'un seul battement de paupières ne puisse suffire à faire disparaître son père aussi brusquement qu'il était apparu. Il avança d'un pas vers lui, eut une brève hésitation puis fit volte-face et courut se cacher derrière la maison. En dépit d'innombrables supplications, il ne sortit de sa cachette que le soir venu. Le lendemain, il ignora complètement son père. Le surlendemain, il accepta de le regarder mais sans lui adresser la parole. Le troisième jour, il lui posa une question :

— Combien de temps restes-tu ?

Lorsqu'il entendit la réponse, il retomba dans le silence.

Et dans les jours qui suivirent, Thar Thar se déroba à toutes les tentatives d'approche de son père. Il alla avec lui aux champs et exécuta avec efficacité les tâches que Maung Sein lui confiait. Arracher les mauvaises herbes, retourner la terre, planter des graines. Sans prononcer un mot.

Ils n'échangèrent guère plus de quelques phrases.

Le dernier soir, Maung Sein dut chercher longtemps son fils avant de le dénicher dans le poulailler. Comme il refusait d'en sortir malgré d'interminables tractations, Maung Sein réussit à se faufiler dans l'entrée étroite où il faillit bel et bien se retrouver coincé. Thar Thar était allongé dans un coin sur un lit de paille. Autour de lui, les poules caquetaient, troublées par ce visiteur inhabituel. Des petites plumes marron voletaient dans l'air. Il faisait chaud, étouffant, et ça puait la fiente. Maung Sein se demanda comment son fils pouvait supporter de rester là-dedans. Il s'allongea à côté de lui et attendit.

— Pourquoi te caches-tu ? demanda-t-il au bout d'un moment.

— Je ne me cache pas.

— Que fais-tu ici, alors ?

— Je rends visite à mes amies.

— Les poules ?

— Oui. Elles m'aiment bien.

Il tendit un bras. Une des poules vint s'y percher immédiatement et lui picora la peau de la pointe du bec. Il ne s'agissait nullement d'une morsure agressive mais plutôt d'un pinçon affectueux. Le visage de Thar Thar s'illumina d'un sourire inhabituel.

— Tu vois ? dit-il.

Maung Sein acquiesça.

— Maman dit que tu passes beaucoup de temps ici.

— Oui. Quelquefois même j'y dors.

— Pourquoi ?

— Parce que c'est beau. Parce que ce sont mes amies. Parce qu'elles ont besoin de moi et que, parfois, elles me demandent de rester avec elles.

— Tu leur parles ?

— Évidemment. Je les connais toutes par leur nom.

— Elles ont des noms ? s'étonna Maung Sein.

— Je leur en ai donné. Voilà Koko, expliqua-t-il en montrant un volatile efflanqué et brun. C'est elle qui donne les meilleurs œufs. Voilà Mo, c'est la plus

208

culottée et, au-dessus, c'est Mimi. Elle s'intéresse tout particulièrement à moi.

— Qu'est-ce que tu leur racontes, alors ?

— Tout.

— Elles t'écoutent ?

— Bien sûr.

Son fils fit un bruit étrange et toutes les poules se turent aussitôt. Du coin le plus éloigné Mimi s'avança résolument. Thar Thar tendit la main vers elle et elle aussi le picora avec délicatesse.

Maung Sein imita son fils mais il avait à peine bougé le bras que les oiseaux allèrent aussitôt se cacher. Il suffit de quelques mots prononcés par son fils pour leur faire retrouver le calme.

— Elles n'aiment pas maman non plus.

Un nouveau sourire. Encore plus étrange.

Maung Sein était ravi de voir que ces volatiles déliaient la langue de son fils et il espérait que cela allait se prolonger même s'il ne savait pas exactement de quoi il souhaitait discuter avec lui. Il avait juste envie de parler. D'entendre la voix de Thar Thar avant de repartir. Il attendit un long moment avant de clarifier la situation mais le silence était retombé dans le poulailler.

— Je repars demain, annonça-t-il finalement.

Son fils fixa le plafond sans rien dire.

— Demain, avant l'aube. Tu dormiras encore.

— Je veux partir avec toi, dit brusquement Thar Thar.

Une deuxième poule s'approcha et vint picorer son pied nu. C'était maintenant au tour de Maung Sein de garder le silence. Il se demandait s'il y avait la moindre possibilité d'emmener son fils avec lui, mais un camp de bûcherons, ce n'était pas un endroit pour un enfant.

— Ce n'est pas possible.

— Pourquoi ?

— Parce que je me déplace en permanence et je suis obligé de travailler tout le temps.

— Je peux t'aider.

Maung Sein sourit.

— Ce serait agréable. Mais couper les arbres, ce n'est pas facile et c'est un peu dangereux.

— Je n'ai pas peur.

— Je sais. Tu pourras venir avec moi quand tu seras un peu plus grand. Promis.

Thar Thar ne répondit pas. Maung Sein l'observa sans rien dire et, plus il l'observait, plus il se sentait triste. À la lueur de la bougie, le visage de son fils perdait toute sa jeunesse. Il avait les lèvres minces comme la queue d'un mulot. Il les serrait fort, comme il le faisait si souvent. Il avait les yeux cernés. Était-ce un effet de son imagination, ou avait-il déjà quelques rides au coin des paupières ? Ce n'était pas la fatigue d'un enfant après une longue journée que Maung Sein contemplait ; c'était l'épuisement d'un adulte triste et solitaire.

— En plus, maman a besoin que tu l'aides quand je ne suis pas là.

— Elle n'a pas besoin de moi.

— Bien sûr que si, protesta Maung Sein. Là, tu te trompes. Elle m'a raconté à quel point tu es travailleur et à quel point tu l'aides. C'est très gentil de ta part.

— Maman a Ko Gyi. Elle n'a pas besoin de moi, articula-t-il.

Maung Sein dut s'y reprendre à deux fois pour déglutir. Il voulait répondre quelque chose mais rien ne lui venait à l'esprit. C'était la façon dont Thar Thar avait prononcé cette phrase qui inquiétait surtout Maung Sein. Calme et grave.

Si seulement il avait formulé une plainte.

14

Elle voulait lui faire une surprise. Un petit plaisir pour les enfants et lui. Rien de plus. Pour ses fils qui avaient toujours tant de mal à le voir partir. Surtout Thar Thar qui n'avait pas de plus sincère désir que d'accompagner son père quand celui-ci repartait. Là, il allait avoir l'occasion de voir à quel point Maung Sein exerçait un métier difficile et dangereux.

Un des derniers grands arbres du village avait besoin d'être abattu. Il se trouvait au carrefour principal. Les insectes avaient rongé son tronc. Vieux et peu solide, il menaçait de tomber sur les maisons les plus proches à la prochaine tempête. Avant qu'on le coupe, il fallait l'élaguer. Sinon, les branches du haut viendraient écraser les cabanes du bout de la rue.

Maung Sein était le bûcheron le plus expérimenté de tout le village. Il offrit bien volontiers ses services.

Les hommes furent effarés de voir avec quelle agilité il escaladait l'arbre, une scie sur l'épaule. Il grimpa d'un trait jusqu'au sommet. La rue fut barrée, il commença à scier et personne ne put dire après ce qui s'était passé précisément. Une première branche tomba à toute vitesse. Puis une deuxième. Brusquement, on entendit un craquement, des bruissements, discrets d'abord puis de plus en plus forts. Tout le monde leva la tête, beaucoup retinrent leur souffle et des cris aigus s'échappèrent de quelques bouches. Le choc sourd de l'impact. Personne, parmi ceux qui étaient présents, ne pourrait jamais l'oublier.

La plupart des villageois furent persuadés que l'esprit qui vivait dans l'arbre l'avait jeté à bas par vengeance. D'autres pensèrent qu'il avait posé le pied sur une branche pourrie. Plusieurs affirmèrent l'avoir vu se pencher trop en avant pour donner le coup final à une branche qui refusait de tomber. Un petit nombre insista pour dire qu'il avait négligé de se retenir et qu'il avait ainsi perdu l'équilibre. Ou peut-être, un bref instant, avait-il relâché sa vigilance.

Tout le monde s'accorda à dire qu'il n'y avait rien à faire. Une mésaventure tragique. Un coup du sort. Chacun a le karma qu'il mérite.

Nu Nu, elle, savait à quoi s'en tenir.

C'était sa faute. Elle l'avait distrait. Elle l'avait vu de loin perché sur la plus haute branche de cet arbre majestueux. À trente, peut-être quarante mètres du sol. Il avait déjà scié deux grosses branches. Une tache noire au milieu des feuilles vertes.

Elle le montra à ses fils, le doigt tendu jusqu'à ce qu'ils le repèrent. Tout fiers, ils le contemplèrent la tête levée, mourant d'envie de courir vers lui.

Lorsqu'ils atteignirent l'endroit où la route était barrée, ils le distinguèrent clairement parmi les branches et crièrent son nom en chœur. Il n'avait pas encore remarqué leur arrivée et il baissa les yeux, surpris.

Ils lui firent de grands signes.

Il leur répondit.

Les enfants bondissaient en claquant dans leurs mains, tout joyeux.

Il se pencha pour mieux les voir. Leur fit signe à nouveau. Des deux mains.

Il y eut un craquement et des bruissements au sommet de l'arbre.

15

Cela dura deux ans. Deux ans après lesquels Nu Nu n'aurait su dire comment elle avait survécu. Deux ans durant lesquels pas une journée ne s'écoulait sans qu'elle craignît de basculer dans la folie. Pas une seule journée où elle ne s'interrogeait sur la raison de cette tragédie. Cette tragédie qui lui était arrivée, à elle. Qu'avait-elle fait pour mériter le destin d'une jeune veuve ? Pourquoi pas l'épouse avare du chef du village ? Ou l'épouse cupide, acariâtre du marchand de riz ? Pourquoi elle avec ses deux petits enfants ? Pourquoi la vie était-elle aussi injuste ?

De nombreuses semaines d'affilée, elle ne quitta pas la cabane et sortit à peine de son lit. Négligeant le linge à laver. Ne préparant rien à manger pour ses fils. Oubliant même les offrandes aux moines. Elle restait éveillée toute la nuit et dormait tout le jour. De temps en temps, croyant qu'il ne s'agissait que d'un rêve, elle se levait pour aller chercher son mari. Tenant Ko Gyi par la main, elle errait dans le village, le regard vide, échevelée, vêtue d'un longyi sale. Son vagabondage se terminait toujours devant la souche de l'arbre débarrassé de ses insectes au carrefour des routes. Là, elle s'accroupissait dans la poussière et elle se souvenait.

Il faisait signe.

Des deux mains.

Thar Thar finissait par arriver, il la prenait par la main et les ramenait tous les deux à la maison, sans rien dire.

Les frères réagissaient de façon complètement différente à la mort de leur père. Ko Gyi s'accrochait à sa mère. Il dormait à côté d'elle. Dans la journée, il ne la quittait pas des yeux un seul instant. Il la suppliait de se lever lorsqu'elle restait prostrée. Il la poussait à parler quand elle restait silencieuse des journées entières. Il la suivait aveuglément dès qu'elle sortait de la maison. Comme si, après avoir perdu son père, il redoutait de perdre également sa mère. La plupart du temps, cependant, il s'asseyait à côté d'elle et il attendait.

Il attendait.

Thar Thar, par contraste, poussé par une agitation intérieure, s'activait de l'aube au crépuscule.

Il allait chercher l'eau au puits en s'assurant que sa mère et son frère avaient toujours de quoi boire et mangeaient au moins une fois par jour. Il s'occupait des poules. À intervalles réguliers, il emportait jusqu'à la rivière une bassine de linge, si lourde qu'il parvenait à peine à la porter, et il s'installait dans l'eau près des femmes. Ensuite, il tirait jusqu'à la maison les affaires mouillées, encore plus lourdes, et il les étalait sur la véranda pour les faire sécher. Il se rendait au marché pour acheter du riz et, une fois leur dernier kyat dépensé, il se faufilait par la haie chez les voisins pour leur demander de l'aide. Il prenait soin des tomates et les récoltait ; il planta d'autres légumes derrière la maison. Il préparait à manger tous les jours. Ses currys étaient bons. Meilleurs que ceux de sa mère.

Nu Nu ne parvenait pas à comprendre d'où son fils de huit ans tirait pareille énergie. Parfois, elle se demandait si, avec la mort de Maung Sein, une partie de sa vigueur et de son amour n'était pas passée chez Thar Thar.

Un après-midi, plus de deux ans après la mort de Maung Sein, elle était allongée sur sa couverture, épuisée, et l'observait nettoyer les légumes avec soin, tout en tisonnant le feu qu'il alimentait en bûches et en petit bois. Un mouvement maladroit lui fit renverser accidentellement la bouilloire qui tomba bruyamment au milieu des flammes. Thar Thar disparut dans un nuage de vapeur blanche. Le feu s'éteignit en sifflant. Il contempla le désastre, poussa un bref soupir et entreprit de séparer le bois sec de celui qui était mouillé. Il sortit dans la cour chercher des copeaux et des brindilles et, calmement, alluma un nouveau feu pour faire bouillir de l'eau pour le riz. Le grand tonneau devant la maison était vide et il dut marcher jusqu'au puits dans le village.

Nu Nu s'émerveilla de ce flegme. Sans aucun doute, elle aurait été contrariée de sa propre maladresse. Elle se serait énervée. Elle serait partie se coucher sur sa natte, découragée. Qu'était-il arrivé à Thar Thar ? Où était passé le garçon impulsif et colérique qui passait tout son temps dans le poulailler ?

Qu'avait donc produit sur l'esprit de l'enfant l'accident de son père ? Qu'avait donc appris le père à l'enfant ?

Elle pensa à Maung Sein. Son époux était mort. Il n'y avait rien à faire contre cela. Mais que la perte la mène au désespoir, qu'elle la brise, cela relevait de sa volonté à elle.

Nu Nu se redressa et tenta de se lever. Elle trouva cela plus facile qu'elle ne s'y attendait. Elle mit un longyi propre et ajouta une bûche dans le feu. Elle la regarda commencer à se consumer avant de s'enflammer. Elle s'accroupit à côté et d'une main hésitante saisit le petit couteau, dont elle tâta la lame. Quelqu'un avait dû l'aiguiser. Elle prit une planche et, maladroitement, entreprit de découper les oignons et les tomates, de trancher les courgettes et les carottes, d'éplucher le gingembre avant de le débiter en dés. Chaque mouvement l'amenait à travailler avec plus d'aisance et son état s'en améliora. L'odeur piquante du gingembre frais lui monta dans les narines. Depuis combien de temps ne l'avait-elle pas sentie ?

Ko Gyi s'assit près d'elle. Il l'observait. Sans voix.

Soudain, Thar Thar surgit sur le seuil derrière elle, portant un seau d'eau.

— Qu'est-ce que tu fais ? demanda-t-il, surpris.

— Je t'aide.

Il la remercia d'un sourire.

Ils mirent le riz et les légumes à cuire puis, tous les trois, ils allèrent dans la cour laver les assiettes métalliques et chercher l'eau pour le thé.

Elle remarqua alors pour la première fois que, dans un coin de la cabane, le toit s'était écroulé. Les planches en dessous, détrempées par la pluie, avaient moisi. Cette partie de la maison ne survivrait pas à la prochaine saison des pluies. Nu Nu examina la cour.

Elle était balayée de frais. De grosses tomates prospéraient dans le potager. À côté, Thar Thar avait également planté des carottes et des aubergines ; il avait désherbé avec beaucoup d'adresse. Les bananiers étaient surchargés de fruits, tout comme les papayers et les avocatiers. La bougainvillée, cependant, avait fini par envahir la porte de la cour et elle comprit, en voyant un trou dans la haie, quelle sortie alternative son fils utilisait désormais.

Et elle se demanda pourquoi il n'y avait plus trace des poules.

— Où sont les poules ?

Thar Thar déglutit avec difficulté, la tête basse.

— Dans le poulailler.

— Tu en es sûr ? Elles ne font pas de bruit.

Il acquiesça sans la regarder.

Nu Nu se dirigea vers le poulailler et prêta l'oreille. N'entendant rien, elle s'accroupit et jeta un œil par la petite porte. Elle aperçut trois volatiles dans un coin.

— Où sont les autres ? demanda-t-elle, perplexe, en se redressant.

— Parties, chuchota Thar Thar en se détournant.

— Comment ça, parties ? Elles se sont enfuies ? Les chiens les ont prises ?

Nu Nu savait à quel point son fils était attaché aux poules et elle ne parvenait pas à croire qu'il n'ait pas pris davantage soin d'elles.

Thar Thar secoua la tête sans rien dire.

Le regard de Nu Nu passa d'un de ses fils à l'autre.

— Il les a vendues, dit Ko Gyi d'une voix sourde. L'une après l'autre.

— Vendues ?

Thar Thar, toujours muet, fixait le sol. Elle le saisit par le menton et, doucement, lui releva la tête. Deux larmes coulèrent sur ses joues. Sa lèvre inférieure tremblait. Il ferma les yeux et les larmes montèrent.

— Pourquoi ?

Silence.

— Pourquoi ?

Un profond silence, presque insupportable, pour toute réponse.

— Parce que les voisins ne voulaient plus nous prêter ni argent ni riz, murmura Ko Gyi.

— Parce que, autrement, nous serions morts de faim, déclara Thar Thar avant de courir de toute la vitesse de ses jambes dans la maison.

Nu Nu essayait encore de comprendre ce qui s'était passé. Une idée lui traversa l'esprit, si triste qu'elle préféra l'oublier immédiatement.

— Mais les voisins ont leurs propres poules, dit-elle en regardant Ko Gyi. Ça n'a pas de sens. Tu peux m'expliquer ?

Il hocha la tête.

— C'est vrai. Ils n'en voulaient pas et ils lui en ont proposé un prix de misère.

Il s'interrompit. Puis, à voix basse, très basse, il ajouta :

— Il les a tuées, plumées et découpées lui-même pour les vendre au marché.

16

Lorsque Nu Nu se réveilla à l'aube, elle entendit quelqu'un s'affairer autour des marmites. Il faisait à peine jour mais les oiseaux chantaient déjà. Elle se retourna de l'autre côté. Ko Gyi dormait à côté d'elle. Peu de temps après, elle entendit les moines au portail et elle se demanda pourquoi ils n'avaient pas cessé depuis belle lurette de demander l'aumône puisqu'il n'y avait plus rien à leur donner. Nu Nu vit Thar Thar dévaler les marches avec le grand bol de riz dans les mains. Avait-il préparé des offrandes ? Durant tous ces mois ? Comment avait-il réussi à faire surgir du riz alors qu'il y en avait à peine pour eux ? Elle était trop épuisée pour réfléchir longtemps à la question et elle se rendormit.

Il faisait grand jour quand elle rouvrit les yeux et les oiseaux ne chantaient plus. Elle se leva. Ko Gyi dormait encore. À côté du feu, elle trouva du riz et un curry tiède.

Aucune trace de Thar Thar. Inquiète, elle se précipita dans la cour et alla regarder dans le poulailler. Trois poules la lorgnèrent quand elle passa la tête par la porte.

Brusquement, la voix de son fils s'éleva, venant de la cour voisine. Nu Nu se faufila dans la haie et le vit assis dans l'ombre d'un grand figuier. À côté de lui, de la taille d'un homme, un tas de feuilles de bambou et d'herbes sèches. Devant lui, une natte sur laquelle il travaillait.

— Qu'est-ce que tu fais là ? demanda-t-elle, étonnée.

— J'aide U Zhaw, répondit-il doucement, l'air mal à l'aise.

— Ton fils est le tisserand le plus doué que j'aie jamais vu, s'écria la femme du voisin en sortant de sa maison. Et le plus efficace, ajouta-t-elle en dévisageant la mère comme pour dire : difficile à croire avec la mère qu'il a. Il peut faire une moitié de toit en moins de trois jours.

Nu Nu observa son fils. Ce fut seulement là qu'elle remarqua la vitesse à laquelle ses doigts bougeaient, l'adresse avec laquelle il entrelaçait les feuilles et les touffes d'herbe. Elle vit le toit tout neuf des voisins et un autre demi-toit déjà terminé appuyé contre un arbre.

— Votre maison paraît parfaite, dit-elle d'un ton soupçonneux. Celui-là est pour qui ? demanda-t-elle en montrant le travail de Thar Thar.

— Celui-là, on va le vendre.

— Le vendre ? À qui ?

— À qui en a l'usage.

— Combien ?

— Deux cents kyats.

— Combien gagne mon fils ?

— Vingt. Il est en train de rembourser l'argent que nous vous avons prêté.

— Vingt kyats ?

Nu Nu eut du mal à dissimuler son indignation. Elle tenta de croiser le regard de Thar Thar mais celui-ci gardait la tête basse.

— Encore combien de temps ? voulut-elle savoir.

La femme effectua quelques calculs.

— S'il continue à ce rythme, il n'en a pas pour plus de quatre semaines.

Ce soir-là, elle remarqua les mains calleuses de son fils. Il avait les ongles entaillés, le bout des doigts rougis et parfois ensanglantés. Ils s'accroupirent avec Ko Gyi près du feu. Nu Nu avait beaucoup de questions à poser mais Thar Thar rechignait à répondre. Depuis combien de temps travaillait-il pour les voisins ? Quand exactement l'argent que Maung Sein avait mis de côté quand il était bûcheron s'était épuisé ? Avaient-ils d'autres dettes ? Plutôt que de répondre, il fouillait les braises du bout d'un bâton.

Nu Nu se demandait comment ils allaient se débrouiller à l'avenir. Même s'ils se mettaient tous les trois à tresser toits et murs, cette paie dérisoire ne les mènerait pas loin. Leurs maigres économies étaient envolées. Ils n'avaient rien à vendre, mis à part les trois dernières poules et les outils rouillés de Maung Sein. Leur champ était en jachère. Les membres de leur famille susceptibles de les aider vivaient trop loin. Ils ne pouvaient pas compter sur le soutien des villageois. Le destin de la famille, c'était son mauvais karma à elle, acquis à travers ses innombrables mauvaises actions et, désormais, il n'y avait plus rien à tenter. Toute aide, inspirée par la pitié ou la compassion, était totalement inadaptée aux yeux des autres. Nu Nu le savait très bien. Elle-même ne se serait pas comportée autrement.

— Il faut que nous cultivions notre champ, déclara soudain Thar Thar, comme s'il lisait dans ses pensées.

Nu Nu acquiesça.

— Mais comment ?

— De la même manière que tout le monde, répondit-il. Sinon comment ?

— Ce n'est pas si facile. Crois-moi.

— Je sais. Mais j'ai bien observé la façon dont papa s'y prenait.

— Ça date de longtemps.

— Je m'en souviens encore un peu.

— Ça ne suffira pas.

— Il faut qu'on essaie, intervint Ko Gyi.

Thar Thar était d'accord avec son frère.

— Le champ est assez grand. Si nous nous y prenons bien, il peut nous nourrir.

Le regard de Nu Nu passa de l'un à l'autre. Deux enfants avec des visages graves qui connaissaient déjà trop bien la vie. Avaient-ils la moindre idée de ce qu'ils étaient en train de dire ? Des enjeux qui les attendaient ? Jusqu'à présent, ils avaient à peine réussi à partager un repas. Comment allaient-ils parvenir à cultiver un champ laissé à l'abandon ?

L'état de la parcelle dépassait les pires craintes de Nu Nu. Elle était envahie de mauvaises herbes, un tapis qui, dans le soleil, vibrait de myriades de verts différents. Les saisons des pluies successives avaient effacé toute trace du système d'irrigation que Maung

Sein s'était donné tant de mal à mettre en place. Le soleil brûlait dans le ciel. L'abri que son mari avait construit s'était écroulé. Nu Nu restait là, immobile, comme paralysée, à observer le paysage du haut d'un talus. Comment pourrait-elle jamais rendre ce lopin de terre à nouveau productif? Il leur restait pile quatre semaines avant que ne vienne le temps de semer. Quatre semaines. Il faudrait disposer d'une dizaine de bras, voire plus, pour avoir une chance d'y parvenir. Sinon, comment nourrirait-elle ses enfants? Ramasser du bois à brûler et le vendre? Tresser des paniers de bambou? Pendant qu'elle se plongeait dans ses réflexions, se demandant s'il valait mieux renoncer et peut-être louer la terre pour une petite somme, ses fils s'étaient mis au travail. Après avoir remonté leur longyi, ils commençaient à arracher les mauvaises herbes en retournant la terre à mains nues. En peu de temps, les doigts de Ko Gyi, peu habitués au travail, furent en sang.

Le soir, les mauvaises herbes formaient un grand tas au bord de la route. Et pourtant, leur travail n'avait laissé que peu de traces dans le champ. Nu Nu avait l'impression qu'ils avaient écopé un seau d'eau dans un lac. Ce qu'ils étaient en train de faire n'avait strictement aucun sens. Vraiment aucun. Il fallait qu'elle trouve autre chose.

Le lendemain matin, Thar Thar la secoua doucement par l'épaule. Il avait déjà tout préparé pour le départ. Les provisions étaient emballées, le thé infusé, l'eau rapportée, les outils nettoyés, une tâche qu'ils avaient été trop las pour accomplir la veille au soir. Nu Nu hésita. Pourquoi prolonger leurs souffrances?

Ils n'avaient aucune chance. Mais comme elle n'avait pas de meilleure idée, elle suivit ses enfants jusqu'au champ.

Aux environs de midi, les garçons avaient les mains si enflées que le moindre contact leur arrachait une grimace. Et pourtant, ils ne s'arrêtaient pas. Ils n'acceptèrent de faire une pause que lorsque leur mère les y obligea. Ils revinrent chez eux avec des migraines atroces.

Le troisième jour, Nu Nu avait de telles douleurs dans les membres qu'elle pouvait à peine bouger. Chaque muscle de son corps lui faisait mal. Ko Gyi, lui aussi, travaillait bien plus lentement qu'au début.

Au bout d'une semaine, en arrivant le matin à l'aube dans leur champ, ils repéraient de loin le tas de mauvaises herbes tant il avait grossi. En parcourant la parcelle des yeux, Nu Nu, pour la première fois, put repérer un changement significatif : un coin du champ brillait de toute sa noirceur dans le soleil levant.

Au bout de deux semaines, après avoir effectué quelques réparations provisoires dans l'abri, ils décidèrent d'y dormir pendant plusieurs jours afin de ne pas perdre de temps dans les longs trajets aller-retour. Nu Nu avait encore des doutes sur le fait qu'ils puissent réussir mais l'optimisme et l'ardeur de ses fils finissaient par l'impressionner. Chaque fois qu'elle regardait Ko Gyi et Thar Thar travailler au coude à coude, elle avait le sentiment grandissant que tout était possible. Il leur fallait seulement conserver leur courage intact.

Et elle découvrit des présages dont elle ne pouvait ignorer la signification. Un des œufs de la plus maigre et la plus faible de leurs trois poules avait éclos le jour même où ils s'étaient mis au travail. Le poussin était si petit que Nu Nu était persuadée qu'il ne survivrait pas à sa première journée. Pourtant, il grandissait et prospérait.

Les bananiers comptaient un nombre exceptionnel de pousses pour cette époque de l'année.

L'incident avec le serpent se révéla particulièrement évocateur. Un matin, alors qu'ils se rendaient au champ, ils le trouvèrent au beau milieu du chemin. Ce qui était déjà étonnant pour un animal aussi timide. Il laissa Thar Thar approcher à quelques mètres sans s'enfuir. C'était encore plus étonnant. Il leva la tête, regardant Nu Nu et ses fils et, plutôt que de disparaître dans la végétation, fit demi-tour et se fraya un chemin dans l'herbe, comme s'il leur ouvrait la voie. Ils le suivirent. Juste avant qu'ils ne parviennent au champ, il fit à nouveau demi-tour, s'arrêta puis disparut dans les hautes herbes.

Aucun de ces présages ne se révéla décevant. Au bout de quatre semaines, il ne restait rien du tapis vert. Debout côte à côte dans le champ, les bras noirs jusqu'aux coudes, leurs longyis tachés de crasse et de sueur, ils regardaient autour d'eux sans rien dire, comme si eux-mêmes avaient du mal à y croire. L'air sentait la glèbe fraîche, humide, fertile. Nu Nu s'agenouilla et creusa dedans à pleines mains. Elle tendit une motte à Thar Thar. Il la flaira, sourit, et l'émietta lentement entre ses doigts. Elle avait presque l'impression qu'il était en train de caresser la terre.

Qu'avait donc dit la sage-femme ce jour-là ? L'âme d'un enfant sait tout. Si elle pardonne, ça, elle ne l'avait pas dit.

Mais il n'y avait pas de temps à perdre. Ils avaient emprunté de l'argent pour acheter des graines de choux-fleurs, de pommes de terre, de pousses de soja qu'il fallait mettre en terre le plus rapidement possible. Lorsqu'ils revinrent le lendemain, les rats et les oiseaux en avaient volé la moitié. Ils passèrent à nouveau la nuit dans le champ, chassant la vermine, travaillant aussi longtemps que le soleil le permettait. Plantant graine après graine, semis après semis. Creusant des sillons. Pour apaiser les esprits du champ, ils construisirent un petit autel où ils déposèrent quotidiennement des offrandes, une banane et un petit tas de thé.

La nature et les esprits avaient décidé de leur sourire. Cette année-là, les pluies vinrent à l'heure et en quantité raisonnable. Les autres paysans ne savaient plus à quand remontait l'année où les récoltes avaient été aussi abondantes. Nu Nu dut même emprunter une charrette et un buffle pour transporter les légumes du champ au village. Ko Gyi se jucha fièrement sur le dos de l'animal, le dirigeant avec une badine comme s'il avait fait ça toute sa vie.

Lorsqu'elle vit son fils avec cette belle récolte, Nu Nu se souvint des paroles de son défunt mari. Le temps lui avait donné raison. Il le lui avait dit, et elle n'avait pas voulu le croire : nous avons en nous le pouvoir de changer. Nous ne sommes pas condamnés à demeurer ceux que nous sommes. Mais personne ne peut nous aider, excepté nous-mêmes.

Le destin leur avait posé une question à tous trois. Le champ cultivé et la récolte abondante, telle était leur réponse.

Cette abondance les aida à traverser la saison sèche. Durant les mois chauds, alors qu'il n'y avait rien à faire dans le champ, ils s'installèrent dans leur cour pour tresser des toits, des murs, des paniers et des sacs. L'argent leur permit de réparer leur propre toit et de remplacer quelques poutres pourries.

La deuxième année, là encore, ils ne manquèrent pas de nourriture. Si la nature se montra avare de pluie, ils le compensèrent par leur efficacité et leur ardeur au travail.

La troisième année, ils se sentirent suffisamment confiants pour planter du riz et Nu Nu découvrit que Thar Thar avait hérité non seulement de la musculature puissante de son père mais aussi des talents agraires de son grand-oncle. Alors que les voisins se plaignaient de leur maigre récolte, leur champ se montra plus productif que jamais.

Chez Thar Thar, ce qui restait inchangé, c'était son besoin de solitude. Comme autrefois, certains jours, il se mettait à l'écart. Il travaillait seul dans un coin du champ, sans prononcer un mot, ignorant sa mère et son frère. Ou bien il s'asseyait dans un coin et il jouait avec sa fronde. Nu Nu n'avait jamais vu personne viser aussi bien. Il tirait sur les mangues dans l'arbre, il criblait une feuille de trous, il éloignait les oiseaux du champ sans en blesser un seul.

Cette humeur sombre disparaissait aussi vite qu'elle était venue et, au bout de quelques heures, il redevenait communicatif, comme si de rien n'était.

Nu Nu trouvait que la personnalité de son fils était constituée d'un étrange mélange. Il pouvait se montrer taciturne, posé et attentionné comme Maung Sein ou alors instable et mélancolique, comme elle-même autrefois.

La quatrième année, à nouveau, ils augmentèrent leur production et Nu Nu commença à se demander si elle ne s'était pas trompée. Peut-être ne venait-on pas au monde avec un stock limité de chance qui finissait par s'épuiser. Peut-être existait-il une force capable de renouveler les réserves aux moments opportuns.

N'empêche, il ne se passait pas une journée sans qu'elle déplore l'absence de son mari, surtout la nuit quand elle ne parvenait pas à fermer l'œil tandis que les enfants dormaient. Elle entendait son souffle, elle le sentait sur sa peau. Elle se retournait pour allonger le bras sur sa poitrine. Le vide qu'elle ressentait dans ces moments-là aspirait dans sa souffrance toutes les parties de son corps.

Le trou que sa mort avait creusé dans la vie de Nu Nu ne s'était pas refermé et il ne se refermerait jamais, même si on pouvait espérer que, avec le temps, il se comble un jour.

Nu Nu ne voulait pas se montrer ingrate. Au cours de ces dernières années, la maladie les avait épargnés. Ils n'avaient pas connu la faim. Au contraire, ils avaient assez d'argent à la fin de chaque année pour faire des améliorations dans la maison. Un nouveau toit. De nouveaux murs. Des latrines en ciment dans un coin de la cour. L'année suivante, ils projetaient même d'acheter un buffle. Ou un cochon. Elle était fière de ses fils, ils étaient tous deux travailleurs, modestes et obéissants.

Voilà à quoi doit ressembler le bonheur, songeait-elle, s'il n'a pas la bouche de son mari. S'il n'a pas l'odeur de son mari. Voilà à quoi doit ressembler le bonheur quand il se tient debout sur ses deux jambes.

17

Il y a des moments, Nu Nu s'en rendait compte, dont on garde le souvenir jusqu'à la fin de ses jours. Ils consument l'intérieur de l'âme, ils laissent des cicatrices invisibles sur une peau invisible. Lorsqu'on les touche longtemps après, ces cicatrices, le corps tremble d'une douleur qui s'infiltre dans tous les pores. Même des années plus tard. Des dizaines d'années. Tout revient : la puanteur de la peur. Le goût de la peur. Le bruit.

Le moment où Nu Nu entendit les moteurs était un de ces moments-là.

Une fin d'après-midi. Une pluie fine tombait sur les collines et allait bientôt atteindre le village. Il faisait lourd, l'air était humide. Il avait souvent plu dans les jours précédents ; la boue du chemin passait entre ses orteils nus à chaque pas. Elle avait les pieds et les genoux douloureux après la longue journée de travail dans le champ. Ses fils et elle ainsi que quelques autres femmes du village, également accompagnées de leurs enfants, étaient sur la route du retour.

Tel le rugissement annonciateur d'un prédateur, les moteurs résonnèrent dans toute la vallée où l'on n'entendait d'habitude aucune machine.

Femmes et enfants s'immobilisèrent, figés sur place. Comme s'ils obéissaient tous en même temps au même ordre. Ils savaient ce que signifiait ce bruit. Elle le vit dans leurs yeux. Elle le vit dans les visages grimaçants et les corps privés de mouvements.

Elle regarda dans la direction du bruit. Au loin, elle distingua deux camions et deux Jeep. Approchant vite. Beaucoup trop vite.

La rumeur avait couru qu'ils allaient arriver. Le vieil U Thant les avait prévenus à maintes reprises mais peu de gens au village ajoutaient foi à ce qu'il racontait. Il annonçait toujours la fin du monde et rien n'était jamais venu confirmer ses dires. Désormais, il allait avoir raison. La fin du monde n'était pas loin. Elle arrivait, uniformes verts et bottes noires et brillantes. Elle arrivait par camions assez gros pour embarquer tout le village.

Et elle arrivait immédiatement.

Nu Nu regarda à nouveau autour d'elle. Il était trop tard pour s'enfuir. Où courraient-ils, où pourraient-ils se cacher ? Le prochain village était à plusieurs kilomètres et, même là, ils ne seraient pas en sécurité. Il n'y avait pas de jungle dont la végétation aurait pu les sauver. Ceux qui étaient pris en flagrant délit de fuite survivaient rarement à leur emprisonnement. C'était la rumeur qui courait dans les marchés.

Aucune des femmes ne bougeait. Les enfants les plus petits se réfugiaient derrière les jambes de leurs mères.

Les fils de Nu Nu, à côté d'elle, l'observaient.

Leurs visages, elle s'en souviendrait éternellement.

Ils savaient ce qui se préparait. Les soldats allaient les emmener. Pratiquement personne n'en reviendrait. Leur mère ne pourrait pas les protéger.

La fin du monde était maintenant à moins de cent mètres et continuait à avancer. Sur l'un des camions se tenaient des soldats armés de mitrailleuses, le visage vide, impassible. Ils étaient trop jeunes pour regarder leurs victimes dans les yeux. Derrière eux, plusieurs rouleaux de fil de fer barbelé.

Dans la première Jeep, il y avait un officier; elle le reconnaissait à son uniforme. Il croisa son regard et Nu Nu comprit qu'il était sa chance.

Son unique espoir.

Le petit convoi passa devant eux et s'arrêta sur la place au milieu du village. Les soldats sautèrent des camions. Certains prirent position devant les différents accès; d'autres coururent d'un bout à l'autre du village en ordonnant aux habitants de se rassembler devant les camions le plus rapidement possible.

Une demi-heure plus tard, tout le monde était là.

L'officier monta sur l'un des camions. Il était grand et musclé, un Birman d'une minorité ethnique qui dominait d'une bonne tête tous les villageois. Il prit un mégaphone pour annoncer ce que tout le monde craignait : tout homme célibataire ayant entre quatorze et vingt-deux ans devait se trouver devant chez lui à attendre les soldats d'ici une heure. Ceux-ci passeraient les prendre et les escorteraient jusqu'à un camp provisoire à l'entrée du village. Après quoi, ils fouilleraient soigneusement chaque maison. Tout jeune homme découvert au cours de cette fouille serait sommairement exécuté. Aucune pitié pour quiconque pris en flagrant délit de fuite. Le lendemain matin de bonne heure, ils partiraient pour une caserne dans la capitale. Le temps était venu pour ces jeunes gens de remplir leurs obligations et de servir l'Union de Birmanie. Le pays était constamment sous la menace ennemie et tout le monde devait être prêt à accomplir des sacrifices pour le défendre.

Elle savait de quoi il parlait. Tout le monde savait de quoi il parlait. L'armée avait besoin d'autre chose que de soldats (généralement recrutés dans des localités de plus grande taille avec la promesse d'un salaire susceptible de nourrir les familles nombreuses). Plus que tout, l'armée avait besoin de porteurs. Des hommes jeunes pour traîner le ravitaillement, les équipements lourds, les munitions et les lance-grenades des régiments à travers les montagnes et la jungle jusqu'aux territoires rebelles. Au marché, des rumeurs circulaient sur l'extrême danger de ce travail. On marchait dans des zones infestées de malaria et les soldats traitaient très mal leurs porteurs. Quiconque tombait malade ou était blessé était abandonné, laissé pour mort. Plusieurs porteurs avaient été déchiquetés par des mines terrestres.

Qui pouvait dire si c'était la vérité ? Parmi ceux qui avaient été pris par les militaires, peu étaient revenus. Et ceux qui étaient revenus ne disaient rien.

L'officier lâcha son mégaphone pour observer la foule.

Les gens de petite taille qu'il avait devant lui paraissaient encore plus petits.

Personne ne disait mot.

Nu Nu prit ses deux garçons pour rentrer chez eux. Elle réfléchissait à toute vitesse. Y avait-il la moindre chance qu'ils puissent s'enfuir ou se cacher ? Les latrines ? L'appentis du voisin ? La cabane vide à l'entrée du village ? Ridicule. Les endroits précisément où ils commenceraient leur fouille. Peut-être le monastère à la lisière du bosquet de bambous où quatre moines âgés vivaient avec une dizaine de novices. Les soldats oseraient-ils violer ce sanctuaire ? Sans doute pas. Mais que diraient les villageois quand ils sauraient qu'elle s'était empressée de mettre Ko Gyi et Thar Thar à l'abri ? La plupart tiendraient leur langue et la couvriraient. Elle n'en doutait pas. Mais une seule voix suffirait à la trahir. Si l'envie, le ressentiment ou le chagrin s'emparaient ne serait-ce que d'un seul cœur, ses enfants seraient perdus.

Non, le risque était trop grand. Aucun endroit n'était sûr. La mort viendrait cueillir qui lui plairait.

Ko Gyi et Thar Thar suivaient leur mère sans rien dire. Chez eux, ils restèrent immobiles, observant le moindre de ses mouvements.

Nu Nu se demandait ce qu'elle devait préparer comme bagages pour ses fils. Ils n'avaient d'autres chaussures que les sandales en caoutchouc qu'ils portaient. Chacun possédait un T-shirt de rechange, un deuxième longyi, une veste et une brosse à dents.

Rien d'autre.

Un porte-bonheur ? Ils avaient désespérément besoin d'un talisman pour les protéger. Elle pensa alors au morceau d'écorce, celui que son mari avait arraché du pin sous lequel ils s'étaient embrassés pour la première fois. Il le lui avait donné en lui promettant que cela la protégerait. C'était l'unique souvenir de lui qu'elle possédait. Elle avait usé ses vêtements jusqu'à la corde depuis belle lurette; elle n'avait jamais eu la moindre photographie de lui. Dans les semaines et les mois qui avaient suivi sa mort, elle s'était souvent endormie le soir accrochée à ce morceau d'écorce. Elle sentait qu'il protégeait son cœur qui, sinon, aurait pu s'arrêter de chagrin pendant son sommeil. Désormais, il était rangé, enveloppé dans un tissu épais, au fond de la commode où elle conservait ses maigres biens.

Elle le déballa. Il était toujours aussi épais et dur, à peine plus large que la paume de Nu Nu. Un seul morceau, deux enfants. Si elle le partageait, perdrait-il ses pouvoirs protecteurs ?

L'espace d'un instant, elle envisagea de donner autre chose à Thar Thar mais rien ne lui vint à l'esprit. Elle cassa l'écorce en deux, un gros morceau et un petit.

Avec un clou rouillé, elle creusa un trou dans chaque morceau. Elle passa un bout de ficelle dans chaque trou et fit un nœud. Elle ferma les yeux et déposa un baiser sur chaque porte-bonheur avant de les leur passer autour du cou.

Le grand morceau pour le grand frère.

Le petit morceau pour le petit frère.

Ils entendirent bientôt les voix des soldats. Ko Gyi prit le paquet de ses affaires et sortit. Même à ce moment-là, ils n'échangèrent pas un seul mot.

Nu Nu les regarda partir. Ils s'en allèrent sans se retourner. Son cœur battait la chamade. Ne pouvant plus résister, elle se décida à les suivre. Un soldat lui barra le chemin, la repoussant dans les limites de sa cour. Elle réussit à les apercevoir une dernière fois à travers la haie. La dernière chose qu'elle vit de ses fils, ce fut leurs deux longyis vert et noir.

Deux jeunes garçons partant pour la guerre.

Avec des morceaux d'écorce autour du cou.

Mais elle n'était pas au désespoir.

Il lui restait encore une chance.

18

Ils se rencontrèrent le soir près du puits. Dans un village affligé où mères et pères tremblaient pour leurs fils. Où la Peur était installée dans les arbres, à faire des grimaces et à projeter des ombres répugnantes.

Où les cœurs se changeaient en pierre.

Rien ne bougeait sur les chemins. Pas une âme n'osait s'aventurer dehors. Même le bétail se faisait discret. Les cochons étaient silencieux dans leur bauge. Les poules disparaissaient derrière les appentis et les tas de bois, ou dans les fourrés. Les rats et les serpents se réfugiaient dans les latrines.

Sur tout planait un lourd silence. Même les bougies qui d'habitude éclairaient maisons et jardins avaient été éteintes. Seule la lune n'avait peur de rien. Grosse et ronde dans un ciel sans nuages, elle illuminait la nuit.

Le commandant attendait sous un figuier; il fumait une cigarette en l'observant. Nu Nu avait relevé ses longs cheveux noirs et tenait une cruche à eau en équilibre sur sa tête. Elle avait revêtu son plus beau longyi et un des deux chemisiers qu'elle possédait. Fraîchement repassé. Elle ne voulait rien laisser au hasard. Son corps n'était plus celui d'une jeune femme désirable. Mais il n'était pas encore celui d'une vieille femme.

Elle devait se donner tout le mal possible.

Ils avaient organisé cette rencontre sans échanger un mot. Quelques regards quand les soldats étaient arrivés, quelques gestes. Chacun savait ce que voulait l'autre.

Pas plus qu'ils ne parlaient maintenant. Nu Nu posa sa cruche et commença, avec des mouvements lents, à tirer de l'eau du puits. Le commandant l'observait. Elle sentait son regard sur elle. Elle sentait qu'il la jaugeait. Son cou élancé, ses bras musclés. Elle sentait ses yeux descendre, s'attardant sur la promesse des seins sous le corsage. Ses hanches. Son derrière svelte et galbé qui avait toujours excité son mari.

Elle attendait. Il ne bougeait pas.

Elle souleva le broc et il fit un pas vers elle.

— Où ?

Il ne se donnait même pas la peine de chuchoter.

De la tête, elle lui indiqua la direction. Elle souleva la lourde cruche et ouvrit la voie. Ils passèrent devant la maison vide où quelques heures plus tôt à peine ses fils étaient encore.

La cabane se trouvait à la lisière du village, la dernière maison avant les champs. Elle n'était plus habitée depuis des années. Le vieil Aung était mort là, seul et abandonné. Sa femme et ses trois enfants l'avaient tous précédé dans la mort et son fantôme, plein de chagrin, revenait les pleurer à chaque nouvelle lune. Mais, ce soir-là, la lune était pleine. Et Nu Nu n'avait pas le choix.

Elle monta les quelques marches qui menaient à la véranda. La porte était entrouverte, comme elle l'avait prévu. La lumière froide du clair de lune filtrait par un trou dans le toit. Au milieu de la pièce, il y avait un tas de paille.

Ils n'étaient pas les premiers. Ils ne seraient pas les derniers.

Nu Nu posa la cruche par terre. Elle vit le désir dans les yeux de l'homme. Son air de concupiscence. Ce ne serait pas ça le problème.

Il se débarrassa de son arme, ôta son uniforme et laissa ses bottes noires et brillantes à côté de la paillasse. Elle examina son corps athlétique du coin de l'œil. L'armée nourrissait bien ses soldats. En tout cas ses commandants.

Elle dénoua son longyi et le laissa glisser à terre. D'un mouvement preste, elle fit passer son corsage par-dessus sa tête.

Il n'en pouvait plus d'attendre. Elle s'efforça de prolonger la situation. Plus il serait enflammé, meilleures seraient ses chances, songeait-elle.

Le pire, ce furent les images qui déferlèrent dans sa tête lorsqu'il la pénétra. Elle vit son mari mort. Elle vit ses fils. Elle vit ses parents. Pour chasser ces images de son esprit, elle se concentra sur les bottes posées à côté d'elle. Il n'existait ni pardon ni amour dans le monde qui se reflétait dans ce cuir noir et luisant. Il n'y avait que la peur et la haine.

Il y a des moments qui se révèlent tout simplement insupportables. Ils nous transforment et font de nous des êtres différents.

Elle ne voulait pas regarder, mais c'était trop tard.

Pourtant, Nu Nu était prête à recommencer. Elle aurait couché avec chacun de ses supérieurs et l'ensemble de ses subordonnés, aussi. Avec tous les soldats de sa compagnie.

Rien que pour sauver ses fils.

Elle n'avait plus qu'eux au monde.

— Qu'est-ce que tu attends de moi ?

Une question. La question à laquelle menait chaque moment de cette soirée. Ce premier coup d'œil, si bref. Les regards timides qui avaient suivi. Et puis les œillades.

Tout cela sans un mot. Seulement des gestes dont les intentions étaient sans ambiguïté. Chaque mouvement, chaque caresse, chaque baiser, chaque coup de rein qu'elle avait accepté culminait dans cette unique question qui changeait la vie.

— Qu'est-ce que tu attends de moi ?

Un grognement, une éructation, pas une question. Comme s'il chassait une mouche importune de sa lèvre supérieure.

Elle caressa les cheveux noirs de l'homme. Examina les cicatrices sur sa poitrine.

Elle pouvait le séduire encore une fois. Cela l'amènerait sans doute à plus de bienveillance. Elle lui embrassa un mamelon, le léchant du bout de la langue.

— Qu'est-ce que tu veux ?

Il n'était pas d'humeur. Et c'était de cela que dépendait tout le reste. Ko Gyi et Thar Thar. Leurs rires. Leurs larmes. Leur mort. Son humeur.

— Mes fils, chuchota-t-elle. Rien d'autre. Seulement mes fils.

Ma vie.

Impossible.

Il croisa les bras derrière la tête et contempla le plafond. Il n'allait pas tarder à partir vagabonder dans ses pensées. Le prochain village. La prochaine bataille. Ou ses chances de se faire transférer de cette satanée zone rebelle vers quelque part sur la côte. Il était déjà parti ; elle était sur le point de le perdre. Elle le sentait.

— J'ai besoin d'eux.

— Nous aussi.

— Sans leur aide, je ne peux pas cultiver mon champ. Je ne peux pas apporter les légumes au marché.

Surtout, ne pas parler d'amour. De ce que ressent une mère en regardant ses fils partir vers la mort. Rien ne pourrait l'intéresser moins. Insister sur la valeur physique de ses fils. C'était le langage qu'il pouvait comprendre.

Aucun autre.

— Et alors ?

— Mon mari est mort. Je n'ai personne d'autre. (Elle ajouta très vite :) Qui puisse m'aider.

Explique. Ne demande rien. Quoi que tu fasses, n'implore pas. Garde ça pour plus tard.

Elle laissa sa main glisser sur sa poitrine et son ventre, de plus en plus bas. Voilà où le destin de ses fils allait se jouer. Et nulle part ailleurs.

Le souffle de l'homme s'accéléra.

Un membre qui gonfle ne ment pas.

Elle avait peut-être encore une chance.

Il était le premier homme depuis la mort de Maung Sein.

Elle fit tous les efforts possibles. Les mains et la bouche. La langue et le bout des doigts.

Il avait la peau rugueuse, des coups de boutoir irréguliers, encore la deuxième fois.

Le corps mince de Nu Nu tremblait. Ce n'était pas d'excitation.

Les bras tendus, il était couché sur elle. La salive coulait de sa bouche, rougie par le jus des noix de bétel. Goutte à goutte, il maculait ses traits des couleurs de la mort. Et de la vie.

Lorsqu'il se retira d'elle, il était satisfait. Elle l'entendait dans sa respiration tranquille. Elle le sentait dans la façon dont son corps se détendait.

— Je vous en prie.

Parfois, un mot suffit. Quelques lettres sont assez pour décrire tout un monde.

Il alluma une cigarette. Celle-ci rougeoyait à chaque bouffée.

Je vous en prie.

Je vous en prie.

Je vous en prie.

— Combien as-tu de fils ?

— Deux.

— En bonne santé ?

— Oui.

— Quel âge ?

— Quinze et seize ans.

Il réfléchit. Des secondes à peser la vie et la mort.

— Tu en gardes un. Nous prendrons l'autre.

— Lequel ?

Ça lui avait échappé.

— Ça m'est égal. Tu choisis.

Et ainsi il la déchira en deux.

Par cette nuit limpide éclairée par la lune. L'épouse d'un petit paysan. Un grand cœur avec étonnamment peu de place. Mais c'était le seul qu'elle avait.

Tu en gardes un.

Nous prendrons l'autre.

Ko Gyi et Thar Thar. Destinés à mourir. Ou à vivre.

Elle leur avait donné la vie – maintenant, elle allait devoir la leur retirer.

À l'un des deux.

19

Khin Khin avait cessé de parler depuis un petit moment. U Ba, à son tour, se tut. Il s'était exprimé à voix basse, de plus en plus basse, jusqu'à la dernière phrase, qui n'était plus qu'un murmure et là, sa voix se déroba tout à fait.

J'observai Khin Khin du coin de l'œil. Les rides de ses joues et de son front s'étaient creusées ; ses yeux sombres n'étaient plus que des petits boutons. Je remarquai dans son cou des veines anormalement épaisses où le sang battait avec vigueur.

Mon frère s'accroupit à côté de moi et s'effondra, la tête basse. Il me jeta un coup d'œil, les yeux pleins de larmes. Je me sentais prête à exploser. La tension avait monté en moi au cours des dernières heures jusqu'à devenir presque insupportable. Depuis combien de temps écoutions-nous cette histoire ? Trois heures ? Quatre ? Dehors, il faisait encore jour. Les poules caquetaient dans la cour voisine. Quelque part, un chien aboyait.

L'odeur d'un feu presque éteint. Khin Khin versa du thé froid, se leva pour aller chercher une assiette de graines de melon grillées, des gâteaux de riz et un paquet de biscuits salés. Elle ouvrit l'emballage de plastique et m'en proposa un. Dans ses yeux se lisait un tel désespoir que je ne parvins même pas à dire «non merci».

Qu'était devenue Nu Nu? Avait-elle trouvé le moyen de sauver ses deux fils? Elle n'avait pas...? Comment avait-elle survécu à ce cauchemar? Même si rien ne m'intéressait davantage que les réponses à ces questions, je n'avais pas le cran de les poser. Nous restions assis sans parler. J'attendais qu'U Ba ou Khin Khin disent quelque chose. Les minutes s'écoulaient.

J'avais besoin de sortir. L'atmosphère confinée de la cabane me devenait insupportable. La souffrance et le chagrin qui y demeuraient enfermés. Les gouffres que je sentais béants autour de moi.

Devant moi apparut Nu Nu. Pour la première fois, j'avais une image d'elle dans la tête. Son corps maigre et tremblant sous le lieutenant. Le jus rouge de la noix de bétel sur son visage. La peur pour la vie de ses fils.

Tu en gardes un.

Nous prendrons l'autre.

J'étais sur le point de vomir. Pour me retenir, je m'obligeai à inspirer profondément. J'avais le souffle court et une douleur lancinante dans la poitrine.

Je finis par essayer de me lever et je faillis alors m'écrouler sur mon frère. Mes jambes s'étaient endormies et refusaient de me porter.

— J'ai besoin de sortir, chuchotai-je.

Il toussa en acquiesçant d'un petit signe de tête.

— Attends-moi là-bas.

J'allai à quatre pattes sur la véranda, je m'étirai et m'assis quelques minutes, le temps que les picotements dans mes jambes s'apaisent. Je descendis les quelques marches pour m'installer par terre dans l'ombre de la cabane. Qu'avaient-ils fait subir à Nu Nu ? Comment avait-elle choisi ? Je sentais les larmes ruisseler sur mes joues.

Au-dessus de moi, j'entendais U Ba et Khin Khin chuchoter ; le récit de Khin Khin était régulièrement ponctué par la toux dévorante d'U Ba. D'après le ton de sa voix, il était évident qu'elle était bien loin d'avoir surmonté son chagrin.

À un moment donné, mon frère, lui aussi, descendit. Il se tenait fermement à la rampe. J'avais l'impression qu'il tremblait de tout son corps. Il me fit signe de venir avec lui.

Nous suivîmes en silence un chemin si étroit que nous devions marcher l'un derrière l'autre. Au loin, je vis des colonnes de fumée monter dans l'air. C'était la fin de l'après-midi et nous croisâmes de nombreux paysans ; ils rentraient chez eux après le travail aux champs et nous saluèrent aimablement.

Derrière eux venait un garçon juché sur un buffle ; il me sourit de ses dents blanches. Je lui répondis d'un hochement de tête.

Au banian, nous tournâmes à droite et, peu de temps après, nous fûmes dépassés par une Jeep de l'armée. Les freins crissèrent lorsqu'elle s'arrêta ; elle fit ensuite marche arrière pour revenir à notre niveau.

Je sentis mes jambes flageoler. Qu'est-ce qu'ils nous voulaient, à mon frère et à moi ? Nous avaient-ils suivis sans que nous le remarquions ? Nous étions-nous mis en danger ? Se confirmerait-il finalement que la voix ne s'était pas trompée ?

Ils viendront te prendre. Personne ne peut te protéger d'eux.

Dans la Jeep, il y avait quatre soldats. Regards curieux. Dents rouges. Uniformes verts. Bottes noires et brillantes.

Elle m'avait mise en garde. *Quand ils arriveront, ne les regarde pas dans les yeux. Ne les regarde pas dans les bottes. Parce qu'elles ont des pouvoirs magiques. En elles se reflète toute la cruauté, toute la méchanceté dont nous sommes capables.*

De la salive rouge sang dégoulinant sur un visage.

Les soldats me désignèrent du doigt et posèrent une question à mon frère. Celui-ci rit d'un rire mécanique. Ils rirent à leur tour. Je me détournai, tant leur présence m'était insupportable.

L'échange fut bref, ponctué de rires et d'expressions étonnées, puis ils reprirent leur chemin.

— Que voulaient-ils ? demandai-je, le souffle court, tandis que la Jeep disparaissait.

— Savoir qui tu étais et où nous allions, répondit-il d'une voix tendue.

— Pourquoi ?

— Parce que.

U Ba eut une brève hésitation.

— Par ici, on ne croise pas souvent un Occidental en train de se promener avec un autochtone. Ils étaient curieux.

— Qu'est-ce que tu leur as dit ?

— La vérité. Que tu es ma sœur et que nous sommes en train de rentrer à la maison. Ils ont proposé de nous déposer. Ils supposaient que tu n'avais pas l'habitude de marcher dans un pays vallonné. J'ai décliné très respectueusement.

— Rien de plus ? m'étonnai-je.

— Non, répliqua-t-il.

Un peu trop sèchement. Un peu trop fort. Ce n'était pas son genre.

Quand nous parvînmes à la maison de thé, mon frère fit brusquement halte et eut une quinte de toux si violente qu'elle lui coupa littéralement le souffle.

— Il faut qu'on t'emmène chez le médecin, dis-je, épouvantée.

Il leva les deux mains en signe de protestation mais sans réussir à proférer un son.

— U Ba ! Il doit bien y avoir ici un médecin qui pourrait t'examiner. Tu as besoin de passer une radio des poumons.

— Il n'y a pas de médecin. En plus, ce n'est pas si dramatique et ça va bientôt passer. Ou penses-tu que nous devrions aller dans un hôpital militaire ?

Je ne répondis rien.

— As-tu faim ? me demanda-t-il.

— Pas vraiment, dis-je en secouant la tête.

— Ça t'ennuie si je m'arrête ici pour avaler une soupe de nouilles vite fait ?

— Bien sûr que non.

Il ne restait plus que quelques clients dans la maison de thé. Nous choisîmes une table à l'écart.

La serveuse s'avança vers nous en traînant les pieds. U Ba commanda deux verres de thé birman et une soupe.

J'attendais qu'il me raconte ce que Khin Khin lui avait dit mais mon frère ne parlait pas et je n'osais pas l'interroger.

La serveuse apporta le thé et la soupe. Il se pencha sur son bol et se mit à manger en silence.

Je tournai ma cuillère dans ma tasse.

— U Ba ?

Il me regarda.

— Qu'a donc fait Nu Nu ?

Il prit encore une cuillère de soupe.

— Après que le lieutenant est retourné auprès de ses troupes ?

J'acquiesçai.

— Elle avait envie de se tuer. Mais alors les militaires auraient pris ses deux fils. Elle avait l'occasion de sauver une des deux vies. Avait-elle le droit de ne pas en profiter simplement parce qu'elle manquait de force ou de courage pour prendre une décision ?

Il me dévisageait d'un air interrogateur ; il s'interrompit un moment sans attendre de réponse puis reprit son récit.

— Non. Dans la nuit, elle se rendit dans le camp des prisonniers et en fit sortir un de ses fils.

— Lequel ?

— Ko Gyi.

Prise de vertige, je fermai les yeux. Je me cramponnai des deux mains à la table.

— Elle se dit que, même s'il était plus âgé, il était également plus petit et plus faible. Il n'aurait jamais eu la moindre chance de survivre au milieu des soldats. S'il ne leur servait à rien, ils l'enverraient à la mort sans attendre. Thar Thar était plus grand et plus fort. Si quelqu'un pouvait survivre, c'était bien lui. Elle n'avait pas le choix. Elle devait garder Ko Gyi. C'est ce qu'elle expliquait à sa sœur. Parfois trois fois par jour. « Je n'avais pas le choix. Je devais garder Ko Gyi. »

— Et Thar Thar ? demandai-je, dans un souffle.

— Les soldats l'ont emmené le lendemain matin.

Je cherchai mes mots mais aucun ne pouvait exprimer ce que je ressentais.

Je bus un peu de thé. U Ba termina le sien d'une seule gorgée énergique. Il avait les mains tremblantes.

— Aucune mère ne peut… survivre à ça, réussis-je à dire.

— Aucune, répéta-t-il doucement, aucune mère ne peut survivre à ça.

— Pourquoi a-t-elle… ? Je veux dire, ne pouvait-elle… ?

Ces phrases, je ne les ai jamais achevées. Comment savais-je ce qu'elle aurait pu faire ou ne pas faire ? Je tentai d'imaginer la scène cette nuit-là. Les deux frères se disant adieu. La façon dont Ko Gyi prenait ses affaires en abandonnant Thar Thar derrière lui. Qu'avait-il bien pu penser, ressentir ? Un enfant avec un morceau d'écorce autour du cou. Qu'était-il donc devenu ?

— Tu crois qu'il s'en est sorti vivant ?

— Dans les années qui ont suivi, sa mère a consulté tous les astrologues et les cartomanciennes possibles.

L'un a affirmé que Thar Thar avait rejoint les rebelles. Un autre a déclaré qu'il écumait le pays sous les traits d'un moine vagabond. Un troisième a révélé que les étoiles lui avaient montré clairement que Thar Thar s'était enfui en Thaïlande, où il avait fait un mariage d'argent. Tous s'accordaient à dire qu'il allait bientôt envoyer de ses nouvelles. Au bout d'un certain temps, Nu Nu a perdu tout espoir.

— Peut-être est-il devenu soldat et est-il encore en vie ?

— Dans ce cas, il aurait certainement repris contact avec sa mère ou son frère, tu ne crois pas ? Cela fait bientôt vingt ans maintenant qu'ils l'ont enlevé et, depuis, on n'a plus jamais entendu parler de lui. En outre, l'armée ne manque pas de soldats. Les militaires préfèrent utiliser ces jeunes gens comme détecteurs de mines.

— Détecteurs de mines ?

Je ne comprenais pas ce que voulait dire mon frère et je le regardai, perplexe.

— Eh bien, nous sommes en plein milieu d'une guerre civile qui dure depuis des décennies. Pas partout, comme tu peux le voir, mais dans plusieurs provinces. Les minorités ethniques se battent dans la jungle pour leur indépendance. La plupart des régions sont montagneuses. Il n'y a ni routes, ni même de sentiers, le long desquels l'armée peut faire passer ses camions et ses Jeep. Ils ont besoin d'hommes pour transporter le ravitaillement, les munitions et les armes. Khin Khin y a fait allusion mais elle n'a pas raconté l'histoire dans son intégralité. Il arrive fréquemment que les rebelles minent un territoire. Alors, les soldats envoient les porteurs en tête et les suivent à une certaine distance.

— Pourquoi ne manipulent-ils pas eux-mêmes le matériel de détection ?

U Ba secoua la tête et dit, à voix si basse que j'eus du mal à l'entendre :

— Ils n'ont pas de matériel de détection.

— Comment les porteurs sont-ils censés trouver les mines ?

Il se pencha vers moi.

— En marchant dessus.

Il me fallut plusieurs secondes pour enregistrer ce qu'il venait de dire.

— Tu veux dire que l'armée… l'armée se sert d'eux comme… (Je laissai ma phrase en suspens.) Comment… Comment sais-tu cela ?

— Il arrive parfois que quelqu'un en revienne.

Je me reculai dans mon siège en parcourant la salle des yeux, comme si je pouvais y trouver la confirmation des atrocités que j'entendais. Au fond, trois hommes étaient absorbés dans une conversation animée. De temps en temps, l'un d'eux crachait du jus de bétel rouge dans l'herbe. Chaque fois, je frissonnais. À côté d'eux était assis un jeune couple ; ils chuchotaient, timides, amoureux. La serveuse, plongée dans ses pensées, balayait le sol entre les tables vides. Sous l'autel avec les fleurs et le bouddha doré, la cuisinière dormait, la tête sur la table. Savaient-ils ce que je savais ? Sans doute.

Ils avaient même peut-être un frère, un beau-frère, un neveu, un oncle qui avait été obligé de chercher les mines dans la jungle. Et qui en avait trouvé une.

254

Ou leurs frères, beaux-frères, neveux ou oncles portaient-ils des bottes noires et brillantes ?

Je pris soudain conscience de l'ampleur de mon ignorance en ce qui concernait le pays natal de mon père. À quel point il m'était étranger. À quel point j'étais incapable de déchiffrer ce que disaient les visages souriants de ce peuple.

— À quoi penses-tu ? s'enquit U Ba.

— À quel point je ne comprends rien à ce pays.

— Tu te trompes, protesta-t-il. Tu sais tout ce que n'importe qui doit savoir.

— Comment ça ? ripostai-je, surprise.

— Plus tard.

Il fit un drôle de bruit avec ses lèvres, comme s'il envoyait un long baiser. Aussitôt, la serveuse regarda dans notre direction. Mon frère glissa un billet de mille kyats usé sous un des verres de thé et se leva.

La nuit était tombée. Nous descendions la rue sans rien dire. Devant une des maisons de thé, il y avait une grande télévision. Une vingtaine de jeunes hommes étaient installés devant et encourageaient les joueurs d'un match de foot. Je ne pouvais m'empêcher de penser à Nu Nu et à ses fils.

— U Ba ?

Je croyais pouvoir déterminer au son de sa voix s'il était prêt ou non à m'en raconter davantage.

— Que désires-tu savoir ?

— Comment Nu Nu et Ko Gyi se sont-ils débrouillés sans Thar Thar ?

— Ils ont essayé de survivre ensemble. Ils n'ont pas réussi.

— Ko Gyi est mort, lui aussi ?

— Non, mais ces deux-là, inséparables depuis seize ans, ont commencé brusquement à se disputer. Bizarre, non ? L'obéissant Ko Gyi négligeait ses obligations. Il refusait d'aller au champ avec sa mère. Il préférait plutôt traîner dans les autres villages, aux festivals de pagode, d'où il rentrait toujours soûl.

«Khin Khin est persuadée qu'il n'a jamais réussi à surmonter le choc d'apprendre ce dont sa mère était capable. Il la considérait désormais comme une sinistre inconnue. Dans son ivrognerie, il affirmait fréquemment qu'il était poursuivi par Thar Thar. Il disait qu'il était assis au coin du feu avec eux. Qu'il allait avec eux au marché, qu'il les regardait préparer le repas, manger. Il s'est mis à parler de moins en moins et, à la fin, il regrettait qu'elle l'ait choisi lui plutôt que son frère. Au bout de trois ans, la quasi-totalité du champ était envahie par les mauvaises herbes. La cabane était en très mauvais état et Ko Gyi a décidé de s'installer dans la ville la plus proche pour trouver du travail.

Nous étions arrivés chez U Ba. Il alla chercher de l'eau dans la cour, alluma les bougies et me demanda si j'avais envie d'un autre thé.

Je le remerciai mais refusai sa proposition et allai m'asseoir sur le canapé bas sous le tableau kitsch représentant la Tour de Londres. Il se laissa tomber dans le fauteuil et continua son récit.

— Ko Gyi s'est rendu dans la capitale où il a trouvé un emploi de marin sur un cargo. Il gagnait bien sa vie et il envoyait un peu d'argent à sa mère de façon très irrégulière. Pas beaucoup mais suffisamment pour survivre. Nu Nu a fini par emménager avec sa plus jeune sœur qui n'avait pas d'enfants et dont le mari était mort jeune. Il y a quelques années, elles ont débarqué ensemble à Kalaw parce que, ici, personne ne les connaissait et parce que cet endroit ne recelait aucun souvenir pour elles. Nu Nu était une femme brisée.

« Le jour où elle est morte, Khin Khin et elle étaient en route pour le marché. Elles sont tombées sur un jeune homme que Nu Nu a pris pour Thar Thar. Le choc a été si grand que son cœur s'est arrêté de battre. Je crois avoir mentionné cet incident dans ma lettre.

J'acquiesçai.

— Khin Khin a raconté que la santé de Nu Nu se détériorait depuis des années. Elle avait commencé à imaginer des choses, sa mémoire la trahissait, elle partait se promener et ne retrouvait plus le chemin du retour. Dès qu'elle apercevait des soldats ou même simplement une Jeep de l'armée, elle était paralysée de terreur. Elle ne supportait pas de voir des bottes noires. Elle se réveillait souvent la nuit en hurlant très fort, rien ne pouvait l'apaiser. Elle avait le corps entièrement couvert de taches rouges. Elle mangeait très peu, comme si elle essayait de se laisser mourir de faim. Elle avait le cœur faible. Un esprit tourmenté. Sa mort n'a surpris personne. Seules les circonstances sortaient vraiment de l'ordinaire.

— Et Ko Gyi ? Pourquoi n'est-il pas revenu s'occuper d'elle ?

— La dernière fois qu'elles ont entendu parler de lui, c'était il y a cinq ans, quand elles ont reçu des nouvelles d'Australie ; il leur a envoyé un peu d'argent. Apparemment, il s'est installé là-bas. Plus un signe depuis. Quoique, il est possible que ses lettres se soient perdues ou aient été ouvertes.

Mon frère ferma brusquement les yeux et, moi, je me sentis submergée par une immense fatigue.

— Voudrais-tu écouter un peu de musique, avant d'aller te coucher ?

— Je n'aimerais mieux pas.

Il ne réagit pas immédiatement. Pour la première fois, je sentis que le silence entre nous était agréable.

— Crois-tu que la voix à l'intérieur de moi va maintenant se taire ?

— Je n'en sais rien.

— Bien sûr. Mais qu'est-ce que tu en penses ?

— On verra, répondit-il de façon évasive. Avait-elle quoi que ce soit à ajouter pendant le récit de Khin Khin ?

— Non.

— C'est bon signe, tu ne crois pas ?

Je haussai les épaules, ne sachant que penser.

— J'imagine que oui.

Il réfréna difficilement un bâillement.

— Pardonne-moi. Je suis épuisé. La journée a été éprouvante pour moi.

— Pour moi aussi.

— As-tu besoin de quelque chose pour la nuit ?

— Non.

Il se leva et s'approcha de moi ; il prit doucement mon visage dans ses mains et m'embrassa sur le front.

— Dors bien.

— Toi aussi.

— Réveille-moi si tu fais des cauchemars.

20

Je fus réveillée en pleine nuit par de bruyants sanglots. Était-ce mon frère qui pleurait ? Je me levai
et cherchai à tâtons la lampe torche posée près du
canapé. Dans cette faible lumière, je me dirigeai sur la
pointe des pieds vers sa chambre et je l'entendis derrière le rideau respirer paisiblement, régulièrement
dans son sommeil. Avais-je imaginé ces pleurs ? Ou
bien la voix était-elle de retour ? M'avait-elle réveillée ? Je tendis l'oreille. Des insectes. Un chien aboya
au loin. Un autre lui répondit. Silence.

Je me recouchai sur le canapé, restai aux aguets
encore une minute puis je me rendormis.

Ce fut la voix qui me réveilla pour la deuxième fois.

Où est Thar Thar ?

Je me redressai brusquement sur mon séant en scrutant l'obscurité. J'avais l'impression que quelqu'un
s'adressait à moi, tapi dans l'ombre.

Qu'est-il arrivé à mon fils ? Qu'ont-ils fait de lui ?

Un frisson me parcourut la colonne vertébrale et je
tâtonnai à nouveau à la recherche de la lampe mais je
ne parvins pas à la trouver.

Pourquoi ne m'as-tu pas écoutée ? Pourquoi n'es-tu pas rentrée à New York ? Tout ça va mal finir.

Brusquement, la lumière surgit et je vis U Ba debout devant moi.

— Que s'est-il passé ? demanda-t-il d'un ton inquiet.

J'étais trop surprise pour répondre.

— Tu as crié dans ton sommeil, ajouta-t-il.

— La voix, j'ai entendu la voix, dis-je en examinant la pièce.

Il s'assit à côté de moi.

— Tu en es certaine ?

— Oui. Non. Je ne sais pas. Ça ressemblait à la voix.

— Qu'a-t-elle dit ?

J'étais trop secouée ; je ne parvenais pas à me concentrer.

— Voulait-elle savoir où se trouve Thar Thar ? interrogea mon frère.

— Oui.

— Et quoi d'autre ?

— Elle a dit que j'aurais mieux fait de rentrer à New York. Que nos recherches vont mal se terminer.

U Ba hocha la tête.

— Elle parlait sur quel ton ?

Je tentai de m'en souvenir mais je commençai à douter de moi-même.

— Je ne suis plus sûre de rien. Peut-être, dis-je d'une voix hésitante, peut-être était-ce juste un rêve.

— Je ne crois pas.

Il faisait froid. Je remontai les couvertures jusqu'au menton et je m'enfonçai profondément dans les coussins en m'allongeant jusqu'à me retrouver la tête posée sur les genoux de mon frère. J'étais à la fois bien réveillée et totalement épuisée. Et si tout cela, c'était pour rien ? Le moine s'était-il trompé ou bien avais-je été trop crédule (« deux âmes dans un seul corps ») en suivant une superstition idiote ?

— Le moine a dit que la voix cesserait quand je trouverais à qui elle appartenait et pourquoi cette femme était morte, expliquai-je. Nous avons accompli cela. Tu crois qu'il s'est trompé ? Ou qu'il ne s'agit pas de la bonne personne ?

— Ni l'un ni l'autre, répondit mon frère.

Puis il garda le silence un long moment.

— Mais je crois qu'elle ne partira pas tant que nous ne connaîtrons pas l'entière vérité. Sinon, comment cette âme inquiète pourrait-elle trouver la paix ?

— L'entière vérité ? Khin Khin nous a-t-elle menti ?

— Non. Mais il faut que nous sachions ce qu'est devenu Thar Thar. Une mère a besoin de savoir comment est mort son enfant. Elle veut savoir où il est enterré. Elle ne lâchera pas prise avant.

U Ba repoussa en arrière les mèches de cheveux qui me barraient le visage et me regarda pensivement.

— Y a-t-il un indice dont tu ne m'aurais pas encore parlé ? demandai-je prudemment.

— Pas un indice. Plutôt une rumeur. Khin Khin a fait une allusion hier à laquelle je n'ai pas prêté beaucoup d'attention.

— De quoi s'agit-il ?

— On a dit qu'un des garçons s'était ensuite enfui. Pareilles tentatives réussissent rarement. D'après elle, personne dans le village n'accepterait d'entrer dans les détails ou de laisser penser que quelqu'un pourrait être au courant. C'est la mort assurée pour les déserteurs, leur famille et quiconque les aide. Mais la rumeur persiste tout de même.

La nervosité gagna soudain mon frère. Il continuait à me caresser la tête mais ses pensées vagabondaient. Sa respiration s'accéléra, son estomac se mit à gronder. Brusquement, il se leva et disparut dans sa chambre sans dire un mot; il réapparut quelques instants plus tard, habillé de pied en cap.

— Le soleil ne va pas tarder à se lever. Il faut que j'aille revoir Khin Khin. Je n'ai pas posé de question là-dessus hier. Peut-être sait-elle quel a été le destin de ce garçon.

Je n'avais aucune envie de rester seule.

— Je peux t'accompagner?

U Ba secoua la tête.

— Mieux vaut que j'y aille seul cette fois. Je n'en ai pas pour longtemps. Attends-moi ici. Si quelqu'un passe me voir, qui que ce soit, réponds que tu ignores où je suis et quand je vais rentrer.

J'acquiesçai, mal à l'aise.

Il dévala les marches et traversa la cour à grands pas.

Par les fenêtres ouvertes, les premières lueurs du jour entraient dans la maison. Les coqs chantaient et les cochons sous la maison s'étaient réveillés. J'avais envie de me lever, d'allumer le feu, de faire bouillir de l'eau et de préparer un petit déjeuner, mais je me sentais trop épuisée. Au lieu de ça, je m'enfonçais plus profondément sous les couvertures. Je ne pouvais penser qu'à Thar Thar. Ce devait être un individu exceptionnel. De mon âge environ. J'aurais bien aimé le connaître.

Le souvenir de mon frère et de ma mère s'imposa brusquement à moi. Nous passions beaucoup de temps rien que nous trois parce que mon père travaillait tard et voyageait souvent. Un jour d'été particulier me revint en mémoire. Ma mère, mon frère et moi, nous étions sur la plage à Long Island. Je devais avoir six ou sept ans. Je les voyais devant moi assis sur leurs serviettes en train de s'enduire mutuellement de crème solaire. Le dos. Les bras. Les jambes. Le visage. Puis ils s'étaient levés et ils avaient couru dans l'eau, en m'oubliant complètement. J'avais couru derrière eux pour patauger dans les vagues et, pendant qu'ils s'éloignaient à la nage, moi, j'avais creusé des trous dans le sable. Ce soir-là, mes cuisses, mes bras et mon nez étaient si rouges que mon père m'avait emmenée chez le médecin.

Brûlures au premier et deuxième degré.

Pas vraiment superficielles.

Nous n'étions pas proches. Nous ne l'avions jamais été. Mon frère et moi, ça c'était sûr. Mais pas non plus ma mère et moi. Pourquoi, je ne l'ai jamais su. Je soupçonne qu'elle non plus ne le savait pas. Peut-être, comme Thar Thar, étais-je venue perturber une fête à deux. Je me demandais s'ils avaient planifié ma naissance ou si j'étais un « accident ». Je l'ignorais. Ce n'était pas le genre de choses dont on discutait dans la famille.

Une New-Yorkaise adulte ? Avec un petit cœur ? Sans beaucoup de place dedans ? Mais c'était le seul qu'elle avait.

J'étais encore couchée sur le canapé quand j'entendis U Ba rentrer. Il était hors d'haleine et je ne l'avais jamais vu l'air aussi excité. Une ombre de déception passa dans son regard quand il vit que j'étais encore au lit.

— Elle pense que la rumeur est exacte.

Il prit une profonde inspiration.

— Un des garçons a réussi à s'enfuir ?

— Oui.

Il tourna la tête vers mon gros sac à dos.

— Peux-tu préparer dans ton petit sac quelques affaires pour un court voyage ?

— Bien sûr. Pourquoi ?

— Il faut qu'on s'en aille.

— On s'en va ? Quand ?

— Maintenant. Tout de suite.

Pendant combien de temps ?

— Quelques jours.

— Où allons-nous ?

Il réfléchit un bon moment.

— Dans l'île.

— Quelle île ?

— *Thay hsone thu mya, a hti kyan thu mya a thet shin nay thu mya san sar yar kywn go thwa mai*, dit-il en birman.

— Je ne comprends pas un mot.

21

Il ne nous fallut pas aller très loin. L'homme que nous cherchions vivait apparemment depuis des années à Thazi, une ville située sur la ligne de chemin de fer entre Rangoun et Mandalay, à cinq heures d'autocar de Kalaw. Il était marié, il avait deux ou trois enfants. Son beau-père possédait un garage dans la rue principale, où il était censé occuper un emploi de mécanicien. Il avait été un des garçons embarqués par les militaires ce matin-là au village. Au bout de quelques années, il avait réussi à s'enfuir. Pourrait-il nous apprendre quelque chose sur Thar Thar ?

En faisant du stop, nous réussîmes à monter dans le premier camion qui partait à Thazi. U Ba grimpa sur le toit, où une dizaine de jeunes gens s'entassaient au milieu des paquets et des sacs de provisions. Quelqu'un me hissa sur la plate-forme où, à première vue, il n'y avait pourtant pas la moindre place libre. Les autres passagers se serrèrent davantage ; un enfant s'assit sur les genoux de sa mère et je me glissai entre eux et une vieille femme sur une palette en bois. Nous étions tellement tassés que, le souffle court, je commençai immédiatement à ruisseler de sueur.

La route en pente raide descendait en virages étroits vers la vallée. Mon angoisse augmentait à chacun de ces virages. J'avais la nausée et j'étais sur le point de vomir. Sortir. Il fallait que je sorte. Au premier arrêt, je me faufilai à l'extérieur et montai sur le toit, à côté de mon frère. Nous étions tout devant, au-dessus du chauffeur, cramponnés à la calandre sur laquelle nous étions assis. Le véhicule était totalement en surcharge. À chaque tournant, il penchait dangereusement.

La route était jonchée de nids-de-poule ravinés par la saison des pluies. Les bas-côtés étaient carrément à pic. Il n'y avait aucune rambarde, aucune barrière de sécurité d'aucune sorte. Dans la végétation en contrebas, on apercevait de temps en temps une épave. La vague de panique que je sentais monter menaçait de me submerger à tout moment. Mon frère sentit à quel point j'avais peur.

— Regarde le ciel. Respire profondément et pense à autre chose, me conseilla-t-il.

J'essayai d'obéir. Je levai les yeux, je me concentrai sur mon souffle, je pensai à New York, à Amy, à mon appartement. Cela ne contribua nullement à me calmer. Je pensai à la mer. À une longue plage, au roulement monotone des vagues, à la voix d'U Ba venant jusqu'à moi dans un flot continu de paroles. J'entendis le chant des novices dans un monastère au petit matin et, petit à petit, je m'apaisai.

La première chose que nous vîmes de Maung Tun, ce furent ses longues jambes maigres. Il était couché sous une camionnette et il tapait sur quelque chose avec un marteau. Les autres mécaniciens avec leurs longyis noués haut et leurs T-shirts trempés de sueur nous dévisageaient avec curiosité.

— Eh, Maung Tun ! finit par appeler l'un d'eux.

Les coups de marteau cessèrent. Un homme maculé d'huile sortit de sous le véhicule.

Il était aussi grand que moi et il nous examinait d'un air surpris. Un homme défait avec des yeux rapprochés, des sourcils épais, un visage étroit aux pommettes accentuées et une profonde cicatrice sur le front. Les lèvres et les dents rougies par le jus des noix de bétel. Il lui manquait deux doigts à la main gauche.

Le regard de Maung Tun ne cessait de passer de mon frère à moi. U Ba lui posa une question. Il hocha la tête, énervé, saisit un chiffon et tenta, sans grand succès, de se nettoyer les mains.

U Ba parla à nouveau et, même si je ne comprenais pas un mot, je savais à peu près ce qu'il racontait. Nous voulions l'inviter dans une maison de thé ou, s'il avait faim, dans un restaurant chinois non loin de là.

Maung Tun hocha la tête et dit quelque chose aux autres hommes qui reprirent leur travail.

— Il n'a pas faim, me chuchota mon frère, mais il accepte volontiers de venir avec nous dans une maison de thé.

Il faisait beaucoup plus chaud à Thazi qu'à Kalaw. La lumière était aveuglante. Je mis mes lunettes noires mais je les retirai aussitôt. Cela me mettait mal à l'aise d'être la seule à profiter d'une protection contre le soleil.

U Ba et Maung Tun marchaient devant, plongés dans leur conversation. Nous traversâmes la rue principale où la circulation était très animée. Camionnettes, tracteurs, camions et cars passaient au milieu des chars à bœuf, d'une voiture à cheval, des piétons et des vélos. La chaussée était sèche et sableuse. Les voitures soulevaient un nuage de poussière sur leur passage. Au milieu de la rue, U Ba s'arrêta brusquement, s'appuya lourdement sur moi et se mit à tousser. Maung Tun l'attrapa par le bras et nous entraîna jusqu'au trottoir.

Dans la maison de thé, Maung Tun alluma une cigarette, tira dessus à deux reprises, puis se tourna vers moi et dit quelque chose.

Je regardai mon frère pour qu'il me vienne en aide.

— Il voudrait savoir pourquoi tu t'intéresses à Thar Thar, traduisit-il.

Je m'attendais à cette question et, histoire de ne pas avoir l'air d'une idiote en avouant que j'entendais des voix, j'avais concocté un récit compliqué à propos de parents éloignés de Thar Thar qui vivaient maintenant en Amérique et se trouvaient être, par pure coïncidence, mes voisins et ils avaient demandé de… mais avant que j'aie pu prononcer un mot, U Ba était déjà en train de répondre à ma place.

— Qu'est-ce que tu lui racontes ? l'interrompis-je.

— Que tu entends la voix de sa mère morte et que tu as besoin de savoir ce qui est arrivé à Thar Thar pour que la voix, un jour, te laisse tranquille.

Maung Tun me fit un signe d'acquiescement, d'un air très compréhensif, comme si ma situation était la chose la plus banale du monde. Il garda le silence un long moment avant de prononcer quelques mots qu'il demanda à mon frère de traduire.

— Il dit qu'il n'aime pas parler de l'époque où il était porteur. Même sa femme en ignore tout. Mais, pour Nu Nu, il est prêt à faire une exception. Elle mérite de savoir ce qui est arrivé à Thar Thar. Elle mérite de savoir à quel point son fils était un héros.

Je le remerciai. Et aussi de la part de Nu Nu.

Maung Tun écrasa sa cigarette, se pencha en avant et commença son récit.

22

Les soldats avaient déroulé du fil de fer barbelé autour d'un champ juste à l'extérieur du village et ils nous gardaient parqués dans cet enclos. La nuit était froide. Nous étions assis en cercle pour nous tenir chaud. Thar Thar et Ko Gyi étaient à côté de moi. Je les connaissais bien tous les deux. Nous avions le même âge et nous avions joué ensemble quand nous étions gosses. Thar Thar a pris son frère, qui tremblait de la tête aux pieds, dans ses bras. Les soldats nous avaient interdit de parler. Personne ne disait un mot. On n'entendait rien que le râle bruyant de la peur. Soudain, un soldat a crié dans la nuit que Ko Gyi et Thar Thar devaient venir à la barrière. Ils se sont levés tous les deux et j'ai reconnu leur mère qui les attendait dans la lumière de la lune. Ils sont restés à chuchoter un petit moment. Ko Gyi n'arrêtait pas de secouer la tête. Nu Nu pleurait. Et puis elle l'a pris par la main et elle a essayé de l'emmener. Il ne voulait pas partir. Les deux frères se sont retrouvés à nouveau face à face. Ko Gyi a passé quelque chose autour du cou de Thar Thar. Deux soldats sont arrivés et ont ordonné à Nu

Nu de dégager ; ils ont emmené la mère et le fils plus loin, dans l'obscurité.

Thar Thar les a regardés partir. Il restait immobile à côté des barbelés. Pendant plusieurs minutes. Les gardiens n'arrêtaient pas de l'appeler pour qu'il revienne s'asseoir avec les autres – immédiatement ! –, mais Thar Thar ne réagissait pas. Il a fallu qu'un soldat lui enfonce violemment la crosse de son fusil dans les côtes pour qu'il bouge, fasse volte-face et revienne vers nous. J'ai été terrifié quand j'ai vu son visage. Il avait les yeux agrandis, les joues creuses, il était pâle et, là, c'était lui qui frissonnait.

Il est resté là, debout entre nous, et il continuait à fixer l'endroit où sa mère et son frère avaient disparu. Les soldats le menaçaient des pires représailles et nous on essayait de le tirer par les mains pour le faire asseoir, mais il se dégageait. Les choses ont fini par se calmer et je me suis endormi. Thar Thar était toujours debout au même endroit quand je me suis réveillé à l'aube.

Thar Thar et moi, on s'est retrouvés collés l'un contre l'autre dans le camion qui nous emmenait à la caserne. Il était affalé contre les planches, il ne se retenait pas. Il y avait de sacrés cahots, il n'arrêtait pas de se cogner la tête et le sang a fini par ruisseler sur son visage. Ça puait terriblement dans le camion parce que quelques-uns avaient vomi. Thar Thar paraissait aussi indifférent au sang qu'à la puanteur.

Au camp, un officier nous a répartis en deux unités. Certains d'entre nous sont partis directement dans un autre convoi. J'ai atterri avec Thar Thar dans un groupe plus restreint qui restait à la caserne. J'ai appris plus tard que cela nous avait sauvé la vie, en tout cas dans un premier temps. Les autres sont allés immédiatement sur le front et, de ce que je sais, pas un seul d'entre eux n'a survécu dans les mois qui ont suivi.

L'officier nous a encore divisés en plus petits groupes. Si on avait un peu d'expérience comme mécanicien ou ouvrier métallurgiste, on se retrouvait dans un atelier. D'autres, direction la buanderie. Ils ont demandé à Thar Thar s'il savait cuisiner. Il a dit oui et ils l'ont envoyé aux cuisines et moi avec.

On a passé près de deux ans à la caserne. Comparé à ce qu'on a connu ensuite, c'était la belle vie. Ils nous cognaient rarement sans raison ; il y avait presque toujours suffisamment à manger ; on dormait sur des palettes dans un des baraquements. L'hiver, on avait même quelques couvertures qu'on partageait.

Rapidement, Thar Thar s'est retrouvé très respecté parce que c'était un cuisinier extraordinaire. Sa spécialité, c'était la galette de riz. Je reste persuadé que sa cuisine, c'était la seule chose qui nous préservait du front ; les officiers n'avaient aucune envie d'être privés de ses plats.

Ma survie dépendait de la sienne. Je faisais tous les efforts possibles pour être son irremplaçable adjoint : les légumes, je les nettoyais, je les épluchais et je les coupais, je cuisais le riz, je tuais les poules quand les officiers supérieurs avaient des envies de viande.

Je pense que certains d'entre eux ont fini par trouver Thar Thar assez terrifiant. Il n'a pas prononcé plus d'une poignée de phrases pendant ces deux années. Il travaillait en silence, quelle que soit la tâche assignée, il répondait d'un signe de tête, il évitait toute conversation. Il ne riait jamais d'aucune plaisanterie. Si ces plaisanteries s'exerçaient à ses dépens, il se contentait de les ignorer. Les menaces n'avaient aucune prise sur lui. Un commandant l'a frappé en pleine figure en menaçant de l'envoyer au front dès le lendemain parce qu'un repas n'était pas prêt à l'heure. Thar Thar l'a dévisagé sans rien dire jusqu'à ce que le commandant détourne les yeux, mal à l'aise.

Pour certains, cette absence de peur était la marque d'un esprit simplet. D'autres pensaient qu'il était muet. Je savais qu'il n'était ni l'un ni l'autre et j'avais déjà beaucoup d'admiration pour sa bravoure avant même de savoir ce qui allait nous arriver. Thar Thar était l'homme le plus courageux que j'aie jamais rencontré de ma vie.

Même quand il se blessait, il ne disait jamais un mot. Une fois, il a renversé une marmite d'eau bouillante. L'eau s'est déversée sur ses jambes mais il s'est contenté de grimacer. Il a regardé sa chair ébouillantée comme si elle appartenait à quelqu'un d'autre.

Dans nos baraquements, les palettes étaient tellement tassées les unes contre les autres qu'on pouvait entendre l'estomac du voisin gronder. La première année, je l'ai entendu pleurer la nuit de temps en temps. Parfois, il me saisissait la main dans l'obscurité et il la serrait si fort que ça faisait mal. Il la gardait longtemps.

Chaque fois que je lui demandais si je pouvais faire quoi que ce soit pour lui, il me répondait toujours «non, merci».

Merci.

J'avais pratiquement oublié jusqu'à l'existence de ce mot.

Seul le sommeil parvenait à lui délier la langue. Dans la nuit, il appelait sa mère ou son père. Ou marmonnait des phrases dont je ne parvenais à distinguer que des fragments.

J'ai toujours voulu lui demander ce qui s'était passé la nuit où sa mère était venue récupérer Ko Gyi, mais je n'ai jamais osé.

Lorsque les militaires ont commencé à préparer une grande offensive contre les rebelles, Thar Thar et moi, on a fini par se retrouver envoyés dans la jungle, nous aussi.

À cette époque, on avait déjà entendu suffisamment d'histoires racontées par les soldats pour savoir que nos chances de revenir vivants étaient à peu près nulles. J'étais rongé par la peur. Plus notre départ approchait, moins j'étais capable de l'aider à la cuisine parce que j'enchaînais diarrhées et vomissements. À voir Thar Thar, cependant, on n'aurait jamais cru que la situation avait radicalement changé. J'ai alors commencé à soupçonner ce qui, dans la jungle, s'est finalement avéré : ça lui était totalement égal. Il n'avait pas plus peur de la mort que de l'agonie. Le temps que je comprenne enfin ce dont il avait vraiment peur, c'était trop tard.

Lorsque est arrivé le moment fatal, les soldats nous ont entassés dans deux camions ouverts. Nous avons roulé toute la journée sans aucune pause et, tard dans la soirée, nous avons fini par atteindre le camp de base où un régiment était stationné. De là, on devait se diviser en unités plus petites pour partir en expédition dans la jungle pendant des jours d'affilée – parfois des semaines.

L'atmosphère dans le camp était totalement différente de celle qui régnait à la caserne. Les soldats étaient nerveux et agressifs, ils distribuaient les coups de poing et les coups de pied sans raison. Si nous avions été des bêtes de somme, ils nous auraient mieux traités. La nuit, on était réveillés par des coups de feu tirés dans l'obscurité ; c'était les gardes qui craignaient une attaque des rebelles.

On dormait par terre, dans des huttes de bambou. Pour ceux de notre espèce, il n'y avait pas de toilettes prévues. Nous devions faire nos affaires dans un coin derrière les cabanes, où la merde s'empilait. Au crépuscule et à l'aube, les moustiques nous fonçaient dessus. Quiconque n'avait pas encore attrapé la malaria se retrouvait vite infecté.

Il n'y avait pas grand-chose à manger, presque toujours du riz, quelques légumes et, exceptionnellement, un morceau de poisson séché. La soif était pire que la faim. L'eau potable était rationnée. Nous avions droit à ce qu'il restait. Pas grand-chose. Les médicaments étaient réservés aux soldats. Plaies purulentes, crises de malaria, pneumonies, morsures de serpent. Chaque fois que l'un de nous était gravement malade, ils l'emmenaient dans une baraque à l'autre extrémité du camp. Très peu en revenaient. On l'appelait la Baraque de la mort.

Le rythme quotidien était monotone. On faisait la lessive des soldats, on préparait les repas, on travaillait sur les fortifications du camp, on réparait les tours de guet, on creusait des fossés. Le reste du temps, on s'asseyait et on attendait. Seule la moitié des porteurs revenait de toute manœuvre, quelle qu'elle fût. Au mieux.

Une semaine après notre arrivée, on a reçu l'ordre de partir pour notre première mission. Avec vingt autres porteurs, nous devions accompagner une vingtaine de soldats qui étaient censés apporter des vivres et des munitions à un avant-poste situé à deux jours de marche.

Nous sommes partis à l'aube. Je portais un sac de riz de vingt-cinq kilos ; Thar Thar une caisse encore plus lourde de grenades à main. Il était le plus grand et le plus fort de nous tous et il dominait de cinq bons centimètres même le capitaine qui, pourtant, n'était pas ce qu'on peut appeler de petite taille.

Au bout de deux cents mètres, le chemin s'enfonçait directement dans la forêt. En dépit de l'heure matinale, il faisait déjà chaud et humide. Très vite, on s'est retrouvés avec chemises et longyis collés au corps par la sueur. Les moustiques affamés grouillaient autour de nous sans qu'on puisse les chasser. Nous suivions un sentier qui plongeait toujours plus profondément dans la jungle. Deux heures avaient dû s'écouler quand j'ai commencé à sentir que je ne pouvais plus continuer. Mes épaules et mes jambes me faisaient atrocement souffrir. Nous étions pieds nus et les miens étaient tout ensanglantés parce que j'avais marché sur une branche couverte d'épines. Je ne me serais jamais cru capable d'en supporter autant.

Thar Thar se trouvait juste derrière moi et il voyait que j'étais épuisé. Il me disait des paroles encourageantes, il me répétait que j'allais y arriver, que ce ne devait plus être loin, que nous allions bientôt faire une pause. Il a profité de ce que personne ne regardait pour me décharger de mon sac de riz pendant un moment.

Les soldats nous ont ordonné de marcher en tête à tour de rôle. Eux suivraient les trois ou quatre premiers porteurs à une certaine distance, les mitraillettes prêtes. Ils étaient au moins aussi terrifiés que nous. Si nous tombions dans un piège, leurs chances de survie ici en pleine jungle n'étaient guère plus élevées que les nôtres.

Lorsque est venu mon tour, j'avais les jambes qui tremblaient. À chaque pas, je pouvais déclencher une mine. Je me sentais paralysé, incapable de poser un pied devant l'autre. Un soldat a brandi son arme d'un air menaçant, en m'aboyant d'accélérer l'allure. J'ai jeté un regard affolé à Thar Thar. Il s'est avancé en disant qu'il allait prendre ma place en tête du groupe. Les soldats l'ont dévisagé d'un air soupçonneux. Un cinglé ? Un piège ? Une tentative de fuite ? Qui était assez fou pour se porter volontaire ? Comme, en fait, ça leur était bien égal de savoir qui risquait sa vie pour eux, ils ont laissé Thar Thar marcher en tête. Il avançait d'un pas prudent, mais rapide, scrutant intensément la terre et le sous-bois pour repérer quoi que ce soit de louche. Brusquement, il s'est arrêté. À quelques mètres devant lui, la terre avait été remuée. Quelqu'un avait-il enterré quelque chose ou était-ce simplement un animal en quête de nourriture ? Nous avons reculé, un soldat a tiré quelques coups de feu, rien ne s'est passé. Thar Thar a repris sa marche et nous l'avons suivi, à quelques mètres de distance.

En début d'après-midi, nous sommes parvenus à la lisière de la jungle. Devant nous s'étendaient des rizières où l'eau nous montait jusqu'aux genoux. Il fallait que nous les traversions. D'après leurs réactions, je voyais que les soldats redoutaient ce passage encore plus que la forêt. Le capitaine a crié quelques ordres. Chaque soldat a pris un porteur comme bouclier et avançait collé contre lui. Il fallait longer une chaussée et nous étions à peu près à mi-chemin quand les coups de feu ont retenti. Au début, je n'ai pas compris ce qui se passait et puis j'ai vu un groupe de porteurs s'écrouler ; les soldats poussaient des cris, c'était la panique, nous avons sauté dans la rizière et nous nous sommes cachés dans le riz. J'étais allongé par terre et j'enfonçais mes doigts dans la boue. Thar Thar était couché non loin de là.

Sur la chaussée au-dessus de moi, un porteur gémissait. Je me suis enfoncé encore plus profondément dans la boue si bien que j'en étais presque complètement recouvert. Les balles ricochaient et, à un moment, j'ai entendu les soldats nous ordonner d'aller nous occuper des blessés. Je n'ai pas bougé. En fait, ils voulaient seulement vérifier si les rebelles étaient prêts à rouvrir le feu. À côté de moi, Thar Thar s'est levé et il a rampé jusqu'à la route. Je retenais mon souffle, j'avais peur du prochain tir, mais tout était calme.

Les soldats s'étaient servis de nous pour arrêter les balles. Quatre d'entre nous gisaient blessés. Un cinquième était mort. Deux officiers ont rapidement discuté de ce qu'il convenait de faire et nous ont ordonné d'abandonner les blessés. Ils ne feraient que nous ralentir.

Les blessés nous suppliaient de les emmener. L'un d'eux s'est relevé pour montrer qu'il pouvait marcher, qu'il ne serait pas un fardeau pour les autres. Il a fait deux pas en chancelant puis il s'est écroulé, évanoui, juste devant moi. Le sang, qui coulait par une plaie ouverte dans son ventre, était absorbé par la terre. Un capitaine a hurlé qu'on devait le laisser où il était et avancer si on ne voulait pas se retrouver de nouveau sous un feu nourri. Cinquante mètres plus loin, je me suis retourné et j'ai vu deux des blessés essayer de nous suivre à quatre pattes. Quand ils ont commencé à crier en nous implorant de les attendre, de ne pas les abandonner là, le capitaine lui-même leur a tiré dessus. Quatre coups de feu plus tard, un silence de plomb était tombé sur la rizière.

Je devais maintenant me charger du sac de riz d'un des morts et, très vite, j'ai senti mes forces me trahir. Mes jambes ont cédé à plusieurs reprises et j'ai fini par m'écrouler.

J'étais couché par terre, je sentais le goût douceâtre du sang dans ma bouche, j'écoutais mon cœur battre à toute vitesse tandis que les insectes bourdonnaient autour de ma tête. Pour moi, c'était la fin du voyage.

Debout, remue-toi, m'ont ordonné les soldats, mais ça m'était impossible. L'un d'eux m'a fait rouler sur le dos du bout de son pied, il a visé ma tête avec son fusil et il m'a menacé de tirer. J'ai marmonné je ne sais quoi et j'ai fermé les yeux. Brusquement, Thar Thar a murmuré quelque chose dans mon oreille, en me disant de ne pas lâcher maintenant, ce n'était plus très loin, encore une heure au maximum, c'était ce que lui avait dit le capitaine et lui, Thar Thar, il allait porter mes deux sacs. Il m'a pris par la main et il m'a remis debout.

Je n'ai aucun souvenir de la façon dont je suis arrivé jusqu'à l'avant-poste.

Nous avions pensé qu'une fois là nous serions à l'abri. Quelle erreur. Les rebelles avaient attaqué à deux reprises ces jours derniers. Les soldats s'attendaient à une nouvelle attaque incessamment. Ils n'étaient pas plus âgés que nous mais plus brutaux que n'importe quel homme que j'aie rencontré. Ils ont laissé l'un des nôtres à moitié mort pour un bol de riz renversé. Le lendemain matin, ils en ont obligé un autre à rester debout sur une jambe en plein soleil jusqu'à ce qu'il s'évanouisse. Ils lançaient sans arrêt des paris sur le temps qu'il allait tenir.

Sur le chemin du retour, nous avons perdu un porteur sur une mine. C'était le plus jeune d'entre nous et il venait juste de remplacer Thar Thar en tête de cortège. J'ai entendu l'explosion et j'ai cru d'abord que c'était Thar Thar. Les soldats se sont mis à couvert dans la végétation. Nous, les porteurs, on s'est jetés à terre. Comme cela n'a été suivi d'aucun coup de feu ni d'aucune autre explosion, j'ai relevé la tête et j'ai vu Thar Thar ramper vers le blessé. Il avait perdu un pied et il est mort quelques minutes plus tard dans les bras de Thar Thar.

Cette première mission nous a tous changés. Jusque-là, je pense que la plupart d'entre nous avaient encore l'espoir de sortir vivants de cet enfer.

Désormais, nous avions compris qu'il n'y avait aucune issue. Nous étions condamnés à mourir. Si nous n'étions pas déchiquetés par une mine lors de la prochaine mission, alors nous serions atteints par une balle ou battus à mort par un soldat. C'était une question de semaines, de mois, peut-être un an si la chance était avec nous. Il n'y avait aucune autre solution. Les militaires ne renvoyaient pas les gens chez eux, ils étaient morts avant.

Même Thar Thar paraissait avoir changé.

J'avais l'impression que c'était seulement maintenant qu'il était prêt à mettre le destin à l'épreuve.

Après notre retour de cette première mission, l'un d'entre nous a été surpris en train de voler une poignée de riz. Puisqu'il l'avait volée sur nos rations, nous étions censés le punir en le frappant à coups de bambou. Ils lui ont attaché les mains, ils ont déchiré sa chemise. Un capitaine nous a montré comment nous y prendre. Il a abattu le bambou avec une telle violence que le gars a hurlé et que sa peau a éclaté. Après, c'était notre tour. Si on ne frappait pas suffisamment fort, ils nous ont prévenus, on aurait droit à la même punition que le voleur.

Le premier porteur était hésitant, il a levé la canne à contrecœur, il nous a regardés comme s'il nous appelait à l'aide mais qu'est-ce qu'on pouvait faire. L'officier s'est mis à crier. Deux soldats se sont avancés pour lui arracher le bambou des mains mais il a secoué la tête d'un air terrifié et il a frappé très fort. La peau s'est déchirée en deux endroits et le sang a jailli en ruisselant sur le dos du gars. Il poussait des hurlements de douleur. Au bout de dix coups, son dos n'était plus qu'une plaie de la nuque jusqu'aux hanches. C'était mon tour. J'ai serré le bâton dans mes mains. Je me suis concentré, je l'ai levé haut et j'ai tapé aussi fort que j'ai pu. Ma victime sanglotait bruyamment. Soulagé, j'ai passé le bambou à Thar Thar. Il l'a pris, il l'a levé aussi haut que moi et il a amorcé un coup brutal. À la dernière seconde, il l'a retenu, il a regardé froidement le capitaine et il a tapé doucement le gars sur la tête.

Personne n'a bougé. Même pas les soldats.

L'officier a sorti son arme, il s'est avancé vers Thar Thar et il la lui a enfoncée dans le visage, le doigt sur la détente. Il tremblait de rage et, encore aujourd'hui, je suis sidéré qu'il n'ait pas tiré.

Thar Thar n'a pas reculé d'un pouce. Ils se sont dévisagés et le capitaine a dû voir dans les yeux de Thar Thar quelque chose qui l'a empêché de tirer. Plusieurs soldats sont accourus, ils ont ligoté Thar Thar et ils l'ont jeté par terre. Ils nous ont distribué d'autres tiges de bambou et ils nous ont ordonné de le frapper. Ils avaient particulièrement l'œil sur moi parce qu'ils savaient que nous étions amis. Je l'ai frappé de toutes mes forces.

Une fois notre tâche accomplie – il avait perdu conscience et la peau de son dos était en lambeaux –, les soldats ont repris où nous en étions restés. Quand ils en ont eu fini avec lui, quatre d'entre nous l'ont porté jusqu'à la Baraque de la mort.

Le lendemain, même si c'était interdit, je suis allé le voir là-bas. J'étais malheureux de ce que j'avais fait et j'avais honte ; pourtant, je savais que je me conduirais de la même façon si la situation se reproduisait.

Je n'étais pas un héros. Je n'en serais jamais un. Je ne voulais pas mourir.

Thar Thar gisait à moitié inconscient sur une paillasse avec une demi-douzaine d'autres porteurs. Certains étaient en pleine crise de malaria. D'autres souffraient de blessures par balle, d'infections ou de diarrhées tellement sévères qu'ils allaient bientôt en mourir. La baraque puait le pus, l'urine et la merde. Les sanglots et les gémissements étaient intolérables. Thar Thar était recroquevillé dans un coin. Des dizaines de mouches s'étaient installées sur ses plaies béantes. Il m'a reconnu et il a chuchoté qu'il était assoiffé et m'a réclamé de l'eau. J'ai promis de lui en apporter. Quand je suis retourné à la Baraque de la mort, des soldats m'ont arrêté pour savoir à qui cette eau était destinée. Ils l'ont bue d'une seule rasade et ils ont jeté la tasse par terre. Je l'ai ramassée et j'ai fait demi-tour sans un mot.

Le soir même, je les ai vus sortir six cadavres de la Baraque de la mort et les enterrer dans une tombe peu profonde.

Après cela, j'ai toujours fait un très grand détour pour éviter ce secteur du camp.

Dix jours plus tard, voilà Thar Thar qui surgit sur le seuil de notre baraquement. Voûté. À bout de forces, comme un bœuf décharné.

Mais vivant. Il n'était pas sorti de la Baraque de la mort sous forme de cadavre.

Nous l'avons soigné du mieux que nous pouvions, partageant avec lui nos vivres et notre eau, le lavant, éloignant les mouches et les moustiques qui l'empoisonnaient. Petit à petit, il a montré des signes de rétablissement et, quinze jours plus tard, il était à nouveau prêt à l'action.

Mais il n'était plus le même Thar Thar. Il était devenu agressif et instable. Il ne nous adressait plus la parole ; il ne nous avait pas pardonné.

Pendant les missions, il marchait toujours en tête. Volontairement ! Et il n'avait pas le pas léger. Il martelait la terre comme pour être sûr, s'il posait le pied sur une mine, de la faire exploser. Il cavalait avec un sac de riz sur les épaules. Les soldats devaient lui ordonner de ralentir parce que aucun de nous ne parvenait à suivre son allure.

Plus que tout, nous redoutions les sentiers envahis par la végétation, quand les bas-côtés étaient impénétrables et la terre enfouie sous les feuilles. Là encore, cependant, Thar Thar n'hésitait pas à prendre la tête du cortège. Les soldats lui confiaient une machette pour qu'il dégage la route. Il la balançait devant lui comme un fou, en tranchant tout ce qui lui tombait sous la main avec la longue lame aiguisée. Un cobra s'est dressé devant lui ; il lui a coupé la tête. Un autre, il l'a sectionné en deux d'un seul coup.

Nous étions tous contents qu'il nous dispense de ce travail mortel. Les soldats le laissaient prendre autant d'avance qu'il le souhaitait. Il y avait belle lurette qu'ils le considéraient comme un élément déstabilisant. Parfois, il marchait tellement loin devant qu'on n'entendait presque plus sa respiration sifflante et les bruits du bois coupé. Thar Thar aurait pu profiter de ces missions pour prendre la tangente mais, quand nous parvenions à destination, nous le trouvions toujours là à nous attendre. Ce n'est que plus tard que nous avons compris pourquoi.

Il a perdu un doigt sur une mine et une balle lui a éraflé le bras droit.

Il y a eu une phase où je me suis mis à avoir de plus en plus peur de lui.

Son regard me faisait froid dans le dos. Quand les autres revenaient vivants d'une sortie, on voyait dans leurs yeux la crainte de la mort, leur joie et leur soulagement, leur gratitude quand ils recevaient une ration de riz supplémentaire. Thar Thar demeurait toujours impassible. Comme si rien de ce qui se passait autour de lui ne le touchait.

Il ne résistait plus aux ordres des soldats. Pourtant, son obéissance était différente de la nôtre. On avait toujours l'impression qu'il n'avait pas peur d'eux, plutôt qu'il attendait simplement le bon moment pour se défendre.

Ou peut-être qu'il ne s'agissait nullement d'indifférence. Nous autres les porteurs, nous avions fini par lâcher prise et nous attendions la mort, sans ressort, complètement apathiques, alors que lui nourrissait un mépris qui n'épargnait rien ni personne et qui le maintenait en vie. J'avais le sentiment que, en définitive, il n'y avait pas beaucoup de distance entre son mépris et la brutalité des soldats.

Tout cela a changé le jour où Ko Bo Bo est arrivé dans le camp.

Il faisait partie d'un groupe de garçons qu'on venait d'arracher à leur village pour aller directement au front. Il était le plus jeune et physiquement le plus faible de tous. Ses poignets et ses chevilles délicats, ses grands yeux foncés, presque noirs, me faisaient penser à ma sœur. J'étais malheureux pour lui. C'était un gamin. J'en avais vu quelques-uns comme lui, avec cette constitution, débarquer au camp. Aucun d'eux n'avait tenu plus de quinze jours.

Pendant les premiers jours, il n'a pas osé sortir du baraquement. Blotti dans un coin tout le temps. Même la nuit. Nous lui donnions un petit bol de riz mais il n'y touchait pas. Quand on lui posait une question, il baissait la tête sans un mot. Deux d'entre nous se sont assis à ses côtés pour essayer de l'amadouer, mais il n'a pas réagi. Le troisième soir, Thar Thar a soulevé le gamin endormi dans ses bras et l'a allongé sur le matelas près de lui.

Pendant la nuit, j'ai entendu des chuchotements. J'ai reconnu la voix de Thar Thar mais l'autre m'était inconnue. Ce matin-là, pour la première fois, Ko Bo Bo a mangé un peu de riz et de poisson séché.

Quinze jours après son arrivée, il a dû participer à sa première patrouille. Les soldats voulaient fouiller un village. Ils soupçonnaient les paysans d'avoir planqué des armes pour les rebelles. Le hameau n'était qu'à quelques heures de marche et on pouvait l'atteindre facilement en suivant des chemins larges et bien tracés que les paysans empruntaient régulièrement avec leurs chars à bœuf, donc il n'y avait pas besoin de s'inquiéter des mines. Le trajet s'est fait sans histoires. Ko Bo Bo portait une cruche d'eau. Thar Thar marchait à côté de lui avec une caisse de munitions sur l'épaule. Étant donné que les soldats nous avaient ordonné de la boucler, personne n'a prononcé un mot pendant près de trois heures.

Les premiers à nous repérer ont été les enfants grimpés dans les arbres à l'entrée du village. Les soldats ont commencé par la première ferme ; six d'entre eux ont fouillé la maison et ses dépendances. Avec deux autres porteurs, j'ai dû retourner la terre dans plusieurs endroits, mais nous ne sommes tombés sur rien de louche. Trois femmes avec des bébés dans les bras, un vieillard et deux gamins nous observaient dans un silence terrifié. Je les voyais se tenir par la main en tremblant de peur.

Nous n'avons rien trouvé non plus dans la deuxième ferme. Mais la tension qui y régnait était encore plus forte que dans la première. Deux garçons, âgés peut-être de dix ou onze ans, ne cessaient de courir avec agitation et j'imaginais voir autre chose que la peur dans les coups d'œil d'une vieille femme mais sans savoir de quoi il s'agissait. Une jeune femme poussait des hurlements hystériques. Sa mère a dû déployer une énergie considérable pour réussir à la calmer.

La troisième ferme donnait l'impression que ses occupants venaient juste de la quitter. Des longyis et des chemises séchaient sur la corde à linge ; la fumée d'un feu vacillant sortait du toit ; des poules caquetantes voletaient de-ci, de-là. Aucune trace des fermiers. Deux soldats ont gravi les marches, l'arme à l'épaule, et, prudemment, ils ont fait le tour de la maison. Elle était vide. Un officier nous a donné l'ordre de creuser dessous mais, là non plus, nous n'avons rien trouvé. Brusquement, un soldat nous a appelés dans l'appentis. En braquant sa lampe torche sur la fosse d'aisance, il avait repéré ce qui semblait être le canon d'une arme. On nous a ordonné de détruire la cabane et, au bout de quelques minutes, la fosse s'est retrouvée à ciel ouvert.

Il pouvait s'agir d'un bâton. Deux porteurs ont dû descendre dedans. Ils se sont retrouvés enfoncés dans la merde jusqu'à la poitrine, pour fouiller. Quelques secondes plus tard, ils ont brandi un fusil. Et un autre. Et encore un autre.

C'est à ce moment-là que les premiers coups de feu ont retenti. Un officier a basculé tête la première dans les excréments. Deux soldats à côté sont tombés, touchés. Les autres ont riposté sans savoir de quelle direction venaient les tirs. J'ai entendu des grands cris, des coups de feu ; tout le monde essayait de se mettre à l'abri. Je me suis jeté à terre, j'ai roulé sur le côté et j'ai rampé aussi vite que j'ai pu derrière un tas de bois sous la maison. D'autres porteurs étaient déjà réfugiés là, dont Ko Bo Bo et Thar Thar. Un soldat qui tentait de nous rejoindre s'est pris une balle dans le dos. Il gisait inconscient à deux mètres de moi. Je voyais la terre noircir sous son corps. Nous avons entendu un bruit sourd au-dessus de nous, suivi par des cendres qui volaient autour. Quelques secondes plus tard, du sang dégoulinait du sol en bambou. Et nous avons compris que la cabane était en flammes.

Thar Thar a pris Ko Bo Bo par la main et ils ont couru vers la haie. Je les ai suivis. Nous avons trébuché sur un cadavre, nous avons perdu l'équilibre et nous avons continué à quatre pattes. Thar Thar s'est jeté de tout son poids dans la haie et nous a frayé un chemin vers la ferme voisine. Là aussi, il y avait des corps étendus et la maison était en flammes. Ça tirait de tous les côtés. Les soldats avaient perdu la tête. Dans leur chasse aux rebelles, ils couraient de maison en maison en tirant sur tout ce qui bougeait. Les poules, les chats, les chiens, les gens.

Nous sommes passés devant la première ferme en feu et nous nous sommes cachés derrière une meule de foin. Le vieillard gisait devant nous, couché sur deux gamins morts et le dos criblé de balles. Une des jeunes femmes perdait son sang au pied d'un palmier, la bouche et les yeux grands ouverts. Son bébé gigotait dans ses bras. Sans hésiter, Ko Bo Bo a quitté son abri pour ramper jusqu'à elle. Thar Thar a essayé de le retenir mais il était trop rapide. Il a pris le bébé des bras de sa mère morte et il est revenu vers nous.

Le bébé hurlait à pleins poumons mais il a fini par se calmer et se taire. De notre cachette, nous entendions les gosses appeler leurs mères, des hurlements, des appels au secours, des coups de feu. Je me demandais s'il y avait une chance de prendre la fuite mais le hameau était trop isolé. L'armée nous retrouverait avant que nous ayons le temps d'arriver quelque part.

Le silence qui a fini par tomber sur le village était plus terrifiant même que les rafales de coups de feu.

Les rebelles s'étaient enfuis ou bien avaient été tués. Nous avons vu les soldats qui cherchaient leurs porteurs et nous sommes sortis de notre cachette en rampant. Thar Thar a tenté de prendre le bébé des bras de Ko Bo Bo mais celui-ci le tenait serré contre lui comme si c'était le sien.

Nous nous sommes rassemblés devant la première ferme, nous les survivants, porteurs, soldats et quelques villageois. Un des soldats a repéré le bébé et ordonné à Ko Bo Bo de le lâcher immédiatement. Celui-ci n'a pas réagi.

Le soldat a armé son fusil et a crié qu'il le tuerait sur place s'il ne le posait pas immédiatement. Ko Bo Bo n'a toujours pas réagi. Non pas par esprit de désobéissance. Je voyais sur son visage qu'il ne pouvait pas faire autrement. Le soldat a levé son arme et a visé. Thar Thar s'est mis à parler doucement à Ko Bo Bo jusqu'à ce que celui-ci lâche prise. Puis il lui a pris le bébé, s'est dirigé lentement vers une jeune femme et le lui a mis dans les bras.

Après cette mission, les deux sont devenus inséparables. Thar Thar le considérait peut-être comme un petit frère dont il devait s'occuper. Ou peut-être simplement comme quelqu'un à protéger. J'ignore ce qu'il en était, mais ces deux-là étaient toujours ensemble. Ils lavaient leur linge ensemble à la rivière, ils préparaient à manger, ils nettoyaient les fusils, ils enterraient les cadavres de la Baraque de la mort. Ils se débrouillaient toujours pour se retrouver assignés au même groupe. Ils dormaient l'un près de l'autre et je me suis souvent endormi en les entendant chuchoter. Thar Thar le taciturne avait brusquement retrouvé la parole. Sa mauvaise humeur avait disparu, tout comme son agressivité. Il nous avait pardonné ce que nous lui avions fait, nous les porteurs. Entre Ko Bo Bo et lui s'était développée une relation qui n'avait pas sa place dans le monde où nous vivions. Ils discutaient ensemble longtemps après que les autres avaient cessé tout bavardage. Ils riaient ensemble. Durant tout le temps que j'ai passé au camp, c'étaient les seules personnes que j'ai vues sourire de temps en temps. Ils s'entraidaient. Chacun était attentif à l'autre dans un univers où celui qui survivait au-delà de la première quinzaine ne faisait plus attention qu'à lui-même. Je les enviais. Ils étaient liés par quelque secret qui les maintenait en vie. Je suis désolé de dire que je n'ai jamais découvert de quoi il s'agissait. Thar Thar et moi n'étions désormais plus assez proches.

Et ils étaient protégés par quelque force occulte. Six mois s'étaient écoulés et Ko Bo Bo était toujours vivant. La plupart d'entre nous estimaient que c'était le destin. Les étoiles leur souriaient.

Les mois passaient, une année puis une autre se sont écoulées. Nous n'étions guère plus d'une douzaine de porteurs à avoir survécu aussi longtemps. Peut-être était-ce la chance, l'instinct ou l'intuition qui nous faisaient réagir au bon moment en cas de danger. Ou peut-être était-ce seulement notre karma ; cependant, j'aurais du mal à dire si c'était un bon ou un mauvais karma qui nous amenait à survivre si longtemps dans un tel enfer.

La plupart d'entre nous se demandaient ce que nous avions fait dans une vie antérieure pour mériter pareille torture. Nous soupçonnions que nous avions dû être nous-mêmes soldats et que nous avions tué. Ou alors des ivrognes. Des assassins. Des brutes maltraitant les animaux.

Thar Thar et Ko Bo Bo ne se permettaient jamais d'émettre ce genre d'hypothèses. J'ignore s'ils suivaient l'enseignement de Bouddha. Je ne les ai jamais entendus en parler. Je ne les ai jamais vus méditer et je ne me souviens même pas de les avoir vus déposer une offrande sur le petit autel que nous avions installé dans le baraquement.

Le jour où notre chance a tourné a commencé par une ration supplémentaire de riz. Ce n'était pas bon signe. Chaque fois que nous avions du rab de nourriture, cela signifiait que nous étions désignés pour une mission spéciale. Un colonel est entré dans notre baraquement pour choisir une douzaine de porteurs. Thar Thar et moi, on a été les deux premiers. Ko Bo Bo s'est porté volontaire.

Nous devions accompagner dix soldats qui partaient vérifier une rumeur selon laquelle les rebelles auraient construit un pont sur une rivière des environs. Ils avaient récupéré de grandes étendues de territoire ces derniers mois et, plus d'une fois, ils avaient réussi à couper tout approvisionnement pendant plusieurs jours d'affilée. Le commandant s'attendait à une offensive de grande ampleur contre le camp. L'inquiétude grandissait parmi les soldats et il y avait même le projet d'abandonner les lieux. Nous, les porteurs, nous espérions que ces rumeurs se confirmeraient. Une victoire rebelle, si toutefois nous y survivions, c'était notre unique chance de pouvoir jamais nous enfuir.

Comme au cours de nombreuses autres missions, Thar Thar et Ko Bo Bo ont demandé à marcher en tête. Je me trouvais peut-être à dix mètres derrière eux. Un bon présage, je me disais. Ainsi répartis, nous étions jusqu'à présent toujours revenus vivants. La marche dans la forêt s'est déroulée sans anicroche et, lorsque nous sommes sortis du couvert des arbres, la rivière coulait juste devant nous. Elle était gonflée car on était en pleine saison des pluies et le courant était violent.

Et il y avait un pont.

Les soldats ont ordonné à Ko Bo Bo d'aller vérifier s'il y avait des explosifs dessous ou si nous pouvions l'utiliser pour traverser la rivière en toute sécurité. Côté escalade, il était le meilleur. Avec autant d'aisance que de grâce, il est descendu sur la berge, en sautant d'une pierre à un bout de bois, sans aucun appui. Il était presque parvenu sous le pont quand, soudain, il s'est redressé, il a levé les bras, il a vacillé, il a perdu l'équilibre et il est tombé.

Avec le rugissement de la rivière, je n'avais pas entendu le coup de feu.

Il a roulé sur la pente abrupte. Les autres porteurs et les soldats se sont mis à couvert. Je suis resté là, incapable de bouger. Thar Thar a poussé un cri et bondi sur la berge, il a fait la culbute, il s'est écrasé contre un rocher, il s'est relevé, il a sauté par-dessus des troncs d'arbre et des pierres, il est encore tombé, il a réussi à se relever.

Ko Bo Bo glissait vers la rivière. Curieusement, il n'y a pas eu de deuxième coup de feu, comme si, des deux côtés, on était captivés par le drame qui se déroulait sous nos yeux. Quelques secondes avant que Thar Thar n'atteigne son ami, le corps de celui-ci a glissé dans l'eau pour disparaître au premier tourbillon. Thar Thar a plongé aussitôt tête la première et il a disparu lui aussi dans les vagues.

Dans l'eau blanche d'écume, j'ai vu ressurgir la tête de Ko Bo Bo quelques mètres plus loin, puis celle de Thar Thar. Le courant les a jetés contre un affleurement rocheux, ils ont coulé, le bras de Thar Thar a jailli un instant avant de redisparaître. Je me suis retrouvé en proie à une peur comme je n'en avais plus connu depuis mes premières missions. Je ne pouvais quitter des yeux les vagues et les tourbillons. À quinze mètres, peut-être vingt, un arbre flottait au fil du courant. C'était leur chance, la seule. Au-delà, la rivière se transformait en mer blanche et déchaînée. Plusieurs secondes ont passé sans qu'ils réapparaissent.

Le colonel a rampé vers moi dans l'herbe haute en jetant un coup d'œil circonspect vers la berge.

Une main. Un bras. Je les ai distingués clairement sur une des branches. La tête de Thar Thar. Une deuxième, les deux au-dessus de l'eau. Sous l'eau. Dessous. Dessus.

Le colonel m'a aboyé l'ordre de courir les aider. J'ai fini par vaincre ma paralysie et j'ai commencé à descendre la pente, sans quitter Thar Thar des yeux. Je l'ai vu se diriger vers le bord. Où était Ko Bo Bo ? Thar Thar a repris pied sur la terre ferme. Il s'est redressé ; il tenait dans ses bras un corps inerte qui a émergé des remous. Il l'a tiré sur la berge et s'est écroulé à côté, à bout de forces.

Le deuxième coup de feu a visé le colonel. Je n'ai que de vagues souvenirs de ce qui a suivi. Je sais que j'ai fait immédiatement volte-face. Thar Thar et Ko Bo Bo se trouvaient totalement exposés. J'ai remonté la pente et je me suis mis à l'abri derrière un rocher. J'étais pris entre les deux fronts. Une grenade a explosé près de moi et j'ai perdu connaissance.

Quand je suis revenu à moi, il y avait deux rebelles à mes côtés. Les oreilles encore bourdonnantes, j'avais un mal de tête épouvantable et je comprenais à peine ce qu'ils me racontaient.

Ils m'ont aidé à me relever. Ma tête et mes bras n'étaient qu'une plaie et j'étais dans un tel état de sidération que j'en avais le vertige. Ils m'ont emmené avec eux et, à la lisière de la forêt, j'ai vu les corps des porteurs et des soldats ; je n'imaginais pas qu'aucun de nous ait pu survivre à cette attaque et je me suis évanoui pour la deuxième fois.

J'ai repris conscience dans le camp des rebelles. Ils ont soigné mes blessures, ils m'ont donné du riz et de l'eau en quantité, ils m'ont posé quelques questions sur les armes dont nous disposions au camp, sur l'état de nos troupes et la disposition des lieux, mais sinon ils m'ont laissé tranquille. Au bout de quinze jours, j'ai dû décider si je souhaitais combattre avec eux ou être déposé dans la ville la plus proche.

Maung Tun alluma une cigarette en me regardant. Il me jaugeait. Un serveur nous apporta des graines de melon et un Thermos de thé de Chine.

J'attendais que mon frère pose la dernière question, la plus importante, mais il ne dit rien.

J'avais beaucoup de mal à réfléchir de façon claire. Ce que je venais d'entendre était trop abominable. En même temps, que Maung Tun ne pût dire qui ou quoi avait tué Thar Thar me laissait déçue et effrayée, aussi.

— Pourriez-vous nous expliquer, dis-je en haussant la voix, où et comment Thar Thar a trouvé la mort ?

U Ba me regarda, hésita un instant puis il se pencha en avant et traduisit.

— Comment Thar Thar a trouvé la mort ? répéta Maung Tun, comme pour vérifier qu'il avait bien compris.

J'acquiesçai d'un signe.

Il secoua la tête. Dit quelque chose.

Mon frère écarquilla les yeux.

— Il n'est pas mort. Thar Thar est vivant.

III

1

Mon frère s'était endormi contre moi. Sa tête posait à peine sur mon cou ; il avait la bouche entrouverte et sa gorge laissait échapper un petit bruit à chaque expiration. Je pris une serviette pour essuyer mon visage en sueur. Je posai doucement la main sur son front pour vérifier s'il avait de la fièvre. Il était très chaud. Avant de s'endormir, il avait eu une grave quinte de toux. Je me faisais du souci. À Thazi aussi, il avait refusé de venir avec moi chez le médecin, en insistant sur le fait que sa toux était due à une allergie qui n'allait pas tarder à disparaître. Chaque année à cette saison, il s'en retrouvait affecté, aucune raison de s'inquiéter. Je n'en croyais pas un mot.

Nous étions maintenant installés dans le train pour Mandalay. Les wagons roulaient en cahotant bruyamment. Lire était hors de question. Par les fenêtres ouvertes, un petit courant d'air offrait un peu de fraîcheur mais il faisait vraiment trop chaud pour que cela fît beaucoup de différence. Ça sentait la nourriture, la sueur et l'odeur piquante d'un déodorant qu'un voyageur chinois dans le rang devant nous ne cessait de mettre.

U Ba avait réussi à nous trouver des sièges en « classe supérieure ». Nous étions installés dans deux larges fauteuils avec repose-pieds et dossier réglable qui n'en étaient pas moins atrocement inconfortables. On sentait le plus petit ressort mais je n'avais nulle raison de me plaindre : la plupart des passagers dans les voitures de queue dormaient sur des bancs en bois entre des caisses et des cartons remplis de fruits, de légumes et de poulets. Ou par terre. En comparaison avec le camion, c'était le luxe à l'état pur.

Des hommes et des femmes ne cessaient de parcourir le couloir dans les deux sens, transportant des seaux et des paniers de marchandises à vendre. Des œufs durs. Des cacahuètes, des galettes de riz, des bananes, des mangues, des noix de bétel. Des petits sachets de plastique remplis d'un liquide brun. Des cigarillos roulés à la main. Des cigarettes. Un de ces vendeurs me colla un bol sous le nez. Des cuisses de poulet frit nageant dans une sauce grasse et cernées par des dizaines de mouches. Je secouai la tête d'un air dégoûté.

Dehors, le soleil se couchait lentement. Le train traversait une ville à allure réduite. Deux jeunes garçons menaient un buffle le long des rails. Derrière eux venait une femme qui portait une demi-douzaine de cruches en argile empilées sur la tête. Dans plusieurs cours, on voyait des feux flamber. Des enfants nus s'aspergeaient dans une flaque.

Je pensais à Maung Tun. *Il n'est pas mort. Thar Thar est vivant.*

Il m'avait fallu un moment pour comprendre la signification de ces deux phrases. Ni mon frère ni moi n'avions envisagé cette possibilité une seule seconde.

Nous étions convaincus d'être sur les traces d'un mort. Nu Nu était persuadée que son fils était mort. Tout comme Khin Khin et Ko Gyi.

Les rebelles n'avaient rien pu dire à Maung Tun de l'endroit où se trouvaient Thar Thar et Ko Bo Bo. Ils ne les avaient pas poursuivis. L'homme si fort avait fini par se relever, il avait pris dans ses bras le corps inerte allongé à côté de lui et il était parti en suivant le lit de la rivière.

Des années plus tard, Maung Tun avait entendu parler par plusieurs chauffeurs routiers d'un moine qui vivait en compagnie de plusieurs enfants et de dizaines de poules dans un vieux monastère des environs de Hsipaw. Un homme absolument extraordinaire. Il lui manquait un doigt de la main droite. Il avait une tache de naissance sous le menton et une grande cicatrice sur le bras droit. Ce qui lui restait d'une blessure par balle. Apparemment, il avait passé des années de sa vie dans la jungle comme soldat. Selon la rumeur, il aurait été un intrépide guerrier.

Deux chauffeurs de car confirmèrent ultérieurement l'histoire. Maung Tun était persuadé qu'il s'agissait de Thar Thar. U Ba également. Quant à moi, j'étais sceptique.

Nous étions maintenant en route pour Mandalay. Nous avions prévu d'y dormir avant de continuer vers Hsipaw le lendemain matin.

Le train s'arrêta dans un cahot. Mon frère se réveilla. Il regarda vivement autour de lui en léchant ses lèvres sèches. Je lui donnai de mon eau. Il but à petites gorgées et échangea quelques mots avec un voisin, de l'autre côté du couloir.

— Nous arrivons à Mandalay dans deux heures, m'annonça-t-il. Tu as faim ?

Je hochai la tête.

— Moi aussi. Si on se mettait en quête de nourriture ?

— Dans le train ?

— Il y a un wagon-restaurant.

J'examinai d'un œil critique la tapisserie crasseuse du siège, le sol collant.

— Je ne suis pas sûre que ce soit une bonne idée.

— On va juste prendre un peu de riz sauté et du café. L'eau est bouillie. Ne t'inquiète pas.

U Ba se leva et je le suivis à contrecœur.

Le train nous secouait brutalement. J'avançai en chancelant dans le couloir et je me cognai la tête deux fois.

Il restait encore deux places libres dans le wagon-restaurant. Mon frère se dirigea résolument vers elles et s'assit. J'hésitai sur le seuil. Un groupe de soldats étaient en train de dîner à la table voisine. Je vis leurs uniformes verts. Je vis leurs bottes noires brillantes. Leurs dents rouge sang.

U Ba me fit signe de le rejoindre. Je ne parvenais pas à me décider. Cette hésitation ne passait pas inaperçue. Il y eut des regards curieux. Des conversations interrompues.

Il était trop tard pour faire demi-tour. Je ne voulais pas laisser mon frère seul, j'allai donc m'asseoir à côté de lui.

— Ils ne nous embêteront pas, dit-il à voix basse. Ils ne comprennent même pas ce que nous racontons.

Les soldats nous examinaient avec intérêt. U Ba leur fit un sourire, qu'ils nous rendirent. Je regardai par la fenêtre.

Lorsque le serveur arriva, U Ba commanda du café et du riz avec du poulet et des légumes. Dans la cuisine, j'apercevais plusieurs hommes en sueur vêtus de T-shirts sales qui s'activaient autour d'un foyer ouvert en plongeant leurs louches dans une marmite.

— Je peux te poser une question ?

— Tout ce que tu veux ! répondit-il en me faisant un clin d'œil.

— Pourquoi les gens rient-ils ici, même quand ils n'en ont pas vraiment envie ?

Il inclina la tête sur le côté et, à voir son expression, on pouvait croire que la question ne le prenait pas au dépourvu.

— Le rire a bien des significations ici. Nous rions parfois quand quelque chose est désagréable. Quand nous avons peur. Quand nous sommes en colère.

— C'est une sorte de masque ?

— On peut dire ça comme ça. Si tu regardes attentivement, tu apprendras très vite à reconnaître ce qui se cache derrière, de quel genre de rire il s'agit.

Le serveur nous apporta deux verres d'eau chaude et des dosettes de café instantané. Le riz suivit. Le plat était plus appétissant que prévu. U Ba se jeta dessus avec appétit, se brûla la langue et rit de sa propre hâte.

— Comment quelqu'un de mon âge peut-il être aussi avide ?

Le riz était bien assaisonné, parfumé à la coriandre et d'autres fines herbes. Délicieux.

— Crois-tu que nous allons trouver Thar Thar ? demandai-je après m'être brûlé la langue à mon tour.

Il acquiesça d'un signe de tête.

— Peut-être que ce n'est pas lui, ce moine avec un doigt en moins.

— Peut-être.

— Ou Thar Thar est peut-être mort dans l'intervalle. L'histoire des chauffeurs routiers date déjà de quelques années.

— C'est possible.

— Tu crois toujours qu'on va le retrouver ?

Il hocha la tête avec assurance.

— Pourquoi ?

— Intuition.

— L'intuition peut être mauvaise conseillère.

Il secoua la tête.

— Tu ne dois jamais douter de l'intuition.

Je ne pus m'empêcher de rire.

— Sauf quand c'est moi. Mon intuition n'est pas très fiable. Elle me déçoit toujours.

— Je n'y crois pas. L'intuition est la mémoire incorruptible de nos expériences. Nous n'avons qu'à écouter attentivement ce qu'elle nous dit. (Et il ajouta, avec un sourire :) Elle ne s'exprime pas toujours de façon limpide. Ou bien elle nous dit des choses que nous n'avons pas envie d'entendre. Ce qui ne les rend pas fausses.

Je mangeai mon riz, pensive.

U Ba finit son repas bien avant moi et commanda un deuxième café. Il avait l'air fatigué, plus défait que d'habitude. Depuis quelques jours, son visage paraissait amaigri.

Tout d'abord, je crus qu'il avait avalé son café de travers. Je me levai pour venir le taper entre les omoplates mais il me repoussa. Une nouvelle quinte de toux, sévère. Il avait beaucoup de mal à respirer, il devint écarlate et se cramponna à la table. Même les soldats nous regardaient d'un air inquiet. Je fus prise de peur et je lui saisis la main en lui frottant le dos. Lorsque la quinte cessa enfin, il paraissait encore plus épuisé.

— Je t'emmène à l'hôpital dès qu'on arrive à Mandalay, lui dis-je d'un ton autoritaire.

Il tenta de me calmer.

— Ce n'est pas si grave.

— U Ba, arrête, répliquai-je, agacée. Depuis que je suis ici, ton état n'a cessé d'empirer. Ce n'est pas une réaction allergique.

— Mais si, protesta-t-il faiblement.

— À quoi ?

— Je ne sais pas.

— Tu dois être examiné.

— Et s'ils trouvent quelque chose, qu'est-ce qu'on fera ?

— On veillera à ce que tu sois soigné.

— On ne peut pas me soigner. Je te l'ai déjà dit. À quoi bon avoir un diagnostic ?

— S'ils trouvent quelque chose qu'ils ne peuvent pas soigner, nous prendrons le premier avion pour Bangkok, déclarai-je avec assurance, sans me laisser impressionner par ses objections.

— C'est gentil de ta part. Il faudra aller à Rangoun pour ça. Le traitement d'une demande de passeport là-bas peut prendre des mois, parfois des années. Et je ne suis même pas sûr d'en obtenir un à la fin.

— Des mois ? Pour un passeport ? Je ne peux pas y croire. Je suis persuadée qu'il existe des moyens pour accélérer le processus en cas d'urgence.

— Peut-être. Mais pas pour les gens comme moi.

— Comment ça, «les gens comme toi»?

— Les gens qui n'ont aucun lien avec les militaires.

— Nous trouverons un moyen. La première chose à faire, c'est de te faire examiner.

— Je ne sais pas...

— U Ba ! À Mandalay, nous allons monter directement dans un taxi et t'emmener immédiatement dans le meilleur hôpital. Sinon, je refuse d'aller dans aucun hôtel ou de prendre n'importe quel train pour Hsipaw ou où que ce soit.

— Mais nous devons...

— Je suis sérieuse. Je resterai plantée devant la gare.

Il finit par se laisser impressionner par ma détermination. Poussant un soupir, il s'absorba dans la contemplation du soir qui descendait. Les chemins s'élargissaient. Il y avait plus de gens sur les routes, plus de maisons, plus de lumières. Nous approchions de Mandalay.

— Alors, pourquoi n'as-tu pas de passeport ? insistai-je.

— Pourquoi aurais-je besoin d'un passeport ? riposta-t-il.

— Pour venir me voir, par exemple.

— Tu as raison.

— Essaieras-tu d'en obtenir un quand nous reviendrons ?

— On verra.

J'étais déçue.

— Tu n'aimerais pas venir me rendre visite à New York un de ces jours ?

— Bien sûr.

Après un long silence, il ajouta :

— Mais c'est un voyage long et pénible.

Lorsque nous regagnâmes nos places, U Ba fit une autre courte sieste. Je le regardai, le cœur rempli de tendresse.

Il y avait peu de gens dont je me sentais aussi proche, avec lesquels j'étais aussi à l'aise. Il était tellement dépourvu de toute duplicité, de toute arrière-pensée. Que ferais-je s'il s'avérait que sa toux était le symptôme d'une maladie grave ? Je m'angoissai à l'idée que sa santé fût compromise. L'idée de le perdre m'était tout bonnement insupportable.

2

L'hôpital général de Mandalay n'était qu'à quelques pâtés de maisons de la gare principale. Un marchand de noix de bétel nous indiqua le chemin. J'installai mon sac sur mon dos, puis je soulageai mon frère du sien. À ma grande surprise, il n'émit aucune objection.

L'entrée de l'hôpital était aussi animée qu'un marché. Des étals proposaient des bananes, des ananas, des noix de coco et des mangues. On pouvait trouver des boissons, des magazines et des livres. Les piétons s'arrêtaient pour lire à la lumière des ampoules nues. Au milieu, les conducteurs de rickshaws et les chauffeurs de taxi attendaient la clientèle. Un jeune homme s'approcha de moi, les mains chargées de couronnes de jasmin fraîchement tressées. Il m'en tendit une et ce parfum intense m'emplit immédiatement le nez.

— Tu aimes l'odeur du jasmin ? me demanda mon frère.

— Je l'adore, répondis-je en cherchant de l'argent.

Mais le jeune homme se contenta de sourire et disparut dans la foule.

Dans la rue, devant deux étals de nourriture bien garnis, on avait disposé une dizaine de tables pliantes avec des chaises en plastique. Des currys bouillonnaient sur des feux vifs ; des brochettes de viande, de champignons et de poivrons cuisaient sur un gril.

U Ba s'arrêta brusquement pour regarder un groupe d'hommes en train de disputer une partie d'un jeu qui ressemblait aux échecs, des capsules de bouteilles sur une planche faite main. L'un d'eux était couvert de tatouages, il en avait sur les jambes, les bras, les mains et même le cou.

— Quel est le sens de tous ces tatouages ? chuchotai-je.

— Ils sont là pour le protéger des mauvais esprits, répondit U Ba.

Je l'entraînai. Nous traversâmes la cour de l'hôpital pour entrer dans un vaste hall, une espèce de salle des urgences et, pour la première fois, je me demandai si cela avait été une bonne idée d'amener mon frère dans un hôpital.

Il faisait chaud et humide, ça puait. Deux ventilateurs mollassons tournaient au plafond. La lumière macabre d'un néon éclairait l'espace bondé. Les gens se recroquevillaient sur leurs sièges, parfois deux par deux. D'autres étaient adossés contre le mur, assis sur le sol carrelé ou allongés sur des couvertures qu'ils avaient étalées. Des mères serraient leurs bébés dans leurs bras. Un enfant pleurait doucement. Certains nous jetèrent un bref coup d'œil ; la plupart étaient trop épuisés ou trop malades pour s'intéresser à nous.

Je voyais bien que mon frère était à bout de forces. Il s'écroula contre une colonne près de l'entrée, sans même se donner la peine de faire croire qu'il avait un autre objectif. Je me mis en quête d'un médecin, enjambant les patients, et je marchai involontairement sur une jambe. Quelqu'un grogna ; je m'excusai aussitôt abondamment, continuai mon chemin et m'adressai à une infirmière qui m'écouta attentivement, sourit, hocha la tête et disparut sans rien dire. Je n'étais pas persuadée qu'elle ait compris un mot de mon discours.

Quelques minutes plus tard, un jeune médecin se montra et me fit signe d'entrer dans une pièce latérale. U Ba nous suivit avec réticence. Il s'assit sur un tabouret juste à côté de la porte. Comme s'il n'était nullement concerné par toute l'affaire.

— Que puis-je faire pour vous ? demanda le médecin dans un anglais étonnamment correct.

— Mon frère souffre d'une grave toux depuis un bon moment et cela empire tous les jours. À chaque quinte, il se retrouve le souffle complètement coupé.

Le médecin dévisagea U Ba d'un œil sceptique.

— Votre frère est birman ou étranger ?

— Birman, répondis-je, agacée. Pourquoi ?

— Notre hôpital est saturé. Vous vous en êtes rendu compte. (Il s'interrompit un instant comme pour bien peser ses mots.) En cas d'urgence, je pourrais proposer à un étranger un traitement de faveur. Pas à un Birman. Pourriez-vous revenir d'ici quelques jours ?

— D'ici quelques jours ?

Je n'étais pas sûre d'avoir bien compris.

— Oui. Ce soir, demain et après-demain seront très difficiles. Je suis désolé, dit-il en souriant.

Même moi, je voyais de quel genre de sourire il s'agissait.

312

— Allons-y, Julia, dit U Ba derrière moi.

— Non, répondis-je d'un ton autoritaire, nous ne pouvons pas revenir d'ici quelques jours. Mon frère est malade. Il a besoin qu'on le soigne.

Le jeune médecin continuait à sourire mais je n'étais plus très sûre de ce qui se cachait derrière.

— Il y a beaucoup de patients derrière cette porte qui ont besoin d'être soignés. (Il s'interrompit à nouveau.) Je suis vraiment navré.

— Julia, je t'en prie.

Je sortis des billets de cent dollars de mon sac et les posai sur la table.

Le médecin regarda longuement l'argent puis ses yeux passèrent de mon frère à moi. Il eut un sourire triste. Derrière moi, j'entendis U Ba soupirer.

Le médecin hésitait ; il finit par se lever, empocha l'argent et se dirigea vers la porte.

— Suivez-moi, s'il vous plaît.

Nous prîmes un couloir qui était également bourré de patients. U Ba avançait furtivement, la tête basse, derrière nous, et refusait de me regarder. Le médecin nous emmena dans une salle où quatre autres patients étaient en train d'être examinés. Il demanda à mon frère de s'asseoir et de se mettre torse nu ; il l'écouta attentivement inspirer et expirer. Il lui tâta la tête, le cou, les épaules et la poitrine, il lui inspecta la gorge et les oreilles puis fronça les sourcils. U Ba subit tous ces examens sans même lever les yeux.

— Avez-vous des douleurs dans la poitrine lorsque vous inspirez profondément ? demanda-t-il en anglais.

— Non, répondit doucement mon frère.

— Sous les aisselles, peut-être ?

— Non.

— Crachez-vous du mucus lorsque vous avez une quinte ?

— Parfois.

— Beaucoup ?

— Plus ou moins, ça dépend des fois.

— Y a-t-il du sang dans le mucus ?

U Ba secoua la tête sans rien dire.

— Vous en êtes certain ? demanda le médecin, en me regardant.

Je haussai les épaules.

— Je pense que votre frère souffre d'une grave bronchite. Je voudrais lui faire passer une radio des poumons.

L'appareil de radiographie paraissait dater de l'époque de la colonisation anglaise.

Une bonne heure plus tard, pendant laquelle U Ba et moi étions restés assis côte à côte en silence, le médecin réapparut, quelques papiers à la main. Il s'installa à côté de moi.

— Votre frère souffre effectivement d'une grave bronchite. La radio révèle également l'existence d'un nodule dans un poumon. Ce pourrait être la cause de l'infection.

— Un nodule ? répétai-je, inquiète.

— Une ombre en forme de cercle sur le poumon.

— Qu'est-ce que cela signifie ?

— Cela peut avoir plusieurs significations, répondit-il de façon évasive.

— Lesquelles ?

— Cela pourrait indiquer une tuberculose aiguë, mais pour différentes autres raisons, cela me paraît improbable. Une tuberculose guérie, c'est une autre possibilité. Ou cette ombre pourrait être la trace d'une ancienne infection, cicatrisée. Auquel cas, ce serait totalement inoffensif. Ou…

Il serra les lèvres et hésita.

— Ou ?

— Ou c'est un symptôme d'une maladie plus grave.

— Quel genre de maladie plus grave ?

— Il y a plusieurs possibilités.

— Lesquelles ?

L'impatience me gagnait.

— La pire, c'est le cancer du poumon.

J'eus l'impression de recevoir un coup de poing dans le ventre. Le souffle coupé.

— Il existe des examens qui permettent de savoir s'il s'agit d'un nodule malin ou bénin, ajouta-t-il vivement. Mais nous ne pouvons pas les faire ici, pas pour tout l'argent du monde.

L'allusion ne m'échappa pas.

— Où ça, alors ?

— Dans votre pays.

— Même pas à Rangoun ?

— Non. Peut-être dans un des hôpitaux militaires, je ne sais pas exactement. Mais votre frère n'y aura pas accès. À moins que vous n'ayez un général d'armée birman dans votre famille ?

Je secouai la tête sans savoir que dire. Mon frère était assis non loin. J'étais certaine qu'il entendait ce que disait le médecin. Je tentais de croiser son regard mais il gardait les yeux fixés sur le sol.

— Alors, que fait-on maintenant ? demandai-je, déconcertée.

— On attend.

— On attend quoi?

À l'évidence, mes questions le prenaient de court. Il évitait mon regard. Il ne cessait de remuer les jambes et il frottait sa main gauche avec son pouce droit jusqu'à la faire craquer.

— Les symptômes suivants.

— Et à quoi ressembleront-ils? demandai-je avec circonspection.

— Je vais vous donner des antibiotiques. Si c'est seulement une bronchite, il se sentira mieux d'ici quelques jours.

— Et sinon?

— Sinon, il finira par y avoir du sang dans son mucus. Sans doute assez rapidement. Des douleurs dans la poitrine et sous les aisselles.

— Et ensuite?

Le médecin leva la tête. Nos yeux se croisèrent. Il n'y avait pas la moindre ombre de sourire sur son visage.

— Et ensuite? répétai-je doucement.

Il ne répondit pas.

Nous trouvâmes un taxi devant l'hôpital. U Ba demanda au chauffeur de nous emmener dans l'hôtel le plus proche. Il faisait encore très chaud. La voiture avait l'air conditionné, mais il ne fonctionnait pas. Certains nids-de-poule nous secouaient jusqu'à l'os; le chauffeur nous souriait dans le rétroviseur. Les rues grouillaient de gens qui se promenaient ou qui étaient arrêtés dans les petits restaurants.

— Je suis désolée, dis-je. Je ne voulais pas... Je voulais seulement savoir...

Mon frère, plongé dans ses pensées, regardait par la fenêtre. Il me prit la main et la caressa.

— C'était la première fois que je soudoyais quelqu'un, déclara-t-il soudain, comme s'il se parlait à lui-même.

— Tu n'as soudoyé personne, protestai-je.

— Bien sûr que si. Le médecin.

— Pourquoi toi ? C'est moi qui lui ai donné de l'argent.

— C'est faux.

— Comment ça, c'est faux ?

— Parce que tu l'as fait pour moi. J'en ai directement profité.

— Mais c'était mon argent et mon idée. Tu ne pouvais rien faire. Je ne t'ai même pas demandé ton avis.

— J'aurais dû me lever et partir.

— Mais U Ba !

Je ne savais pas quoi dire.

— Non, non. J'ai laissé les choses se faire et je suis donc complice, dit-il en réfléchissant. On est responsable non seulement de ce qu'on fait mais aussi de ce qu'on ne fait pas.

— Je… je suis désolée. Je ne voulais pas te causer de problèmes. Je voulais seulement t'aider.

— Je sais.

Il me serra à nouveau la main.

Je sortis les cachets de ma poche.

— Tu dois en prendre matin et soir.

Il examina le flacon, secoua la tête et me le rendit.

— Ce sont des antibiotiques. Si c'est de la bronchite, ils te feront du bien.

— Je ne prends jamais de médicaments.

317

— Pourquoi ?

Il était aussi têtu qu'un enfant.

— Parce que la plupart de nos médicaments sont des contrefaçons venues de Chine. Ce qu'il y a dans ce flacon n'a rien à voir avec ce qui est écrit sur l'étiquette. Ils font plus de mal que de bien.

J'examinai sans y croire l'emballage avec ses écritures chinoise et birmane.

— Mais c'est un médecin qui nous les a donnés. Je ne peux pas croire, je veux dire, il ne…

— Que pourrait-il nous donner d'autre ? C'est tout ce qu'il a. À l'hôpital de Kalaw, il y a des patients qui meurent à cause de pareils cachets.

Le taxi s'arrêta devant un immeuble décati avec une enseigne au néon rouge au-dessus de l'entrée. Les fenêtres des premiers étages étaient noires et condamnées. Il y avait un tas d'ordures devant la porte.

Je jetai un regard interrogatif à mon frère.

— Peut-être y a-t-il un autre hôtel dans le quartier ?

Il examina l'entrée avec un scepticisme égal au mien. Il échangea quelques mots avec le chauffeur. Celui-ci acquiesça rapidement et nous repartîmes.

Quelques minutes plus tard, nous tournions dans l'allée d'un hôtel moderne de six étages. Un portier se précipita avec sollicitude vers la voiture et ouvrit la portière. Un deuxième me libéra de mes deux sacs. Encore deux autres nous souhaitèrent la bienvenue en chœur tout en ouvrant les lourdes portes de verre. Le hall spacieux était vide et froid. Au milieu se dressait un arbre de Noël dont les bougies artificielles et les boules rouges se reflétaient dans le sol ciré, luisant. Plusieurs employés de l'hôtel s'inclinèrent. Le concierge nous souhaita à nouveau la bienvenue et m'escorta jusqu'au bureau de la réception en passant devant une imposante décoration florale. Une jeune femme m'offrit une serviette humide et un cocktail jaune-rouge. Je demandai deux chambres communicantes pour une personne, tranquilles, le plus loin possible de l'ascenseur, je réclamai qu'on nous réveille à 6 heures le lendemain matin et posai ma carte de crédit sur le comptoir.

Ce ne fut qu'à ce moment-là que je m'aperçus qu'U Ba ne m'avait pas suivie. Il se tenait devant l'arbre de Noël, l'air perdu, tripotant le nœud de son longyi, à regarder la porte comme s'il était déjà en train de sortir. Je lui fis signe de me rejoindre, mais il ne bougea pas.

Je récupérai mes bagages des mains du chasseur éberlué et je me dirigeai vers U Ba.

— Que se passe-t-il ?

— Je pourrais dormir ailleurs, il y a un autre...

— Hors de question, l'interrompis-je aussitôt. Nous avons deux chambres séparées. Ils nous réveilleront à 6 heures demain matin, nous prendrons le petit déjeuner et puis nous attraperons le premier train pour Hsipaw.

Il hocha la tête et me suivit jusqu'à l'ascenseur qu'un des employés avait déjà appelé pour nous. Nous montâmes en silence jusqu'au sixième étage, suivîmes un long couloir et nous nous séparâmes devant la porte de nos chambres.

— As-tu besoin de quoi que ce soit ?

Il secoua la tête avec lassitude.

— Y a-t-il quelque chose que je puisse faire pour toi ?

— Non, merci.

— Alors, dors bien.

— Toi aussi.

Ma chambre était bien trop froide. Gelée, j'éteignis l'air conditionné et j'examinai les lieux. Un grand lit avec des draps propres. Un minibar. Une table, du papier à lettres, deux téléphones, le Wi-Fi, une télévision en couleurs, un bouquet de fleurs. Une coupe de fruits frais. Tout était terriblement familier. Combien de fois avais-je dormi dans des chambres identiques lors de voyages d'affaires ? Dallas. Miami. Chicago. Houston. San Diego. Les chambres d'hôtel, les bureaux et les salles de conférence dans lesquelles je travaillais étaient toujours identiques, quel que soit l'endroit où j'allais. Un monde anonyme, interchangeable. D'humeur égale, stérile, sans odeur, dépourvu de sensualité. Un monde dans lequel je trouvais mon chemin sans difficulté. Dans lequel jusqu'à présent je ne m'étais sentie ni bien ni mal. Dans lequel je ne sentais, pour être franche, absolument rien. Dans lequel je fonctionnais. Je menais des négociations. J'accomplissais des tâches. Cette chambre me rappelait ce monde et, de façon déconcertante, soudain, je me trouvais totalement déplacée dans ce monde. Étrangère. Comme si, après une longue absence, je rendais visite à des amis chers pour m'apercevoir qu'en fait nous n'avions plus rien en commun.

Énervée, je me laissai tomber dans un fauteuil, les pieds surélevés, et j'attendis. Quoi, je l'ignorais. J'avais eu très envie d'une douche chaude et d'un lit moelleux. Et maintenant, je me sentais trop fatiguée pour me déshabiller. Je ne sais pas combien de temps je restai assise là. À un moment, j'entendis U Ba tousser. Comme la crise se prolongeait, je décidai qu'il valait mieux aller le voir. Sa porte était entrouverte. Dans le couloir, il y avait ses tongs éculées. Il avait enlevé la couverture du lit, il l'avait repliée en deux et posée sur le sol. Le sac contenant ses deux chemises et son longyi lui servait d'oreiller. Il était là, couché sur le côté, les genoux remontés presque jusqu'à la poitrine. La toux ne l'avait pas réveillé ou alors il s'était rendormi aussi sec. Je fermai la porte doucement, m'assis sur le lit et contemplai mon frère. Ses jambes maigres, ses pieds calleux. Sa cage thoracique qui se soulevait au rythme paisible de son sommeil. Couché par terre, endormi, il paraissait encore plus vieux et plus défait. Indigent. Vulnérable.

Je pensai aux dix ans qui séparaient mes deux séjours et durant lesquels nous ne nous étions pas vus. Comment avais-je pu ne pas remarquer à quel point il me manquait ? Brusquement, je compris pourquoi il ne m'avait jamais rendu visite à New York. Je ne pouvais pas l'imaginer là-bas, avec son longyi et ses claquettes, pas plus que je ne pouvais l'imaginer en train de marcher dans les rues de Manhattan avec un jean et des chaussures.

Pourquoi l'avais-je amené à l'hôpital contre sa volonté ? Pourquoi avais-je soudoyé le médecin sans lui demander son avis ? Je voulais me rendre utile. J'avais peur pour lui. Comment avais-je pu imaginer que je savais mieux que lui ce qui lui convenait ?

Je me souvins d'une expression que mon père utilisait souvent, quelque chose que je ne comprenais jamais quand j'étais petite : «L'enfer est pavé de bonnes intentions.» C'était ainsi qu'il parlait des bals de charité que ma mère aidait à organiser. «Enfer» et «bonnes intentions» étaient pour moi des concepts incompatibles. Ils formaient à mes yeux une contradiction insoluble. Ce ne fut que beaucoup plus tard que je compris à quel point sa description était pertinente. À quel point il était difficile de résister à ceux qui étaient animés de bonnes intentions. Il était impossible de s'en tirer indemne. L'ombre de la conscience coupable portait trop loin.

Ce sarcasme paternel aurait pu aussi bien venir d'Amy. Je me demandai comment elle allait. Depuis mon départ, dix jours auparavant, je n'avais eu aucun contact avec elle. Cela faisait des années que nous avions pris l'habitude de ne jamais laisser passer autant de temps sans nous parler. Que dirait-elle si elle me voyait assise sur ce lit? Si elle entendait les histoires que nous avions entendues?

Je me demande si cette voix n'aurait pas également un objectif?

Oui, Amy, ça se pourrait. Ça se peut. Et un objectif important, en plus.

Ses je-me-demande me manquaient.

Je me demande si cela est raisonnable de traîner ton frère dans un hôpital où on ne peut rien faire pour lui?

Je me demande à quoi tu pensais, en soumettant un honnête médecin à pareille tentation?

Je me demande si le fait d'être «bien intentionnée» ne serait pas là pour masquer autre chose?

Mais pourquoi ne lui téléphonais-je pas, tout simplement? À New York, ce devait être le début de l'après-midi. Sa voix, quelques mots échangés avec elle pour m'aider à gérer la peur que je ressentais pour mon frère, c'était tout ce que je voulais. Je me dirigeai vers le bureau, je décrochai le téléphone. Un des rares numéros que je connaissais par cœur : 001-555-254-1973. Je suspendis mon geste, hésitant. L'idée qu'il me suffisait de composer quelques chiffres pour être reliée à Rivington Street à Manhattan était absurde. Comme si mon univers n'était séparé de celui-ci par rien d'autre que quelques boutons à enfoncer.

Si seulement c'était aussi simple.

U Ba respira en sifflant puis se mit à tousser. Je m'accroupis à côté de lui et posai la main sur son bras. Je finis par me relever, j'allai chercher la couverture dans ma chambre et je m'étendis sur son lit. Je ne sais pas exactement ce qui prévalait dans mon geste : le refus de le laisser seul alors qu'il était si malade ou le désir de me trouver près de lui.

3

Le buffet du petit déjeuner était fastueux. À cette heure matinale, nous étions les seuls clients dans la salle à manger et plus d'une dizaine de serveurs et de cuisiniers guettaient nos moindres mouvements. U Ba examina attentivement les différentes sortes de fromages et de saucisses, se pencha sur les petits pains variés ainsi que sur les confitures, voulut savoir à quoi ressemblaient les croissants, le muesli et les corn flakes, et, finalement, commanda une soupe de nouilles birmane.

Mon omelette au fromage n'avait aucun goût. Sans doute parce que je n'avais aucun appétit. Je me sentais barbouillée. J'avais un poids désagréable sur l'estomac et les épaules crispées. J'avais mal dormi. Je ne parvenais pas à me débarrasser des images de l'hôpital. La tête du médecin quand j'avais posé les billets de cent dollars sur la table.

— Est-ce vrai que tu n'as jamais soudoyé personne ? demandai-je.

Il hocha la tête en sirotant son thé.

— Je pensais qu'ici les autorités étaient tellement corrompues.

— C'est la stricte vérité. Mais je n'ai pas eu d'enfants pour lesquels acheter de meilleurs résultats scolaires. Je ne possède aucun magasin pour lequel j'ai besoin d'autorisation. Je ne suis jamais tombé gravement malade. De toute ma vie, je n'ai jamais eu affaire à la police. Je ne demande rien aux autorités qui exigerait paiement de ma part.

— Sauf un passeport.

— Sauf un passeport, répéta mon frère avec une expression que je ne parvins pas à interpréter.

Le serveur apporta une soupe de nouilles fumante. Mon frère en lapa une cuillerée, en la savourant. J'eus l'impression qu'il en rajoutait un peu.

— C'est bon ?

Il hocha la tête.

— Ton plat n'est pas bon ?

— Je n'ai pas faim.

— Pourquoi ?

Je haussai les épaules.

— Tu t'inquiètes trop.

— Pourquoi m'inquiéterais-je ? ripostai-je en me forçant à sourire.

— Je ne suis pas atteint d'une maladie mortelle. Fais-moi confiance.

— Comment peux-tu en être si certain ?

— Je le sens.

— Intuition ?

— Intuition !

Il me vit rire.

— Quelle belle femme tu es !

— Oh U Ba, arrête ! répliquai-je avec lassitude. Tu ne me prends pas au sérieux. Je me fais du souci pour toi.

— Pourquoi?

Je ne savais pas exactement s'il était sérieux ou s'il feignait l'innocence.

— Parce qu'il se pourrait bien que tu sois très malade.

Mon frère prit le temps de terminer sa soupe avant de répondre.

— C'est vrai. C'est une éventualité. Pour toi également.

— Je n'ai pas de nodule au poumon.

— Tu t'es réveillée ce matin avec un mal de tête. Ce pourrait être une tumeur au cerveau dont tu ignores encore l'existence.

— C'est un mal de tête dû à la tension. Je sais à quoi ça ressemble.

— Ou ce pourrait être…

— Je pourrais me faire renverser par une voiture sur le chemin de la gare, l'interrompis-je. Ce n'est pas ça dont il est question.

— De quoi alors?

— Il s'agit du fait que tu as des symptômes sérieux. Que tu pourrais… que nous devons faire quelque chose…

— Nous attendons. Le médecin te l'a expliqué. Nous ne pouvons rien faire d'autre pour le moment.

— Je n'y crois pas. Ça dépasse mon entendement.

— S'il y avait quelque chose que nous puissions faire, aurais-tu moins peur?

— Je ne sais pas. En tout cas, je me sentirais moins impuissante. Attendre de voir ce qui se passe : c'est insupportable pour moi. Il y a toujours quelque chose à tenter.

— Qui suis-je pour te contredire ? me répondit-il avec un sourire espiègle.

Sa remarque ironique était imprégnée de tendresse.

Les mondes dont nous étions issus étaient trop différents pour que nous puissions parvenir à un accord sur ce sujet.

— La voix s'est-elle à nouveau manifestée ? demanda-t-il.

Je secouai la tête.

— Non, elle n'avait rien à dire, même pas à propos de l'histoire de Maung Tun.

— Étrange. J'aurais cru qu'elle allait intervenir en apprenant que son fils était vivant, si elle ne s'était pas manifestée avant. Peut-être cela lui suffit-il de savoir qu'il a survécu.

— C'est ça ou bien elle est aussi angoissée que toi et moi de voir si, oui ou non, nous allons réussir à le retrouver.

À Hsipaw, nous allâmes nous installer dans une maison de thé près de la gare. Mon frère commanda du thé birman et engagea la conversation avec le serveur. Des clients aux tables voisines se joignirent rapidement à nous et, quelques minutes plus tard, il se tourna vers moi, l'air très content.

— Tout le monde le connaît. Il vit avec une douzaine d'enfants et de jeunes dans un vieux monastère qui est longtemps resté inoccupé. Ce n'est qu'à quelques kilomètres d'ici, dans la direction de Namshaw. Il faut suivre la grand-rue et tourner à droite à la pagode blanche. Le serveur va nous y emmener sur son cyclomoteur.

Une demi-heure plus tard, nous étions tous les trois entassés sur une Honda Dream II. J'étais derrière avec les bagages coincés entre U Ba et moi. Le serveur accéléra à fond. Les premiers mètres furent des zigzags effrénés au milieu de la rue jusqu'à ce qu'il parvienne à reprendre le contrôle de son cyclomoteur. À la pagode blanche juste à la limite de la ville, nous nous engageâmes sur un chemin de terre. Dans mon excitation, je m'agitais tant sur le siège que le conducteur avait du mal à garder son véhicule sur la route. Étions-nous sur le point de rencontrer Thar Thar ? À quoi pouvait-il bien ressembler ? Accepterait-il seulement de nous parler ? Avait-il réellement survécu à l'enfer dans la jungle ? À quel point le temps l'avait-il marqué ? Et la décision de Nu Nu ? Et la mort prématurée de son père ? Quel genre de personne allions-nous trouver ? Qu'était donc devenu Ko Bo Bo ?

Nous grimpions à flanc de colline et, soudain, je vis le monastère au loin, une vaste structure de bois foncé, construite sur pilotis, avec un toit de tôle et plusieurs tourelles sur les pignons desquelles étaient accrochés drapeaux et cloches. Il était entouré de végétation et protégé, de ce que j'en voyais, par une imposante plantation de bambous qui dominaient de plusieurs mètres les tourelles.

Le jeune serveur s'arrêta et nous le montra du doigt, comme si c'était notre dernière chance de faire demi-tour. U Ba toussa, lui répondit d'un signe de la main et nous dévalâmes la colline.

Quelques minutes plus tard, nous entrions dans une cour sablonneuse où nous fûmes accueillis par les aboiements de deux chiens et les caquètements vociférants de dizaines de poules surexcitées. Nous descendîmes de notre cyclomoteur. Le conducteur fit volte-face, nous le remerciâmes mais mon frère écrasa dans l'œuf ma tentative pour le dédommager de la peine qu'il s'était donnée.

— Il est content d'avoir pu nous rendre service.

Nous regardâmes autour de nous, pleins de curiosité. La cour était remplie de bosquets et de haies en fleur aux couleurs d'une beauté étonnante. Je vis des roses, des hibiscus rouges et jaunes, du laurier-rose, des bougainvillées violettes, des glaïeuls et des amaryllis.

Le monastère lui-même n'était pas en très bon état. Une grande partie des pilotis paraissaient pourris, il manquait des planches sur les murs en plusieurs endroits, la rouille avait dévoré la tôle du toit et une aile du bâtiment était à moitié écroulée. Un grand escalier aux balustrades de guingois menait à l'entrée. Au fond de la cour, des robes de moine, brun-rouge, séchaient sur un cadre en bambou. U Ba appela à la cantonade mais il n'y eut pas de réponse. Poules et chiens s'étaient calmés. On n'entendait que le tintement délicat des clochettes sur les toits.

Une fille et un garçon apparurent en haut de l'escalier. Vêtus de la robe rouge des novices, ils nous regardaient d'un air interrogateur. Un moine surgit derrière eux. Il posa les mains sur leurs épaules en leur chuchotant quelque chose. Ils se mirent à rire. Le moine descendit lentement l'escalier et s'approcha de nous d'un pas décidé mais néanmoins élastique. Je sentis mon cœur battre la chamade. Était-ce Thar Thar ? Thar Thar dont je savais tant de choses mais en fait presque rien ? Il était encore plus grand et plus costaud que ce que j'avais imaginé. Il avait les cheveux coupés très court, les dents aussi blanches que les fleurs de jasmin de la veille, une tête harmonieuse, des lèvres pleines, des bras puissants qui sortaient des manches de sa robe de moine. Je reconnus immédiatement la marque de naissance sous le menton. La cicatrice sur le bras. Le doigt en moins à la main droite. Il accueillit U Ba avec un amical « *Nay kaung gya tha lab* », puis se tourna vers moi. Il me tendit la main en me regardant droit dans les yeux ; il s'adressa à moi en anglais avec un accent identique à celui d'un de mes amis italiens :

— Bienvenue dans mon monastère, Signora. Comment allez-vous ?

4

Thar Thar se mit à rire. Apparemment, je n'étais pas la première à me laisser surprendre par son accueil. Il avait un rire merveilleux. Un rire auquel il n'avait pas droit, étant donné son passé.

Ce que je remarquai ensuite, ce furent ses yeux. Je n'avais encore jamais vu des yeux pareils. Plus grands que la normale, brun foncé, concentrés sur moi avec calme, un calme que je trouvais agréable. Plus qu'agréable. Ses yeux recelaient tant de force et d'intensité que j'en eus la chair de poule. Sans pouvoir expliquer pourquoi, j'étais sûre de me sentir à l'aise en sa compagnie.

Mon frère aurait appelé ça de l'intuition.

Nos mains se touchèrent. Pendant un moment, nous nous observâmes en silence, face à face. Je n'avais aucune idée de quoi dire.

— Vous ne parlez pas anglais ? demanda-t-il, perplexe.

— Mais si… bien sûr.

— Qu'est-ce qui vous amène chez nous ?

Thar Thar regarda d'abord U Ba puis moi.

Mon frère m'observa d'un air interrogateur. J'hésitai.

— Nous sommes venus…, commença U Ba.

— Par curiosité, l'interrompis-je.

La surprise dans le regard de mon frère.

Je ne voulais pas dire la vérité à Thar Thar. Pas encore. Peut-être parce que je craignais que cela ne signifie la fin de notre voyage. Ou parce que je ne savais pas comment il allait réagir. Nous prendrait-il pour des fous ? Me verrait-il comme une espèce de médium à travers laquelle il pourrait se quereller avec sa mère ? Se détournerait-il de nous, nous enverrait-il au diable pour éviter de se pencher sur son passé ? Je ne savais vraiment pas ce qui me retenait.

— Avez-vous entendu parler de nous en ville ? demanda Thar Thar à qui, apparemment, avait échappé le cafouillage entre mon frère et moi.

— Oui, exactement, m'empressai-je de confirmer. C'est la raison pour laquelle nous sommes ici.

— C'est bien ce que je pensais. Nous avons…

Il fut interrompu par une quinte de toux de mon frère. U Ba se détourna. Thar Thar l'observa d'un air inquiet en attendant que la crise fût passée puis il reprit :

— Des touristes curieux viennent nous rendre visite de temps en temps. Ils entendent parler de nous à Hsipaw. Mais vous êtes italienne, non ?

Je secouai la tête, surprise.

— Non, je suis américaine.

— *Che peccato.*

Je restai perplexe.

— Je suis navrée…

— Comme c'est dommage.

L'espace d'un instant, j'eus un doute : était-ce bien Thar Thar qui se trouvait devant nous ? Lui qui, de ce que j'en savais, n'avait jamais fréquenté l'école, pourquoi aurait-il parlé deux langues étrangères ?

— Vous parlez italien ?

— *Un poco.* Un peu.

— Où... où l'avez-vous appris ?

Ma confusion grandissante parut le réjouir.

— Auprès d'un prêtre italien. Il m'a appris l'anglais, un peu d'italien et beaucoup, beaucoup d'autres choses.

— Où cela ? Ici, en Birmanie ?

— Oui. Mais c'est une très longue histoire et malheureusement assez inintéressante, avec laquelle je ne souhaite nullement vous ennuyer. Je suis convaincu que vous n'êtes pas venus ici pour écouter le récit de ma vie. J'imagine que vous souhaitez visiter le monastère et rencontrer quelques-uns des enfants, non ?

U Ba hocha la tête, embarrassé.

— Suivez-moi, alors.

Thar Thar ouvrit la marche et nous le suivîmes. Mon frère paraissait tout aussi agacé que moi.

Je ne cessais d'attendre que la voix se manifeste. Nous étions là, face à face avec son fils. Pourquoi se taire maintenant ? La honte ? Une conscience coupable ? Que dit une mère qui a envoyé l'enfant qu'elle n'aime pas à la mort, cet enfant qui, contre toute attente, a survécu ? Peut-être était-ce suffisant pour elle de le voir bien vivant. De voir qu'il allait bien. Allait-elle enfin trouver là le repos ? Sans ajouter un mot ? Sans demander pardon ?

Le domaine était plus vaste qu'il ne le paraissait au premier abord. Derrière le monastère, il y avait un puits avec un ruisseau couvert, un appentis devant lequel était empilé du bois coupé et un terrain de football avec deux buts de guingois faits maison. À côté du terrain, la forêt de bambous. Au loin, on apercevait deux personnes travailler dans un champ. Un petit vent entrechoquait les tiges de bambou. Leurs grincements se mêlaient aux carillons légers des cloches, formant une seule mélodie.

De l'autre côté du monastère se dressait un *stupa* gris-blanc avec une flèche dorée. Il lui manquait de grands morceaux de plâtre. Deux novices, assis devant, au milieu des feuilles sèches et des branches, tressaient des paniers. Thar Thar les appela. Ils abandonnèrent leur tâche, se levèrent avec difficulté et vinrent à nous. L'un d'eux marchait à pas lents et hésitants, la tête baissée comme s'il cherchait quelque chose. L'autre avançait courbé, tout bossu. Ils étaient tous deux pieds nus avec les jambes couvertes de cicatrices et d'égratignures. Une fois devant nous, ils joignirent les mains et s'inclinèrent poliment. En plus de tous ses problèmes, le plus jeune avait un sévère bec-de-lièvre et, lorsque le plus âgé releva la tête, je me sentis frissonner de la tête aux pieds. Il avait les yeux d'un blanc laiteux. Il était aveugle.

U Ba me saisit la main.

— Voilà Ko Aung et Ko Lwin, les présenta Thar Thar. Personne ne tresse les paniers comme eux. J'avais autrefois les doigts habiles moi aussi, mais j'étais un vrai balourd par comparaison.

Ils chuchotèrent en chœur quelque chose qui ressemblait vaguement à « Comment allez-vous ? ».

— Régulièrement, je leur apprends ce qu'on apprend à l'école, expliqua Thar Thar avec une certaine fierté dans la voix. Y compris des rudiments d'anglais.

Je répondis que j'allais bien et que j'étais heureuse d'être là. Ils eurent des sourires impénétrables ; ils s'inclinèrent à nouveau et repartirent travailler.

Thar Thar nous expliqua que les autres novices étaient aux champs et nous invita à venir boire une tasse de thé avec lui dans le monastère.

Nous montâmes un escalier branlant pour entrer dans le bâtiment principal. J'en restai figée de stupeur. Le hall était spacieux. En face de l'entrée s'élevait une estrade sur laquelle trônait une douzaine de bouddhas différents. Certains brillaient de tout leur doré dans la lumière des ampoules électriques ; d'autres étaient sculptés dans une pierre sombre, presque noire ; et d'autres encore dans une pierre de couleur claire. Il y avait un bouddha allongé, la tête soutenue par le bras, un bouddha debout et un assis, une main levée en signe d'avertissement. Une statue le montrait dodu et clownesque, comme un sumo riant à gorge déployée. Dans des vases il y avait des glaïeuls rouges, du jasmin, des branches d'hibiscus ; des fleurs roses flottaient dans une coupe. Au-dessus de l'autel pendaient des lanternes en papier et un dais jaune sur lequel étaient cousues des pierres de couleur. On voyait des offrandes sur des assiettes – du riz, des minuscules pochettes en plastique, des bonbons, des piles, des gâteaux. De la fumée d'encens passait sur tout cela, mêlant son odeur au parfum des fleurs coupées. Sur le mur derrière, deux crucifix attirèrent mon attention. Sur une colonne, on voyait une image dorée de la Vierge Marie et, sur l'autre, une représentation identique des Rois Mages. Je voulus interroger mon frère sur ce sujet mais, accroupi sur le parquet, en proie à une quinte de toux, il n'était pas en état de répondre.

— Je crois que votre compagnon est à bout de forces. Je vais nous préparer du thé, dit Thar Thar en disparaissant dans une pièce au fond du hall.

Je m'assis à côté d'U Ba.

— Je suis navré. J'ai besoin d'un peu de repos, dit-il.

— Tu as vu les crucifix chrétiens ? chuchotai-je.

Il acquiesça.

— Sûrement des cadeaux du prêtre italien.

— Mais pourquoi les accrocher dans un monastère bouddhiste ?

U Ba haussa les épaules en souriant d'un air las.

Thar Thar revint avec, sur un plateau, une bouteille Thermos et trois petites tasses. Il alla chercher une table basse et un coussin pour moi.

Le thé était chaud et amer.

— Je vous serais reconnaissant de me permettre de me reposer, si ce n'est pas trop demander, dit doucement U Ba.

Thar Thar se leva immédiatement, prit une natte et recouvrit mon frère d'une couverture.

— Avez-vous un hôtel à Hsipaw ?

— Non, dis-je.

— Vous êtes les bienvenus chez nous.

Sceptique, je cherchai des yeux des lits ou quoi que ce fût ressemblant à un endroit pour dormir.

— Vous avez de la place pour nous ?

Il rit à nouveau.

— Toute la place qu'il faut. Le soir, nous déroulons nos nattes. Si vous voulez un peu d'intimité, je peux vous installer dans un coin où il y a un rideau. Parfois, des touristes passent la nuit ici. C'est l'endroit où ils dorment. Nous avons même deux sacs de couchage que quelqu'un nous a laissés un jour. Je pense que cela ferait du bien à votre compagnon.

— C'est mon frère.

Il eut un moment d'hésitation.

— Vous ne vous ressemblez nullement.

— Mon demi-frère. Je vis à New York et je suis venue lui rendre visite.

Thar Thar hocha la tête, acceptant mes explications sans poser davantage de questions.

Dehors, la nuit était en train de tomber. J'entendis des voix sous la maison. Des bruissements. Des cliquetis. Des rires joyeux, bruyants comme seuls savent rire les enfants, pensai-je.

Peu de temps après, ils montèrent l'escalier. Ko Aung et Ko Lwin, je les connaissais déjà. Ils étaient suivis de deux jeunes gens, qui boitaient tous les deux. Une fille avec un bâton qui lui servait de béquille. Il lui manquait une jambe. Une fille avec une seule main. Une autre accompagnée d'un garçon ; à première vue, aucun des deux ne souffrait d'un handicap physique. Ils me saluèrent tous avec sérieux mais beaucoup de chaleur et disparurent dans la cuisine. Très vite j'entendis le rugissement du feu et des bruits de vaisselle.

— Combien êtes-vous en tout ? demandai-je.

— Treize.

— Et vous êtes le supérieur du monastère ?

— Non. À strictement parler, nous ne sommes pas un monastère bouddhiste.

— Quoi alors ?

Il réfléchit un moment.

— Une famille. Nous vivons ensemble. Mes douze enfants et moi. Ils ont tous, comment dire… ils sont tous différents des autres enfants. Ko Aung est aveugle, Ko Maung est sourd. Ko Lwin a un bec-de-lièvre et il est bossu. Ko Htoo boite bas, Soe Soe a perdu un pied. Moe Moe n'a qu'un bras, Toe Toe souffre de crises, Ei Ei a une jambe raide. Quel que soit le problème, leurs familles ne pouvaient plus s'occuper d'eux et les monastères alentour refusaient de les accueillir.

— Pourquoi ? demandai-je.

— Beaucoup de monastères bouddhistes répugnent à prendre des novices handicapés. Les moines sont persuadés qu'ils ont un mauvais karma. Seuls les individus intacts physiquement et spirituellement peuvent devenir moines. C'est la raison pour laquelle ces enfants sont venus vers moi.

— Et que faites-vous avec eux ?

Il remplit ma tasse de thé et me dévisagea, perplexe. Manifestement, il ne comprenait pas le sens de ma question.

— Ce que font les familles : s'occuper les uns des autres, non ? Je les instruis aussi bien que je peux. Nous faisons pousser des légumes, nous tressons des paniers, des toits et des murs que nous vendons. Nous prions et nous méditons ensemble. Nous préparons les repas et nous mangeons ensemble. Vous n'avez donc pas de famille ?

J'avalai ma salive avec difficulté en montrant U Ba endormi.

— Bien sûr que si. Mon frère.

— Et en Amérique ?

— Personne avec qui je vis.

— Pas de mari ?

— Non.

— Pas d'enfants ?

Je pris une profonde inspiration.

— Non.

— Vous vivez totalement seule ?

Personne, depuis que je n'étais plus une petite fille, ne m'avait regardée avec autant de compassion.

Je m'éclaircis la gorge.

— Oui, et ça me plaît comme ça.

Il pencha la tête sur le côté et balança légèrement le haut de son corps sans répondre.

Une voix de fille nous appela à table.

Nous prîmes place autour du feu sur trois bancs de bois, les douze enfants, Thar Thar et moi. Chacun de nous avait un bol de riz avec un curry de légumes surmonté d'un œuf au plat. Certains me jetèrent des coups d'œil furtifs par-dessus leur dîner ; d'autres étaient trop affamés pour s'intéresser vraiment à moi. Le curry était un peu âcre mais bon. Le riz n'avait pas été bien lavé. Des grains de sable ou des petits cailloux crissaient entre mes dents.

Un silence satisfait se répandit dans la pièce. Le craquement du feu, les bruissements des bambous dehors.

Je remarquai alors à ce moment-là qu'une des filles tremblait comme si elle était atteinte de la maladie de Parkinson. Elle portait bien la cuillère à sa bouche mais, à mi-chemin, celle-ci était déjà vide. Elle recommençait et à nouveau, une bonne partie de la nourriture tombait. Elle tint sa main avec l'autre, mais cela ne marcha pas non plus, ce qui ne fit qu'aggraver son tremblement.

À côté d'elle était assise Moe Moe ; comme elle n'avait qu'un bras, elle coinçait son bol entre ses genoux. Elle le mit de côté, prit une cuillère et entreprit de nourrir sa voisine, qui se calma aussitôt. J'échangeai un regard avec Moe Moe. Elle était la seule à ne pas détourner les yeux. D'un geste de la main, je fis signe que je pouvais l'aider. Elle secoua la tête de façon presque imperceptible. Son visage s'éclaira d'un bref sourire et elle me remercia du regard. Elle avait les plus beaux yeux du monde et le sourire le plus triste que j'aie jamais vu.

J'apportai à mon frère un bol de riz mais il n'avait aucun appétit et souhaitait encore se reposer.

Nous décidâmes de rester là pour la nuit.

Thar Thar nous arrangea l'endroit où nous pourrions dormir. Il balaya le sol, sortit plusieurs nattes d'une commode, ainsi qu'un certain nombre de couvertures et les deux sacs de couchage. Il les étendit dans le coin derrière le rideau. J'eus droit à une double épaisseur parce que, soupçonnait-il, je n'étais pas habituée à dormir sur du sol dur. Il prit sur l'autel la coupe remplie de fleurs roses et la déposa entre nos nattes. Elles éloigneraient les mauvais rêves et nous assureraient un sommeil paisible, affirma-t-il.

Je fus émue de ce geste si prévenant.

J'allai voir mon frère et m'assis à côté de lui. Il sourit, épuisé, me prit la main et s'endormit au bout de quelques minutes.

Je sortis m'asseoir sur les marches. L'obscurité était tombée sur la cour. Au-dessus de moi, les étoiles scintillaient. Tellement nombreuses que j'en eus le souffle coupé. À l'intérieur, j'entendais U Ba tousser dans son sommeil.

Thar Thar vint me rejoindre. Je fus impressionnée par ses pieds larges et puissants qui ne paraissaient pas assortis à ses longs doigts minces. Il avait apporté une bougie, du thé et deux tasses.

— Vous voulez du thé ?

Ça me ferait très plaisir.

— Votre frère a un mauvais rhume, remarqua-t-il en remplissant nos deux tasses.

— J'espère que ce n'est rien d'autre.

— Qu'est-ce que cela pourrait être d'autre ?

Je lui parlai du médecin aux yeux tristes. De la tache sombre sur un poumon. Des médicaments qui ne guérissaient pas.

— Vous vous faites des reproches ?

— Je suis surtout inquiète.

— Je comprends, mais ce n'est pas nécessaire. Votre frère n'est pas encore à l'article de la mort.

— C'est ce qu'il dit, lui aussi. Qu'est-ce qui vous donne pareille certitude ? demandai-je d'une voix hésitante. Êtes-vous devin ? Astrologue ?

— Non. Mais je reconnais sa toux. Beaucoup de gens ici toussent de cette manière lorsque le froid s'installe. Et dans ses yeux, dans son visage, la mort n'est nullement présente.

— Vous croyez pouvoir reconnaître l'approche de la mort dans les yeux de quelqu'un ?

— Oui, affirma-t-il tranquillement.

— Mais comment ? demandai-je d'un ton sceptique.

Thar Thar réfléchit un long moment tout en caressant lentement, à deux mains, son crâne rasé, comme s'il s'encourageait.

— Ça dépend. Dans certains regards, on voit la peur de la mort. Une dernière étincelle, désespérée et solitaire. La vie s'est déjà partiellement retirée. On perçoit le vide qui va suivre. Dans le regard de votre frère, rien n'indique l'approche de la mort.

— Le médecin n'en était pas aussi convaincu.

— Les médecins ne vous regardent pas au fond des yeux.

Comme je ne souhaitais pas discuter davantage de ce sujet, je l'interrogeai à nouveau sur le prêtre italien.

— C'est vraiment une longue histoire, répondit-il.

— J'ai du temps.

— Alors, vous êtes la première Occidentale que je rencontre à en avoir, répondit-il en riant.

— Vous en connaissez beaucoup ?

— Que signifie « beaucoup » ? Nous recevons du monde de temps en temps. Frère Angelo, lui aussi, accueillait souvent des touristes. Ils étaient toujours pressés. Même en vacances.

— Ce n'est pas mon cas, affirmai-je.

Il m'examina, me jaugeant du regard.

— Combien de temps allez-vous rester ?

— Nous verrons bien. Nous n'avons pas de projets.

— Pas de projets ? La situation devient de plus en plus inhabituelle, déclara t il en faisant la grimace. Quelques jours ?

— Pourquoi pas ?

— Mais quiconque vit avec nous doit également contribuer aux tâches quotidiennes.

— Ce qui signifie… ?

— La cuisine. Le ménage. La lessive. Ramasser les œufs. Nourrir les poules.

— Bien sûr. Si vous me racontez comment votre chemin vous a mené jusqu'au prêtre.

— Pourquoi cela vous intéresse-t-il tellement ?

J'envisageai brièvement de lui dire la vérité sur-le-champ. Mais je craignais que, si je parlais maintenant, nous ne puissions plus nous intéresser à autre chose et j'avais vraiment envie d'apprendre ce qui s'était passé depuis le moment où il était parti sur la berge avec Ko Bo Bo dans les bras.

Thar Thar était pour moi une énigme. Il ne ressemblait nullement à l'homme que je m'attendais à trouver, alors même que j'aurais été bien en peine de dire quelle image de lui je m'étais faite à partir des récits de Khin Khin et de Maung Tun. J'avais imaginé une âme aigrie. Un esprit troublé. Plein de colère. Abattu. Soupçonneux. Un homme triste, peut-être profondément déprimé, qui haïssait le monde.

— Ce doit être une histoire inhabituelle. Ça éveille ma curiosité.

Ce n'était que la stricte vérité.

Il accepta ma réponse, remplit à nouveau nos tasses et s'installa tranquillement.

Dans le silence, un coq chanta. Un autre lui répondit.

Je l'observai du coin de l'œil à la lueur dansante de la bougie. Il irradiait un calme profond, apaisant. Ses traits étaient détendus. Il était assis le dos droit, comme s'il méditait.

— J'étais, commença-t-il après un long silence, comment dirais-je, j'étais en détresse. J'avais perdu ma famille et j'étais en recherche.

— De quoi ?

Il sourit.

— Vous voyez à quel point vous manquez de patience ?

Je fus obligée de rire de moi-même et, de la tête, je fis signe que j'avais compris.

— Dans une maison de thé, continua Thar Thar, j'ai entendu parler du père Angelo et j'ai appris qu'il aidait les gens comme moi. Il vivait ici depuis très longtemps. Il était venu comme missionnaire à l'époque où le pays s'appelait encore officiellement la Birmanie et où les Anglais étaient aux commandes. À l'époque coloniale, de nombreux hommes du clergé sont venus d'Amérique, d'Angleterre, d'Espagne et d'Italie pour nous convertir. Certains d'entre eux se sont installés ici définitivement. Le père Angelo était un de ceux-là. Il m'a engagé sans que j'aie besoin de le supplier. Je tenais sa maison, je faisais le ménage, j'allais au marché, je cuisinais, je m'occupais du linge. En échange, il m'a donné un endroit où vivre et il a fait de moi un homme instruit. Il m'a appris à lire et à écrire, et un peu d'arithmétique. Les mathématiques n'étaient pas son point fort. Il préférait m'enseigner l'anglais et, parfois, des rudiments d'italien. Il a été le premier à me mettre un vrai livre entre les mains. C'est de lui que j'ai appris la force que possèdent les mots. Il avait une petite bibliothèque chez lui. Je disposais de beaucoup de temps et j'ai dévoré tous les livres sans exception sur lesquels j'ai pu mettre la main. Je sais qui est Robinson Crusoé.

Il savoura l'étonnement qui se peignit sur mes traits.

— Moby Dick. Oliver Twist. Même Caïn et Abel. Le bon père et moi, nous avons étudié ensemble l'Ancien et le Nouveau Testament. Je l'assistais durant les enterrements, les baptêmes et les mariages. Nous célébrions Noël ensemble, et Pâques aussi. Il faisait la messe dans une vieille église et, en ville, il y avait une petite congrégation chrétienne mais qui ne cessait de grandir. En huit ans, je n'ai jamais manqué un seul de ses sermons.

— À ce que je vois, cependant, il n'a jamais réussi à vous convertir.

— Comment ça ?

— Le monastère. Les bouddhas, votre robe…

— C'est superficiel. Ne vous laissez pas abuser par ces détails. Les enfants qui viennent à moi grandissent dans des familles bouddhistes. Ils se sentent plus en sécurité lorsque le Bouddha a un œil sur eux. Vous avez raison, mais pas tout à fait. Le père Angelo a bel et bien réussi à me convertir. Mais pas au christianisme.

— Pourquoi ?

— Parce que je ne suis pas un pécheur.

Il sourit de sa phrase.

— À quoi vous a-t-il converti alors ?

Thar Thar hésita.

— C'est une autre histoire.

— J'ai tout mon temps…

Il secoua la tête.

— Ce n'est pas le bon sujet pour ce soir. Je ne suis pas certain de pouvoir même la raconter. C'est une histoire que je n'ai jamais mise en mots.

Je ne parvenais pas à interpréter son regard. Était-il vraiment plein de tendresse ou n'était-ce qu'un effet de mon imagination ?

— Pourquoi avez-vous quitté le père Angelo ?

— Il était vieux et il est tombé malade. Je me suis occupé de lui pendant presque un an après qu'il a eu une attaque. Un jour, après son quatre-vingt-dixième anniversaire, son cœur a cessé de battre. J'étais assis sur son lit. Il m'a pris la main et l'a posée sur son cœur. Je l'ai senti battre de plus en plus lentement. Et finalement, il s'est arrêté.

Nous regardâmes en silence l'obscurité céder, renoncer petit à petit à noyer la terre, les arbres et les buissons : au-dessus des bambous, la lune se levait, répandant sa pâle lumière.

Je me pris à penser au village où la Peur, installée dans les arbres, faisait des grimaces en projetant des ombres immondes.

Où les cœurs se changeaient en pierre.

À une cabane avec un trou dans le toit.

À des bottes noires brillantes.

À un corps puissant et à un corps mince et tremblant. Pas de désir.

À la salive qui coulait goutte à goutte d'une bouche aux dents rouge sang.

Aux secondes qui passent avec la vie et la mort dans la balance.

Tu en gardes un.

Nous prendrons l'autre.

Il est assis à côté de moi, il me sourit. Comment des yeux qui avaient plongé si profond dans le cœur du mal, qui avaient vu tant de gens mourir, qui avaient vu un homme qu'il aimait si tendrement tomber du haut d'un arbre, comment ces yeux pouvaient-ils être aussi brillants ?

Quel était leur secret ?

J'avais vraiment l'impression d'avoir atterri sur une île. Ce n'était pas l'île des Morts. Ni l'île des Solitaires. C'était une autre île. Différente.

Une île dont personne ne m'avait jamais parlé.

5

La matinée démarra de bonne heure. J'entendais les novices chuchoter. Des rires dès l'aube. Replier leurs nattes. La voix de Thar Thar, qui chantait. Il leur faisait chanter un mantra. Les clochettes sur les pignons qui tintaient dans le vent léger. Le gloussement des poules. Le babil d'un ruisseau que je n'avais pas remarqué la veille.

Je m'étirai. La sensation revigorante d'un corps bien reposé.

Mon frère dormait encore. Il était couché sur le dos, les lèvres entrouvertes, les joues creuses. Son nez paraissait plus mince et plus pointu qu'à l'accoutumée. Il y eut une infime pause dans le rythme de sa respiration. Je me redressai, terrifiée, aux aguets. Le sifflement reprit, je me calmai.

Ne laissez pas U Ba mourir.

Je vous en supplie, non.

Je vous en supplie, je vous en supplie, non.

Je me surprenais à faire quelque chose que je n'avais plus fait depuis que j'étais enfant : invoquer l'aide d'une puissance supérieure. À l'époque, je me retrouvais souvent éveillée dans mon lit en train de réclamer à «Dieu chéri» de l'aide. Lorsque ma meilleure amie, Ruth, avait déménagé à Washington. Lorsque mon cochon d'Inde s'était retrouvé moribond. Lorsque ma mère s'était terrée dans sa chambre plongée dans l'obscurité pendant presque une semaine.

Vers qui devais-je me tourner désormais ? Le destin ? Les étoiles ? L'esprit des lieux connu sous le nom de Nats ? Bouddha ?

Ma prière ne s'adressait à personne en particulier. Que n'importe qui me réponde, pourvu qu'il ait le pouvoir de m'aider !

Après une incantation pleine de ferveur, j'écoutai les bruits du matin. On s'agitait dans la cuisine, des voix étouffées, le crépitement du feu. Au bout d'un certain temps, j'entendis les habitants du lieu descendre les marches pour partir aux champs.

Je m'extirpai de mon sac de couchage. Il faisait plus froid que je ne m'y attendais.

Deux filles étaient restées au monastère. Elles étaient couchées sur leurs nattes, enveloppées de vieilles couvertures, au milieu du grand hall. Elles avaient l'air abattu. L'une d'elles était Moe Moe, celle qui n'avait qu'un bras. Thar Thar était accroupi à côté d'elle.

— Qu'est-ce qui leur arrive ? demandai-je. Elles allaient bien hier.

— Elles ont pris froid et elles ont de la fièvre.

— Vous avez des médicaments ?

Je croyais connaître la réponse.

Il secoua la tête.

— Rien du tout ?

— Parfois, les touristes laissent des comprimés contre la fièvre et le mal de tête. Mais les enfants ne les supportent pas. Cela leur donne des brûlures d'estomac. Si leur état ne s'améliore pas, on ira chercher le guérisseur à Hsipaw. Il a des herbes et des baumes qui font généralement du bien. Au moins, ils ne font pas de mal, contrairement aux cachets chinois.

— Je pourrais leur mettre des compresses froides sur les mollets.

— À quoi ça sert ?

— Ça fait baisser la fièvre.

Il m'apporta un bol d'eau et des chiffons. Je les trempai dans l'eau, je les essorai, repoussai les couvertures et poussai un cri. La fille à côté de Moe Moe – elle s'appelait Ei Ei, me semblait-il – avait une jambe raide. Elle sortait de sous les couvertures, décharnée et dure comme du bois, sans muscles, sans forme. Cela ferait-il baisser la fièvre d'envelopper une jambe infirme ? Était-ce efficace de n'en refroidir qu'une sur deux ? Les filles relevèrent la tête en me regardant d'un air sceptique. Je sentais que la situation était aussi embarrassante pour elles que pour moi.

Elles tremblèrent un peu quand je posai les chiffons froids sur leurs mollets, mais je les ajustai et les recouvris de serviettes. Quand avais-je posé des compresses froides pour la dernière fois ? Probablement sur Amy, quand elle avait attrapé un méchant rhume quelques années plus tôt.

Je remis les couvertures sur les deux filles. Elles étaient frissonnantes. Moe Moe me remercia d'un sourire fiévreux.

Thar Thar m'attendait dans la cuisine. Agenouillé devant le poêle, il attisait le feu. Dans un coin il y avait des bols, des casseroles et des paniers remplis de pommes de terre, de tomates, de choux-fleurs, de carottes et de gingembre. À côté étaient accrochées des bottes d'ail et de piments rouges séchés. Sur un madrier de bois étaient alignées quelques conserves ainsi que des bouteilles contenant des liquides bruns et noirs.

Le petit déjeuner était identique au dîner de la veille mais avec deux œufs au plat sur le riz et du thé noir très fort qui laissait des picotements sur le palais.

— Pour les enfants, je fais une cuisine pas trop relevée. Vous voulez un peu plus épicé ?

— Volontiers.

Il prit un flacon en plastique de piment en poudre et en versa une cuillerée sur mon curry.

Le goût épicé – et agréable – se répandit aussitôt dans toute ma bouche. À la deuxième bouchée, j'avais les lèvres en feu mais ce n'était nullement douloureux.

Pendant ce temps-là, Thar Thar pelait du gingembre et le coupait en fines tranches.

Lorsque j'eus fini de manger, il me dit :

— Que préférez-vous : balayer, cuisiner ou laver ?

— Cuisiner.

— Très bien. On va faire ça ensemble. D'abord, il faut aller chercher les œufs.

Il me tendit un panier et je le suivis dans la cour. Les poules se précipitèrent vers lui et se mirent à picorer autour de ses pieds comme si elles l'attendaient.

— Combien de poules avez-vous ?

— Je ne sais pas. Il y en a de plus en plus. J'ai cessé de les compter.

— Ont-elles des noms ? demandai-je sans réfléchir.

Il se retourna brusquement.

— Qui donne des noms à ses poules ?

— Les enfants, répondis-je aussitôt, gênée.

Thar Thar sourit.

— Certaines ont des noms, d'autres pas. Elles sont trop nombreuses.

Il poussa un bref sifflement et des buissons sortit une poule brun foncé, légèrement ébouriffée.

— Voilà Koko. Tout a commencé avec elle.

Il se pencha et le volatile sauta sur son avant-bras tendu. Elle resta là, comme un perroquet, la tête inclinée, sans cesser de me dévisager.

Je reculai d'un pas.

— Ne vous inquiétez pas, elle ne mord pas, dit Thar Thar en la reposant. Elle est très confiante. C'est inhabituel pour une poule.

Nous ramassâmes deux douzaines d'œufs dans des creux du sol, dans des tas de feuilles, dans des nids de broussailles – Thar Thar connaissait toutes leurs cachettes.

Dans la cuisine, il me donna une planche à découper et un couteau aiguisé puis me confia un panier rempli de tomates à trancher.

Lui-même épluchait une montagne de pommes de terre. Ses mouvements mesurés irradiaient une sérénité presque méditative.

— Vous savez comment je vis, mais, moi, je ne sais rien de vous, déclara-t-il soudain sans lever le nez de ses pommes de terre.

— Qu'aimeriez-vous savoir ? demandai-je, surprise de voir à quel point son intérêt m'enchantait.

— Tout ce que vous aurez envie de me raconter.

— Posez-moi une question : j'y répondrai.

— Je ne peux pas.

— Pourquoi ?

— Ce serait très impoli. Je ne peux pas interroger ainsi une inconnue.

— Mais ce serait plus facile pour moi, protestai-je. Si je vous demande de le faire, alors, ça n'a plus rien d'impoli.

Je lui jetai un regard en biais. Amy n'aurait pas hésité à qualifier cet échange de dragueur.

Thar Thar réagit par un rire joyeux.

— D'accord.

Il posa son couteau et réfléchit un moment. Puis il dit :

— Qu'est-ce qui compte pour vous ?

Je faillis me couper. Ce n'était pas le genre de question auquel je m'attendais. Je me préparais à répondre aux demandes habituelles concernant ma carrière. Où je vis, ma famille, mon âge, mes revenus. Au lieu de ça : « Qu'est-ce qui compte pour moi ? » Je réfléchis à la réponse à apporter. Mon travail ? Évidemment. Mon amitié avec Amy ? U Ba, bien sûr ! Ma mère ? Mon frère ? Les deux à leur manière. Était-ce ce qu'il voulait savoir ?

Thar Thar sentit qu'il m'avait mise dans l'embarras.

— Pardonnez-moi, dit-il. Vous voyez, je n'ai pas l'habitude de poser des questions. C'était une question idiote.

— Non, non, pas du tout, protestai-je. Simplement, la réponse n'a rien d'évident.

— Oh, dit-il, surpris. C'était la question la plus simple que j'aie pu trouver.

— C'est une question plutôt intime.

— Et on ne doit pas poser ce genre de question ?

Sa sincérité candide me fit penser à mon frère. Ils étaient tous deux dépourvus de toute malveillance. Comment était-ce possible après toutes les épreuves qu'il avait traversées ?

— Mais si, c'est très bien, mais peut-être pas si vite…

— Je vois. Plus tard ?

— Plus tard !

— Pour l'instant, alors, je voudrais simplement savoir – il réfléchissait intensément – combien de pièces il y a dans votre maison ?

Je l'aurais volontiers embrassé.

— Deux. Je vis à New York. À Manhattan, pour être précise.

Je le regardai d'un air interrogateur.

— Je sais où se trouve Manhattan. Je l'ai lu dans un livre.

— Mon appartement est au trente-cinquième étage, continuai-je. Il y a deux chambres, une salle de bains et une cuisine dite américaine dans laquelle je mange.

— Comme ici, remarqua-t-il.

J'essayai de déchiffrer sur le visage de Thar Thar si, oui ou non, il faisait cette comparaison sérieusement. Il me regardait droit dans les yeux et l'intensité de l'échange me prit au dépourvu.

Une subtile contraction de ses lèvres m'amena à penser qu'il devait sans doute plaisanter.

— Comme ici, confirmai-je. Exactement comme ici.

Il sourit.

— Je le savais. Et quel genre de travail faites-vous ?

— Je suis avocate dans un grand cabinet.

— Avocate ? Vraiment ? Ils n'ont pas très bonne réputation dans ce pays ! dit Thar Thar.

— Dans le nôtre non plus, répliquai-je.

L'allusion lui passa au-dessus de la tête.

— Qui défendez-vous ? Les bandits ? Les voleurs ?

— Non, je ne m'occupe pas de droit pénal. Je suis spécialisée dans le droit des sociétés, dans la propriété intellectuelle. Les brevets. Les contrefaçons de produits. Les infractions au copyright. Ce genre de choses. Vous voyez ce que je veux dire ?

Je tenais à être comprise. Il secoua la tête.

— Les contrefaçons de produits, répétai-je lentement, en articulant, dans l'espoir que répéter serait suffisant.

Je tenais vraiment à ce qu'il comprenne ce que je faisais.

Encore un signe de tête. Une expression pleine d'excuses parce qu'il ne parvenait pas à me suivre et que j'étais déçue.

— Comment vous expliquer ? La contrefaçon, c'est par exemple quand on produit un sac très cher et…

— Cher comment ?

— Disons mille dollars…

— Il existe des sacs qui coûtent mille dollars ?

— Bien sûr et même beaucoup plus, mais ce n'est pas le problème, dis-je d'un ton impatient. C'est juste un exemple. Donc, vous fabriquez ces sacs et quelqu'un débarque et les copie tout simplement pour les vendre au dixième du prix.

— Mais ce serait une bonne chose.

— Non !

— Pourquoi non ?

— C'est absolument inacceptable. C'est du vol.

— Je vois. Alors, ils volent les sacs et ils les revendent ?

— Non, dis-je. Simplement l'idée. Ce qu'ils volent, c'est la propriété intellectuelle. Ce qui est aussi grave. Les sociétés doivent se protéger contre ce vol. C'est la raison pour laquelle elles ont besoin d'avocats. En Chine, par exemple, il y a énormément de reproduction pirate. Des boutiques entières de contrefaçons...

J'hésitai. Ses sourcils froncés trahissaient son manque de compréhension.

— Ce serait comme si quelqu'un prenait...

J'étais à la recherche d'un exemple concret, un pendant dans son propre pays. Je jetai un regard circulaire dans la cuisine pour voir si je trouvais quelque chose d'adéquat. Mon œil passa du foyer ouvert à la bouilloire pleine de suie et à la robe de Thar Thar usée jusqu'à la corde. Plus je réfléchissais à cette problématique, plus je me trouvais grotesque.

— Laissez tomber, dis-je finalement. Ce n'est pas si important que ça.

— Bien sûr que si, protesta Thar Thar. Dites-m'en davantage. Si les pirates sont importants pour vous, alors ils sont importants. C'est aussi simple que ça.

— Je ne m'intéresse pas tellement à eux, finalement, ripostai-je, presque fâchée.

356

— Je croyais avoir compris qu'ils vous intéressaient il y a une minute.

Il balança en silence le haut de son corps d'avant en arrière, sa main gauche caressant sans arrêt sa main droite.

Qu'est-ce qui comptait pour moi ?

Une question simple, Thar Thar avait raison. Très vaste, mais je n'aurais pas dû avoir de mal à y répondre. À New York, j'aurais pu le faire sans un moment d'hésitation. Pourquoi cela me laissait-il aussi perplexe aujourd'hui ?

Quelque chose avait changé pour moi sans que je m'en aperçoive. Est-ce vrai que, dans une vie, on peut compter les moments où il se passe quelque chose ? S'en rend-on compte d'emblée ou seulement avec le recul ?

Je fus interrompue dans mes réflexions par une quinte de toux de mon frère. Je me levai et me dépêchai d'aller le voir.

Émergeant du sommeil, il me regarda d'un œil trouble, encore assez groggy. Comme s'il n'était pas tout à fait sûr de l'endroit où il se trouvait.

Je m'agenouillai à côté de lui et je lui caressai la main. Sa tiédeur me réconforta.

— Tu as bien dormi ?

— Pas trop mal, me répondit-il à voix basse.

— Tu as faim ?

— Non, seulement soif.

Thar Thar apporta une tasse de thé et un bol en bois contenant un fond de pommade luisante qui sentait fortement l'eucalyptus.

— J'ai trouvé un reste de baume de notre guérisseur. Vous devriez lui frotter la poitrine et le dos avec. Ça lui fera du bien.

U Ba se redressa et avala le thé chaud.

J'hésitai un moment.

— Je m'en occupe ? proposa Thar Thar.

— Non merci, répondis-je, surprise qu'il ait d'emblée perçu mon indécision.

Thar Thar s'éloigna par discrétion. Je m'accroupis derrière U Ba, remontai sa chemise, plongeai deux doigts dans la pommade et l'étalai d'une épaule à l'autre par gestes circulaires. Il avait la peau chaude et douce, plus douce que je ne l'aurais imaginé. Presque comme celle d'un enfant. Son dos était constellé de minuscules taches brunes ; dans mon souvenir, mon père avait les mêmes. Et quand je me regardais dans le miroir, j'en voyais d'identiques sur moi.

Lorsque j'eus terminé, il s'allongea et j'appliquai la pommade sur sa poitrine. Les yeux fermés, il respirait paisiblement. Je sentais les battements de son cœur sous ma main. Lents et réguliers.

La fragilité de la félicité.

Je me demandai à quoi mon père aurait assimilé ce bruit. À des gouttes tombant d'un robinet qui fuit ? Au tic-tac d'une pendule murale ? Aux cordes d'un violon qu'on pince ?

— Tu es sûr de ne rien vouloir manger ?

J'allai chercher de l'eau dans la cuisine mais, le temps que je revienne, mon frère s'était déjà rendormi.

Thar Thar avait épluché toutes les pommes de terre et mis le riz à cuire quand il vint m'aider avec les tomates. Je n'avais jamais vu personne couper des légumes avec tant de dextérité.

— Parlez-moi de votre frère et de vous, demanda-t-il. Pourquoi vit-il ici et vous à New York ?

— C'est une histoire longue et compliquée.

— Vous avez dit que vous n'étiez pas du tout pressée.

— Nous avons le même père. Il vient de Kalaw. Quand il était jeune, avant même la naissance d'U Ba, un membre de sa famille, très riche, l'a amené à Rangoun. Ensuite, ce même parent l'a envoyé à l'université aux États-Unis. C'est là qu'il a rencontré ma mère. Ils se sont mariés et il est devenu un avocat reconnu.

— Est-il toujours en vie ?

— Non. Il est revenu à Kalaw plusieurs dizaines d'années plus tard et c'est là qu'il est mort.

— Il voulait revoir son fils ?

— Non. Il ignorait tout de son existence.

— Vous en êtes certaine ?

— Tout à fait. Comment aurait-il pu être courant de sa naissance ? Mon frère vivait avec sa mère et ils n'avaient aucun contact.

— Est-elle toujours en vie ?

— Non. Ils sont morts ensemble le lendemain du retour de mon père. Ils ne s'étaient pas revus depuis cinquante ans.

— Quelle belle histoire !

— En quoi est-ce une belle histoire ?

— Le fait qu'ils aient réussi à se retrouver. Le fait qu'ils ne soient pas morts seuls. Est-ce pour elle qu'il est revenu à Kalaw ?

— Je crois. Elle était atteinte d'une maladie mortelle. Il a dû le sentir.

Le silence s'installa entre nous.

Une jalousie dévorante s'empara de moi. Je n'étais pas jalouse de Mi Mi mais de l'amour entre elle et mon père.

Jalousie et solitude.

Y aurait-il jamais quelqu'un pour m'aimer de cette façon ?

Serais-je capable de le supporter ?

Saurais-je reconnaître cet amour quand je le rencontrerai ?

U Ba m'avait dit un jour ceci : « Essentiellement, nous percevons comme amour l'image que nous nous faisons de l'amour. Nous souhaitons être aimés comme nous-mêmes saurions aimer. Toute autre façon nous met mal à l'aise. »

Avait-il raison ? Et, dans l'affirmative, que cela signifiait-il ? Quel genre d'amour saurais-je reconnaître ? De quelle façon aimais-je ? Était-il possible que, même à trente-huit ans, je fusse encore incapable de répondre à cette question ?

Thar Thar avait dû sentir ma tristesse monter. Il tendit la main et me caressa tendrement la joue. J'attrapai cette main et je la tins serrée, laissant ma tête reposer dessus pendant quelques précieuses secondes.

Sans préambule, je déclarai :

— Mon père pouvait entendre les battements de cœur.

Je savais qu'il croirait le moindre mot que je prononcerais.

Je lui racontai le petit garçon dont le père était mort jeune, dont la mère l'avait abandonné et qui, sept jours et sept nuits durant, était resté assis sur une souche d'arbre, sans rien manger et sans rien boire, pour être sûr de ne pas rater le retour de sa mère.

Un petit garçon qui avait failli mourir, parce que l'espoir seul ne suffit pas à maintenir quelqu'un en vie éternellement.

Je lui racontai la jeune femme qui avait appris qu'on ne voit pas avec ses yeux, qu'on ne se déplace pas avec ses pieds.

Je lui racontai les papillons reconnaissables au battement de leurs ailes.

L'amour qui donne la vue aux aveugles.

Un amour plus fort que la peur.

Un amour grâce auquel on s'épanouit, un amour qui ne connaît nulle limite.

Il suivait mon récit avec la plus grande attention. Lorsque je me tus, il m'observa un long moment puis il dit :

— Toi aussi, tu entends les cœurs battre ?

Je secouai la tête, contente qu'il fût passé spontanément au tutoiement.

— Tu en es certaine ?

— Absolument.

Il réfléchit.

— Ton frère ?

— Non.

— Dommage.

Thar Thar me regardait, plongé dans ses pensées.

— J'ai connu quelqu'un autrefois qui était capable d'accorder un cœur.

Accorder un cœur ? répétai-je en me demandant si j'avais bien compris ce qu'il avait dit.

— Oui, comme un instrument. Si un cœur était désaccordé, il savait l'accorder à nouveau.

— N'importe quel cœur ?

— Pas n'importe quel cœur.

— Comment un cœur peut-il se retrouver désaccordé ?

Thar Thar pencha la tête avec un petit sourire narquois.

— La fille d'un homme capable d'entendre les battements de cœur devrait savoir ces choses-là.

Était-il en train de se moquer de moi ?

— Hélas, de bien des façons, reprit-il. N'as-tu jamais entendu parler de cœurs qui battent de façon irrégulière, de façon trop rapide, de cœurs qui souffrent d'arythmie cardiaque ? Quand la vie t'a rendu méchant, quand les déceptions ont fait de toi quelqu'un d'aussi amer qu'une tranche de tamarin, les battements du cœur sont enfouis trop profond. Quand on a peur, le cœur se met à palpiter comme un oisillon. Quand on est triste, il bat si lentement qu'on pourrait craindre qu'il ne s'arrête incessamment. Quand on est submergé d'angoisse, il bat de façon très irrégulière. Est-ce différent en Amérique ?

— Non. Mais lorsqu'on est atteint d'arythmie, on va chez le cardiologue.

— C'est un autre problème. Là, il s'agit de la mécanique du cœur. Cela n'a rien à voir avec le fait d'accorder un cœur.

— Qui fait ça, alors ?

Thar Thar s'éclaircit la gorge, planta le couteau dans la planche à découper et garda le silence. Une ombre vint obscurcir ses traits.

— Comment fait-on pour accorder un cœur ? insistai-je doucement.

Il ne répondit pas.

— Cela exige-t-il un don particulier ?

Son regard passa au-dessus de moi. Sa lèvre inférieure se mit à trembler.

Où était passé son merveilleux rire ? Celui auquel il n'avait vraiment pas droit, étant donné la vie qu'il avait menée.

— Que faut-il pour devenir accordeur de cœurs ? Qui peut faire cela ? Un magicien ? Un astrologue ?

Il secoua la tête. Sans dire un mot.

Il se leva, fit volte-face et partit dans le hall. Peu de temps après, je l'entendis discuter avec les poules dans la cour.

C'était quoi toutes ces histoires à propos de cœurs à accorder ? Qui était donc l'accordeur de cœurs qu'il avait connu ? Ko Bo Bo ? Le père Angelo ? Pourquoi son visage s'assombrissait-il à ce souvenir ?

Je coupai le reste des tomates puis tranchai des dizaines de carottes en attendant son retour. En vain.

Lorsque j'eus terminé, je le vis par la fenêtre de la cuisine : assis devant l'appentis, il débitait du petit bois.

Thar Thar ne réapparut qu'en fin d'après-midi, en même temps que les autres. Comme si de rien n'était, il me demanda si j'accepterais d'apprendre aux enfants quelques phrases d'anglais. Je serais sûrement plus compétente que lui et avoir une authentique Américaine comme professeur représenterait sans doute pour eux un attrait supplémentaire.

Peu de temps après, ils se retrouvèrent tous les douze assis par terre, par rangées de quatre, au milieu du hall. Je repliai mon coussin en deux afin d'être un peu plus haute et je m'installai devant eux. Thar Thar était à côté de moi et il leur adressa quelques mots en birman. Les élèves hochèrent la tête, j'en vis plusieurs sourire avec nervosité. Thar Thar alla prendre place au dernier rang. Une douzaine de paires d'yeux me dévisageaient d'un air d'attente.

Je ne dis mot.

Ce qui, quelques instants auparavant, avait paru si simple, bavarder avec eux dans ma langue maternelle et leur apprendre quelques phrases utiles, paraissait soudain totalement impossible. De la condescendance. Une tâche impossible. Des leçons d'anglais sans papier ni crayon. Sans tableau noir. Sans livre ni cahier. Sans plan de cours. La curiosité sur leurs visages. Qu'espéraient-ils ? Que pourrais-je leur offrir ?

Ils attendaient patiemment.

Si ce silence me perturbait, il n'en allait pas de même pour eux.

Je les dévisageai, l'un après l'autre. Moe Moe qui, malgré sa fièvre, était assise au premier rang. À côté d'elle, Ei Ei, sa jambe raide tendue vers moi. Ko Maung le sourd, concentré sur mes lèvres comme si elles recelaient tous les secrets du monde. Derrière lui, Ko Lwin, assis tout droit en dépit de son dos bossu, la tremblante Toe Toe blottie contre lui.

Ce fut à ce moment que je compris pourquoi je me sentais aussi nerveuse ; c'était leurs yeux. Ils en avaient vu bien plus que les miens. Ils avaient enduré des épreuves que je ne connaissais que par ouï-dire. Ou pas du tout. La sagesse de leurs âmes était bien supérieure à la mienne. Ils n'attendaient rien de moi. Je n'avais aucun besoin de leur prouver quoi que ce soit. D'accomplir quoi que ce soit. Tout ce que je pourrais leur donner serait suffisant. Ils étaient reconnaissants du temps que je leur consacrais, qu'il s'agisse de minutes, d'heures ou de jours. Ils irradiaient l'humilité et la dignité, une modestie qui me coupait le souffle.

Je déglutis. Je m'éclaircis la gorge. Je me tordis les mains si fort que cela fit mal. Je baissai les yeux.

— Comment ça va ? dis-je doucement.

Silence.

— Comment ça va ? répétai-je.

— Comment ça va ? dit l'écho.

En chœur.

Chuchotement.

Cri.

Murmure.

Marmonnement.

Je n'avais jamais entendu pareille gamme de variations pour cette phrase. Chaque voix lui donnait un aspect différent. La sincérité avec laquelle ils la prononçaient. Le sens dont ils l'imprégnaient. Sortie de leurs bouches, dans ce monastère à moitié écroulé, elle perdait son côté comment-ça-va-très-bien-merci-et-vous.

— Comment ça va ? dis-je en insistant soigneusement sur chaque mot.

— Comment ça va ? répétèrent-ils.

Avec force et enthousiasme, de façon claire.

Je souris, soulagée. Ils sourirent à leur tour.

—Je m'appelle Julia. Comment t'appelles-tu ? demandai-je en regardant Moe Moe.

Je vis les rouages tourner dans sa tête enfiévrée. Fouillant sa mémoire pour voir si la question évoquait quelque chose. Réfléchissant aux significations possibles de chaque mot, les soupesant l'un après l'autre, prenant des décisions. Rassemblant son courage. Elle remuait les lèvres avec détermination, comme des mains caressent un nouveau-né.

— Je m'appelle Moe Moe, chantonna-t-elle.

— Très bien ! m'écriai-je.

La fierté dans son regard.

— Comment t'appelles-tu ?

Cette fois, je m'adressai à Ko Lwin.

Ses rouages se mirent également en route. Il se mit à mordre sa lèvre inférieure, les sourcils froncés. Ses pensées tournaient en rond. Le sens des mots demeurait opaque.

— Je m'appelle Julia. Comment t'appelles-tu ? répétai-je, ce qui ne fit qu'épaissir le mystère pour lui.

Il prenait son temps et je n'étais pas pressée. Les autres attendaient patiemment.

— Je vais très bien, dit-il à voix si basse et de façon si imprécise que c'était à peine compréhensible.

Moe Moe se retourna pour lui chuchoter quelque chose. Les yeux du garçon papillotèrent. Du courage pour une deuxième tentative.

— Je... m'appelle... Ko Lwin ? proposa-t-il prudemment, comme si sa vie en dépendait.

J'approuvai d'un signe de tête.

— Bien ! Très très bien !

Le plaisir qu'ils prirent tous devant son exploit.

Je leur demandai leur nom. Comment ils allaient. D'où ils venaient.

Thar Thar me souriait, du dernier rang.

Que cela me plût ou non, ce sourire me faisait battre le cœur. Plus fort que je ne l'avais senti battre depuis très longtemps.

Couchée dans mon lit, je pensai à Amy. Aux cœurs à accorder. Une idée qui lui plairait. Elle dédierait sans doute à ce thème toute une série de tableaux. *Cœur à accorder I. Cœur à accorder II.* Ou *Un cœur bien accordé. L'accordeur de cœurs. Un cœur désaccordé.* J'imaginai des toiles rouges. Avec des cercles. Des notes noires au milieu. Ou un papier blanc avec un rond rouge, et des lignes au-dessus suggérant un diapason.

Et si je me trompais ? Amy disait toujours qu'il existait des thèmes qu'on ne pouvait ni peindre ni mettre en mots. Des thèmes si vastes que seuls les compositeurs pouvaient espérer en approcher. Et encore. Tous les autres artistes devaient accepter de s'incliner avec humilité devant eux.

Je m'enfonçai dans le sommeil avec ces pensées-là à l'esprit.

Dans la nuit, je fus réveillée par des coups sourds. Comme si quelqu'un enfonçait des poteaux dans le sol avec un marteau-pilon. Ils parvenaient jusqu'à moi de très très loin, ils obéissaient à leur propre rythme, ils paraissaient parfois plus légers, parfois plus ténébreux. Je prêtai l'oreille un court moment mais j'étais trop fatiguée pour m'y intéresser longtemps et je me rendormis au bout de quelques minutes

6

Le lendemain, Thar Thar me demanda de venir aux champs leur prêter main-forte. Il était temps de récolter le gingembre, les carottes et les pommes de terre. Plus il y aurait de bras, mieux cela vaudrait.

Chargés de paniers, de bêches, de râteaux et de sarcloirs, nous nous mîmes en route tous ensemble dans le petit matin brillant, juste après le petit déjeuner. Le soleil était encore caché derrière les montagnes. Il faisait frisquet. Une fine couche de givre recouvrait feuilles et herbes. L'air était limpide et froid, le ciel sans nuages d'un bleu profond. Un coucou chantait.

— Tu devrais faire un vœu, dit Thar Thar qui marchait derrière moi.

— Pourquoi ?

— C'est une de nos coutumes. Si on entend le premier appel du coucou le matin, alors on peut faire un vœu.

— Et il se réalisera ?

— Seulement si tu tombes sur deux pommes de terre qui ont grandi ensemble pendant la récolte.

— Tu crois à ces signes ? demandai-je, surprise.

— Comme tout le monde, non ? Chacun à sa manière ?

Les champs au-delà de la forêt de bambous s'étendaient plus loin que je ne l'aurais imaginé. Certains avaient été récemment labourés ; dans d'autres poussaient différents légumes. Les tiges de pommes de terre étaient déjà partiellement flétries. Moe Moe, qui se sentait mieux, me montra comment les récolter.

— Tu vois ? dit-elle en saisissant de son bras unique un bouquet de feuilles.

Elle tira dessus et arracha le tout. Les pommes de terre pendaient au bout des tiges. Elle s'agenouilla.

— Tu vois ?

Pleine de fierté, elle me regarda en clignant des yeux et se mit à creuser la terre pour trouver d'autres tubercules.

Il avait dû pleuvoir abondamment quelques jours auparavant. La terre était encore meuble et humide. À deux mains, je fouillais dans les sillons. Moe Moe prenait les pommes de terre et les mettait dans un panier.

À nous deux, nous en trouvâmes rapidement plus d'une vingtaine. Nous avancions vite, passant d'un plant à l'autre. Je creusais et elle ramassait. Au bout de quelques mètres, nous formions une machine bien huilée.

Elle regarda mes mains et mes bras noirs et boueux jusqu'aux coudes.

— Comment ça va ? demanda-t-elle.

— Ça va bien. Très bien.

— Tu vas bien ? demanda Moe Moe et je vis à quel point elle avait du mal à garder son sérieux.

— Oui, je vais bien, dis-je.

Je ne pus m'empêcher de rire. Moe Moe fit de même et nous riions tellement que nous en pleurions.

Le soleil passa par-dessus les montagnes et bientôt il fit chaud. La sueur ruisselait dans mon cou. J'étais la seule à n'avoir pas de chapeau sur la tête. Lorsque Moe Moe vit à quel point je transpirais, elle prit son chapeau de paille et me le mit sur la tête. Je voulus le lui rendre. Ses yeux me supplièrent de ne même pas essayer.

Mon frère aurait dit qu'elle était heureuse de pouvoir me rendre service.

Le plaisir de donner.

Lorsque notre panier fut plein, j'étais prête à le rapporter au monastère. Il était tellement lourd que je ne pus le traîner que sur quelques mètres.

— Lourd, dis-je en le posant à terre.

— Lourd, répéta Moe Moe avec beaucoup d'attention. Très lourd ?

Visage interrogateur.

— Très lourd ! confirmai-je.

— Besoin aide ?

— Oui, j'ai besoin d'aide.

Ses yeux brillaient. Je pris conscience que chaque mot n'était pas seulement un nouvel élément de vocabulaire ; c'était un cadeau, précieux, unique. Quelque chose à cultiver, à conserver. C'était la raison pour laquelle on la voyait si souvent répéter les mots. Quelque chose qui l'aidait à ouvrir une nouvelle porte, une nouvelle fenêtre, à libérer un monde inconnu d'elle, à communiquer avec moi.

Chacune de nous prit une poignée du panier et nous le trimballâmes à travers la forêt de bambous.

Cet après-midi-là, pendant le cours d'anglais, j'avais mal partout à cause de ce travail auquel je n'étais pas habituée. Que mon corps se rappelât ainsi à moi était une sensation très agréable.

Le soir, j'étais tellement fatiguée que, pendant le dîner, j'avais déjà du mal à garder les yeux ouverts.

Et le temps s'écoula ainsi. Le matin, nous travaillions aux champs. En fin de matinée, Thar Thar et moi nous retournions au monastère avec une des filles. Là, nous ne nous quittions pratiquement plus. Ensemble, nous nous occupions de mon frère ; ensemble, nous préparions le repas et nous faisions la lessive. Quand, comme par accident, nous nous frôlions, à la cuisine ou au puits, cela me faisait plus d'effet que je n'osais me l'avouer. Je voyais dans ses yeux qu'il en allait de même pour lui.

L'après-midi était consacré aux cours qui, désormais, se résumaient essentiellement à mes leçons d'anglais. J'attendais ce moment de la journée avec impatience, d'autant que Moe Moe, dont l'appétit d'apprendre était contagieux, petit à petit, déteignait sur tout le monde. Thar Thar s'installait toujours au dernier rang. Sa présence était une vraie joie pour moi.

Nous nous efforcions tous deux de rester l'un près de l'autre, pourtant, nous ne parvenions pas à trouver un moment tranquille pour une conversation comme celles dont nous avions profité pendant les deux premiers jours. Parfois, j'avais même l'impression qu'il les évitait. Lorsque je m'asseyais sur les marches après le dîner, il venait me rejoindre mais toujours avec Moe Moe ou Ei Ei ou même escorté par les deux. J'aurais préféré être seule avec lui mais je n'étais pas déçue pour autant. Lorsque le moment serait venu, nous aurions à nouveau l'occasion de passer du temps seuls. J'en étais persuadée.

Cela faisait bien longtemps que je ne m'étais plus sentie aussi bien, en dépit des efforts physiques, en dépit de la caisse en bois qui tenait lieu de toilettes, en dépit de l'absence de douche. Au monastère, je dormais bien. Je n'avais mal ni au dos ni à la tête. Je me sentais parfois toute légère, comme cela ne m'était pas arrivé depuis des années. Amy aurait sans doute décrit mon état comme « détendu en profondeur ».

Tous les matins, avant que je ne me lève, Moe Moe m'apportait du thé chaud et une fleur d'hibiscus toute fraîche. Après, elle me mettait cette fleur dans les cheveux. Un jour, sans réfléchir, je racontai à Thar Thar qu'à New York je préférais le café au thé. Le lendemain matin, elle surgit avec de l'eau chaude et un bocal de café instantané qu'elle était allée chercher exprès à Hsipaw pour moi, comme je l'appris plus tard. Son « Tout le plaisir est pour moi » essoufflé et le sourire qui allait avec, le plus joli et le plus triste que j'aie jamais vu, me poursuivirent toute la journée.

U Ba, lui aussi, se remettait lentement. Je le frottais de pommade deux fois par jour, je vérifiais matin et soir le mucus de ses expectorations sans y trouver la moindre trace de sang. Il ne ressentait de douleur ni dans la poitrine ni sous les aisselles.

Thar Thar affirmait que non seulement ses quintes étaient moins fréquentes, mais que, en outre, la toux avait changé de nature et que c'était bon signe. Moi, je ne percevais aucune différence.

Les premiers jours, mon frère n'avait pas fait grand-chose d'autre que dormir. Maintenant que son énergie lui revenait, il se levait et s'efforçait de nous aider. Ensemble, nous nourrissions les poules, nous ramassions les œufs, nous balayions la maison, nous lavions et coupions les légumes. Seule la lessive était pour lui une tâche trop fatigante.

J'eus envie de lui montrer les champs d'où je revenais toujours avec des paniers débordants et des mains terreuses. Nous traversâmes la forêt de bambous. Il traînait encore un peu la patte. Il me prit le bras et je le tins serré contre moi.

Nous parvînmes à la lisière des bambous avec devant nous un paysage vallonné et des champs cultivés.

— Depuis combien de temps sommes-nous ici ? demanda-t-il soudain.

— Aucune idée. Une semaine ? Dix jours ?

Normalement, j'avais un sens aigu du temps qui s'écoulait.

U Ba posa la tête sur mon épaule.

— C'est magnifique ici, dit-il.

— Absolument, approuvai-je.

— Qui pourrait avoir envie d'en partir ?

Ne sachant pas exactement où il voulait en venir, je ne réagis pas.

— Combien de temps comptes-tu encore rester ? s'enquit mon frère en contemplant le champ.

Cette question, je la redoutais. Je l'esquivais depuis des jours parce que je n'avais aucune réponse à donner.

— Je ne sais pas. Qu'est-ce que tu en penses ?

U Ba me jeta un regard désapprobateur.

— C'est à toi de décider.

— Pourquoi ?

— Je n'ai pas de bureau où je dois revenir. Personne ne m'attend. En ce qui me concerne, on peut rester ici une semaine de plus. Ou deux. Ou trois…

— Le temps que nous passerons ici dépend de ce que nous y cherchons.

Il acquiesça d'un signe de tête.

Une autre question à laquelle je n'avais pas de réponse. La voix avait disparu, exactement comme l'avait prévu le vieux moine à New York. Je ne m'attendais plus à entendre quoi que ce soit de sa part maintenant que nous avions trouvé Thar Thar. Alors, qu'est-ce qui me retenait ici ? Je n'avais pas envie d'y penser. J'avais envie de récolter des pommes de terre et du gingembre avec Moe Moe, de nettoyer des légumes, d'enseigner l'anglais.

Je voulais apprendre de Thar Thar le secret de l'accordeur des cœurs.

— N'as-tu pas envie de rentrer en Amérique un de ces jours ?

— Bien sûr ! répondis-je. Mais il n'y a aucune urgence.

J'avais négocié avec Mulligan un congé sans solde illimité. Deux ou trois semaines de plus ou de moins ne changeaient rien. Mon visa était valable pour quatre semaines mais j'avais lu sur Internet et dans plusieurs guides de voyage que dépasser la date de validité de son visa ne posait aucun problème au moment du départ, mise à part une modeste amende à régler à l'aéroport.

Qui ou quoi m'attendait donc ?

Amy. Quelqu'un d'autre ?

— Que te dit ton intuition ? me demanda mon frère.

Je lui serrai doucement le bras.

— Aucune idée. Je t'ai déjà dit que mon intuition ne fonctionne pas toujours très bien.

Après un bref silence, je lui renvoyais sa question.

— Et la tienne ?

— Que nous allons bientôt partir, dit-il d'un ton sérieux.

— Pourquoi ?

— Parce que je crains que, sinon, nous n'apportions la perturbation dans cet endroit.

— Qu'est-ce que tu veux dire au juste ? demandai-je, sidérée. Quel genre de perturbation ?

— J'ai du mal à mettre cette impression en mots. Ça se passe comme ça avec l'intuition.

— Tu es plutôt évasif.

— Peut-être.

— Quel genre de perturbation ? insistai-je. J'ai le sentiment que tout le monde est content que nous soyons ici. Mais peut-être que quelque chose m'échappe. J'interprète mal leurs réactions ? Leur rire quand ils me voient n'est peut-être pas l'expression de la joie mais de l'incertitude ? D'un malaise ? Ont-ils peur de moi ?

Je ne faisais aucun effort pour dissimuler ma déception.

— Non, non. Tu n'as rien interprété de travers. C'est seulement... (Il s'interrompit, ouvrit la bouche, poussa un profond soupir.) Je veux dire... le problème... nous n'allons pas emménager au monastère, si ?

— Non, bien sûr que non.

— Et plus nous resterons longtemps, plus notre départ sera compliqué.

— Tu penses que j'en serai trop triste...

— Pas seulement toi, dit-il en m'interrompant.

Au milieu de la nuit, je fus réveillée par un bruit régulier, cadencé, comme un grattement ou un frottement. Comme si quelqu'un balayait la cour dans l'obscurité. J'écoutai attentivement. La respiration de mon frère. Les dormeurs autour de moi. Le bruit s'atténua lentement, diminuant de plus en plus jusqu'à disparaître. Peu de temps après, j'entendis à nouveau les coups sourds et violents des nuits précédentes, accompagnés par des grognements d'efforts et des bruits de bois fendu.

Ma montre indiquait 3 h 32. Je me levai et passai dans le hall. La natte de Thar Thar était vide.

Dehors, la lune baignait tout dans une lumière froide et blanche. Les bambous jetaient une ombre mouvante sur la cour récemment balayée. Debout devant l'appentis, Thar Thar balançait une hache qu'il abattit avec une force brutale à l'extrémité d'une bûche. La lame s'enfonça dans le bois. Les jambes écartées, il la leva haut au-dessus de sa tête, rassembla ses forces puis laissa la hache et la bûche tomber à toute vitesse sur une deuxième bûche, plus grosse, si bien que la première éclata en deux morceaux sous le choc de son propre poids.

Je mis une veste sur mes épaules et sortis.

C'était un curieux spectacle : un moine, pieds nus, qui coupait du bois vêtu d'une robe d'un brun rougeâtre nouée au-dessus des genoux. Thar Thar était tellement absorbé par sa tâche qu'il ne remarqua pas mon arrivée. À sa gauche et à sa droite, il y avait des grands tas de bois fraîchement coupé.

— Qu'est-ce que tu fais ?

— Je coupe du bois, répondit-il sans se retourner.

— Je le vois bien. Tu sais quelle heure il est ?

— Non. C'est important ?

— Pourquoi ne fais-tu pas cela pendant la journée ?

La hache s'abattit avec une telle force dans la bûche visée que le sol vibra sous mes pieds.

J'étais effrayée par l'expression du visage de Thar Thar. La sueur maculait son front, ruisselait le long de ses joues et de son cou. Ses yeux magnifiques étaient petits et étroits, ses lèvres pleines bien serrées. Il était hors d'haleine. Dans la lueur pâle de la lune, il paraissait plus âgé. Plus fatigué que dans la journée. Plus solitaire.

— J'ai fait un cauchemar. Ça arrive parfois. Couper du bois, ça aide.

— Ça aide contre quoi ?

— Contre les mauvais rêves. Les esprits malfaisants. Les souvenirs, dit-il, la respiration sifflante.

— Quel genre de souvenirs ?

Thar Thar s'immobilisa, la hache au-dessus de la tête, et me regarda pour la première fois.

— Tu n'aurais pas envie de les connaître.

— Et si c'était le contraire ?

Il hésita, se détourna et se remit à couper du bois de toutes ses forces.

— Et si c'était le contraire ? répétai-je.

D'une voix plus forte, provocante.

Il m'ignora.

Fracas. Des éclats de bois qui volaient dans l'air. Un morceau de bûche atterrit juste à mes pieds. J'avançai d'un pas vers Thar Thar. Et puis d'un autre. Si le bois se fendait à nouveau comme il venait de le faire, je serais blessée. Ce pourrait être le bon moment, pensai-je. Peut-être cette nuit éclairée par la lune était-elle le bon moment pour lui raconter ce que je savais. Quel était le véritable but de mon voyage.

Je pensai à Nu Nu.

À des poings tambourinant sur un ventre.

À des offrandes pour la mort d'un nourrisson.

Je vis la lame fendre l'air et je l'imaginai tomber sur une poule portée à deux mains par un enfant.

Thar Thar enfonça sans brutalité la hache dans la souche et se tourna vers moi.

— Que veux-tu ? demanda-t-il, pantelant.

— Te parler.

— À quel sujet ?

— Des cauchemars. Des souvenirs.

— Pourquoi ?

— Parce que j'ai quelque chose à te raconter.

Il essuya la sueur de son visage, s'appuya des deux mains sur le manche de sa hache et m'observa sans rien dire. Avec des yeux sur lesquels le passé avait laissé sa marque.

— Je ne suis pas une touriste ordinaire.

— Je sais.

— Comment ça ? demandai-je, surprise.

U Ba l'avait-il finalement prévenu de quelque chose ?

— Intuition.

— Sais-tu aussi pourquoi je suis venue ?

— Non. Et je ne suis pas du tout certain d'avoir envie de le savoir.

— Pourquoi ?

— Cela faisait des années que je n'avais plus eu de cauchemars comme ceux que j'ai eus ces dernières nuits.

— Et tu crois que ça a un rapport avec moi ?

— Oui.

— Qu'est-ce qui te fait penser ça ?

— Parce qu'il émane de toi quelque chose qui me met mal à l'aise.

— Il se pourrait que ce ne soit pas moi qui te mette mal à l'aise, dis-je.

— Qui, alors ?

Et c'est ainsi que je commençai mon histoire.

L'histoire d'une voix qui refusait tout répit. Et d'une jeune femme qui, brusquement et de façon inattendue, résistait. Parce que quelque chose en elle lui répondait.

D'une mère qui n'avait pas le cœur assez grand. Mais c'était le seul qu'elle avait.

D'une vieille femme incapable de garder pour elle une triste histoire.

Tu en gardes un.

Nous prendrons l'autre.

Lorsque j'eus achevé mon récit, je m'écroulai, éreintée, sur une souche d'arbre. Je tremblais de tout mon corps.

Un silence irréel s'était installé autour de nous. Le vent s'était calmé. Même les insectes avaient interrompu leur concert. J'entendais la respiration lourde de Thar Thar.

— Et maintenant, tu me crois folle ? demandai-je d'un ton prudent.

Thar Thar s'assit sur une souche en face de moi. Nos genoux se touchaient. Il secoua la tête.

Les larmes ruisselaient sur ses joues et je lui pris les mains. Elles étaient glacées. Je me levai pour l'entourer de mes bras. Serrer sa tête contre mon ventre. Il se nicha contre moi, dans ma veste. Dans moi. Ses sanglots étouffés.

Avais-je eu tort de tout lui dire ?

J'imaginais Nu Nu, Maung Sein, Ko Gyi et Thar Thar ; certaines familles n'avaient vraiment pas de chance. Ou très peu. Et à quel point l'ombre du malheur pouvait s'allonger. Les familles au sein desquelles chacun donne tout l'amour qu'il a mais ça n'est pas encore suffisant. Où chacun partage autant qu'il est possible et pourtant les cœurs restent sur leur faim. Aucun reproche à faire. Aucune malveillance. Où surviennent des blessures qu'une vie entière ne suffit pas à guérir.

Le lieu de tous les commencements. L'amour. Le besoin d'amour. La peur de l'amour.

Le lieu dont on ne peut jamais se débarrasser. Où les cœurs sont trop petits ou trop gros. Trop avides ou trop repus.

Où nous sommes sans défense, vulnérables comme nulle part ailleurs.

Parce que l'amour ignore la justice. Même l'amour d'une mère. Ou d'un père.

Je me représentai une cabane en paille et un immeuble sur la Soixante-quatrième Rue dans l'Upper East Side de Manhattan et je sentis le chagrin s'emparer de moi et me secouer comme s'il était un chien de chasse et moi une proie longtemps pourchassée.

J'essayai de toutes mes forces de refouler mes larmes. Je ne voulais pas pleurer mais plus je luttais, plus ma propre douleur augmentait.

Je ne sais pas combien de temps nous restâmes ainsi. Petit à petit, la respiration de Thar Thar se calma. Je l'embrassai sur la tête. Il leva les yeux vers moi. Des yeux dans lesquels le passé avait laissé ses marques, mais où brillait à nouveau une lueur d'espoir. En dépit de tout. Je pris son visage entre mes mains et déposai un baiser sur son front.

Une fois. Deux fois.

Je le caressai. Sa bouche. Ses lèvres. J'embrassai ses joues et son nez, comme si je pouvais chasser mes propres malheurs avec ces baisers.

— Ma mère est-elle en train de te parler en ce moment ? chuchota-t-il.

— Non.

— Est-elle en train de te dire de m'embrasser ?

— Non. Non. Non.

Parfois, on se lie dans la joie. On ne fait plus qu'un dans le bonheur : l'espace de quelques précieuses secondes, on ne forme plus qu'un seul être, parce qu'une personne seule ne peut tout simplement pas supporter l'intensité de ce moment.

Et d'autres fois, on se lie dans la douleur. On ne fait plus qu'un dans la peine : l'espace de quelques précieuses secondes, on ne forme plus qu'un seul être, parce qu'une personne seule ne peut tout simplement pas supporter l'intensité de ce moment.

Thar Thar et moi, nous nous étions réfugiés dans l'appentis. J'étais dans ses bras. J'avais dans les narines une odeur inconnue mais pas désagréable. Je tremblais encore de tout mon corps. Lui aussi.

Deux cœurs battant violemment, incapables de se calmer.

J'avais chaud, en dépit de l'air frais de la nuit. Il repoussa tendrement mes cheveux humides de sueur de mon visage.

Un sourire si doux.

— Quand as-tu entendu la voix pour la dernière fois ? demanda-t-il à voix basse.

— À Kalaw, répondis-je après avoir réfléchi. Qu'est-ce que tu ferais si elle se manifestait maintenant ? Aurais-tu envie de lui parler ? ajoutai-je.

Thar Thar mit longtemps à répondre.

— Non, dit-il finalement. Non, je n'en aurais pas envie.

— Pas maintenant ?

— Plus jamais.

— Après tout ce qui s'est passé ?

— Non.

— Pourquoi ?

— Parce que cette période est terminée.

— Détestes-tu ta mère ?

— Non.

Pensant à cette réponse, je lui embrassai le bout du nez.

— Voudrais-tu au moins savoir pourquoi elle… ?

— Plus maintenant, m'interrompit-il. Si tu m'avais posé la question au camp, cela aurait été une tout autre histoire. (Il se redressa sur un coude.) À l'époque, j'étais consumé par la haine. J'étais tellement en colère, tellement amer ; si tu avais pu me lécher le cœur, tu te serais empoisonnée. Nous étions tous prisonniers dans le camp. Même les soldats et les officiers. Tous. Sauf un.

Thar Thar me scrutait intensément comme pour voir si je parvenais à le suivre.

— Sauf un ?

— Nous étions prisonniers de notre haine, continua-t-il sans répondre à ma question. Prisonniers de notre désespoir. De notre amertume. De notre chagrin.

« Nous serions restés des prisonniers même s'ils nous avaient libérés. Quiconque est allé dans un camp porte ce camp en lui pour le restant de sa vie. Quiconque a été victime de violences porte ces violences en lui. Quiconque a été trahi porte cette trahison en lui. Combien de fois je me suis disputé avec ma mère ! Je l'ai maudite. Je lui ai demandé pourquoi elle avait gardé Ko Gyi et pas moi. Ce que je lui avais fait pour mériter sa froideur déjà lorsque j'étais enfant. Je voulais des réponses à des questions qui n'en avaient pas. J'arpentais la jungle dans l'espoir, en fait, de marcher sur une mine. D'être déchiré en mille morceaux. Je n'avais aucune envie de passer le reste de ma vie dans le cachot de ma colère et de mon amertume. C'est un endroit froid, sombre et terriblement solitaire. La mort était la seule issue. Du moins c'était ce que je pensais jusqu'à ce que quelqu'un me montre la lumière.

«Dans mes rêves, j'ai souvent vu mon frère et ma mère debout devant moi. Si proches que je sens leur souffle sur ma peau. Brusquement, ils font demi-tour et ils partent. La main dans la main. Sans un mot. Je voudrais leur courir après mais je ne parviens pas à bouger. J'ai envie de leur crier de m'attendre mais pas un son ne franchit mes lèvres. Ils marchent le long d'une route, ils rapetissent de plus en plus. J'ai désespérément envie de les suivre mais je suis infirme. Je crois être au bord de la mort. C'est épouvantable. Puis un soldat s'approche de moi et me donne un coup de crosse en pleine figure. Je me suis toujours réveillé à ce moment-là. Toutes mes pensées, tous mes sentiments tournaient inexorablement autour des mêmes questions : qu'ai-je donc fait pour mériter ce malheur ? Pourquoi ai-je été rejeté ?

Il s'allongea, les bras repliés derrière la tête, contemplant le plafond de l'appentis. Je l'observai un moment et dessinai doucement le contour de ses lèvres du bout de mes doigts.

— Et cela s'est-il adouci avec le temps ? demandai-je à voix basse.

— Non, pas avec le temps.

— Comment, alors ?

Thar Thar ne répondit rien.

— Aujourd'hui, tu n'es plus prisonnier ? insistai-je.

— Non. Ai-je l'air d'en être un ?

— Pas du tout. Comment as-tu réussi à te libérer ?

— Je me suis résolu à aimer.

— Est-ce une chose qu'on peut simplement décider ? demandai-je d'un ton sceptique.

— Pas comme ça.

— As-tu le moindre pouvoir de décision sur cette question ?

— Non, apparemment pas, répondit-il d'un ton songeur en se tournant vers moi.

Il avait les yeux brillants, comme ils l'étaient durant les premiers jours. J'entourai ses hanches de ma jambe et je le serrai plus fort contre moi.

— Tu as raison. Disons plutôt que c'est l'Amour qui est venu à moi. Un jour, il s'est présenté à la porte et il a demandé à entrer. Il avait parcouru un long chemin et je ne l'ai pas repoussé. J'étais convaincu qu'il ne se donnerait pas autant de mal une deuxième fois.

— Mais quel est le rapport entre l'amour et ton emprisonnement ?

— Pour pardonner, il faut aimer et être aimé. Seuls ceux qui pardonnent peuvent être libres. Quiconque pardonne n'est plus prisonnier.

7

Il m'avait touchée. À l'endroit où j'étais le plus sensible. Il m'avait pénétrée. Pas seulement physiquement.

Une partie de lui resterait en moi.

Le lendemain matin, je trouvai une tasse de thé tiède près de mon lit. À côté m'attendaient un gros bouquet d'hibiscus rouges et une couronne de jasmin exhalant son merveilleux parfum. Le sac de couchage de mon frère était vide. J'avais dormi très tard.

Dans le hall également, les nattes avaient été roulées. Tout le monde, mis à part Thar Thar et U Ba, était déjà parti aux champs. Eux deux, assis en haut des marches, devant la maison, buvaient du thé. Mon cœur se mit à battre plus fort en les voyant.

Thar Thar se leva. Il m'accueillit avec un regard timide, embarrassé. Pendant un petit moment, nous restâmes là, muets, gênés comme des adolescents.

— Merci pour les fleurs, chuchotai-je. C'est très gentil de ta part.

Son visage s'éclaira. Comme je lui enviais ce regard.

— Bonjour, Julia, dit mon frère. Tu as passé une bonne nuit ?

Je le scrutai à la recherche de tout double sens. Mais, à l'évidence, il était absolument incapable de ce genre de choses.

— Délicieuse, répondis-je en souriant furtivement à Thar Thar. Vraiment délicieuse.

Thar Thar était tellement gêné qu'il avait du mal à rester immobile.

— Pourquoi Moe Moe ne m'a-t-elle pas réveillée ?

— Nous avions le sentiment que tu avais besoin de dormir, dit U Ba.

— Je vais te chercher une tasse et quelque chose à manger, annonça Thar Thar en se précipitant vers la maison.

D'un geste de la main, U Ba m'invita à prendre place à côté de lui. Il m'observait avec presque autant d'intensité que ce jour dans la maison de thé de Kalaw où nous nous étions vus pour la première fois.

— Y a-t-il un problème ? demandai-je d'un ton hésitant.

— Tu as l'air… (Il pencha la tête sur le côté, cherchant les mots appropriés.) … différente ce matin.

— Dans quel sens ?

— Ravissante. Ravie. Encore plus belle que d'habitude !

— Oh mon amour de frère, soupirai-je en posant la main sur son genou.

J'étais si heureuse que je mourais d'envie de le serrer contre moi.

— Je me sens très bien. C'est magnifique ici.

Thar Thar revint avec un bol de riz, des légumes et deux œufs. J'étais dans un tel état d'exaltation que je pus à peine manger. Nous restions assis sur les marches, sans rien dire. Les poules caquetaient dans la cour. Un chien somnolait dans l'ombre de l'escalier. Il faisait chaud, ça sentait le parfum des fleurs.

Thar Thar, le souffle court, ne cessait de remuer les doigts. Il souhaitait me dire quelque chose mais il n'osait pas. U Ba finit par se lever pour rentrer dans la maison.

Je lançai à Thar Thar un tendre regard.

— Qu'allons-nous faire maintenant ? Balayer ? Cuisiner ? Faire la lessive ?

— Accepterais-tu de m'accompagner pour une petite promenade ? Nous serions de retour à temps pour le cours d'anglais.

— Très volontiers. Où allons-nous ?

— Je voudrais te montrer quelque chose.

Nous suivions un chemin qui longeait des rizières brunes où la récolte venait d'être faite, des bananeraies, des palmeraies et des bosquets de bambous. Nous traversâmes une étroite vallée, franchîmes un ruisseau en équilibre sur des pierres et escaladâmes une colline boisée. Au-dessus de nous, l'arche d'un ciel sans nuages d'un bleu profond. Nous communiquions par le regard sans beaucoup parler. Entre nous se développait un silence que chaque pas rendait plus confortable.

Mes pensées dérivaient vers la nuit précédente. Je ne savais pas exactement quoi penser de ce qui était arrivé, sauf que cela n'avait absolument rien à voir avec une éphémère liaison new-yorkaise. Il y avait quelque chose de différent et je commençais à entre-voir ce dont il s'agissait. Il avait ouvert une porte en moi. Il m'avait prise par la main pour me montrer où se cachait la félicité. Il m'avait soulagée de la peur de mon propre désir.

L'intimité que je ressentais avec lui n'avait pas besoin de mots. Une familiarité impossible à expli-quer. Une âme sœur comme aucun homme avant lui ne l'avait été.

J'avais envie de lui prendre la main, de m'arrêter où nous étions, de le toucher, de l'embrasser mais je n'osais pas.

Juste avant le sommet de la colline, nous arrivâmes devant un *stupa* qui m'avait attiré l'œil, même de loin. Il avait été bâti au centre d'une zone où les arbres avaient été coupés, si bien qu'on avait une vue déga-gée sur la vallée en dessous. Il y avait plusieurs petits temples et des autels sur lesquels on avait déposé des offrandes de riz, de fleurs et de fruits. Des disciples avaient disposé des dizaines de statues de Bouddha dans les renfoncements des murs.

Le toit de la pagode était doré. Quelques clochettes tintaient dans le vent. La façade côté vallée était peinte en blanc mais l'arrière, en pierre nue, était fendue par une lézarde impressionnante. La végétation jaillissait des fissures. Par endroits, la pierre disparaissait des-sous et tout l'arrière de la bâtisse penchait de façon si radicale qu'elle aurait dû s'effondrer bien des années auparavant.

À la regarder de côté, on voyait bien que c'était un endroit où les lois de la gravitation avaient cessé d'être en vigueur.

— On dirait bien que c'est sur le point de s'écrouler, fis-je remarquer en examinant les lieux d'un air sceptique.

— Ça donne effectivement cette impression, répondit Thar Thar. La légende veut que ce *stupa* ait été détruit par des tremblements de terre bien des fois au cours des siècles et qu'il ait toujours été reconstruit. Il y a plusieurs dizaines d'années, un nouveau tremblement de terre l'a laissé dans l'état où tu le vois aujourd'hui. Depuis lors, les gens sont persuadés qu'il est prêt à s'écrouler mais apparemment une force existe qui empêche tout effondrement. Voilà la raison d'être de tous ces autels. Les gens viennent ici et laissent une offrande dans l'espoir que cette force, cette énergie, les protégera eux aussi.

De son sac, il sortit un Thermos, un sachet de café instantané et un paquet de crackers. Il versa de l'eau chaude dans le bouchon et prit un biscuit qu'il déposa devant un des autels. Puis il joignit les mains à la hauteur de la poitrine, ferma les yeux et s'inclina.

— Pourquoi pries-tu ? demandai-je.

— Je ne prie pour rien. Nous avions simplement une brève conversation.

— Avec qui ?

— Avec l'esprit du *stupa*.

— À quel propos ?

— À propos de la fragilité de la joie. À quel point il est impossible de la conserver. Et des crackers. Il adore les crackers.

— Où les as-tu trouvés ?

— Je suis allé à Hsipaw de bonne heure ce matin, dit-il d'une manière qui laissait entendre que cela n'avait pas été une partie de plaisir.

390

Nous nous installâmes à l'ombre du *stupa*. C'était tranquille. On n'entendait que le bruissement des feuilles.

— Parle-moi de toi, demanda-t-il.

— Encore ? De ce combat primordial contre la contrefaçon de brevet ?

Thar Thar ignora cette autodérision. En souriant, il dit :

— Tout ce qui te paraît être important pour toi…

Je réfléchis en buvant une gorgée de café. Tout en contemplant la vallée, je commençai mon histoire : celle d'une jeune femme qui s'était lancée dans une quête.

Qui pensait qu'elle était peut-être devenue folle. Même si la folie n'existait pas dans sa famille. En tout cas pas de cette sorte-là.

Qui avait oublié à quel point l'amour est fragile. À quel point il est précieux. À quel point il a besoin de lumière. De confiance. À quel point il devient sombre quand la fourberie étend ses ailes dessus.

Qui avait oublié comment l'amour s'épanouit. L'attention que cela exige.

Qui avait ces derniers jours redécouvert ces choses-là et qui en était éperdue de reconnaissance.

Thar Thar écoutait attentivement. Parfois, j'aurais aimé qu'il me prenne dans ses bras ou, au moins, qu'il me touche la main, mais il ne bougeait pas.

Lorsque j'eus terminé, je le regardai. Pleine de doute et le cœur battant la chamade.

Je me levai et je pris sa tête entre mes mains.

— Thar Thar.

Tout mon corps frémit devant l'expression de son visage.

— Je…

Il posa un doigt sur mes lèvres, se leva et m'embrassa comme nul ne m'avait jamais embrassée jusque-là. Pourquoi avais-je dû attendre trente-huit ans pour me perdre ainsi dans un baiser ?

— Parle-moi de l'accordeur de cœurs que tu as rencontré.

— C'était il y a longtemps, répondit-il d'un ton hésitant en se rasseyant. Pourquoi me poses-tu cette question ?

— Parce que je veux en savoir davantage sur toi.

— Encore davantage ? Tu en sais déjà tellement. Plus que moi.

— Mais je ne sais pas le plus important. Quel est ton secret ?

Je m'accroupis à côté de lui.

— Qu'est-ce qui t'amène à penser que j'ai un secret ?

— Pourquoi n'as-tu pas l'esprit perturbé ?

— Je l'ai eu. Pendant presque toute ma vie.

— Je sais et maintenant, tu ne l'as plus. Pourquoi ? Qui t'a appris à pardonner ? Le père Angelo ?

Il secoua la tête sans dire un mot.

— Ko Bo Bo ?

Il baissa les yeux. L'ombre d'un assentiment.

Ko Bo Bo et lui avaient-ils été amants ? D'après Maung Tun, ils avaient partagé un secret. J'étais trop surprise pour insister. Et pas seulement par ce rebondissement imprévu. Je sentais la jalousie monter en moi, répandant en vitesse ses ténèbres profondes.

— Que t'a raconté précisément Maung Tun à son propos ? s'enquit soudain Thar Thar.

— Pas grand-chose. Qu'il était le plus jeune des porteurs. Petit et frêle mais très courageux. (De la façon la plus décontractée possible, j'ajoutai :) Que vous étiez tous deux bons amis.

Thar Thar déglutit à plusieurs reprises.

— C'est tout ?

— À peu près.

— Il ne faisait aucune supposition sur nous deux ?

— Eh bien, il a dit que vous vous aimiez beaucoup, répondis-je d'un ton évasif.

— C'est tout ?

— C'est tout.

Thar Thar hocha la tête comme s'il ne s'attendait pas à autre chose.

— Ko Bo Bo avait un secret.

M'obligeant au silence, j'attendis la suite.

— Heureusement, j'étais dans la cour quand le camion l'a amené. Nous venions juste d'enterrer à la hâte trois cadavres de la Baraque de la mort et nous revenions vers nos baraquements. La plupart des nouveaux porteurs attendaient déjà en cercle autour du camion. Ils étaient très nerveux. Ko Bo Bo s'était recroquevillé dans le coin le plus reculé du plateau et refusait d'en descendre. C'est seulement quand les soldats lui ont balancé des coups de pied qu'il s'est levé pour descendre lentement du camion, tenant dans ses mains un petit balluchon. J'ai vu immédiatement qu'il était différent des autres. Sa façon de se déplacer. Sa façon de regarder les soldats. Dans ses yeux, on lisait la même terreur atroce qui était notre lot commun, mais là, il y avait quelque chose en plus. J'ai pris ça pour de l'orgueil, ou un mépris gratuit et il m'a fallu très longtemps pour comprendre de quoi il s'agissait vraiment.

« Il a passé les premiers jours tassé dans le coin le plus sombre de notre baraquement, refusant de manger ou même de prononcer un mot. Sans arrêt, un de nous venait s'asseoir à côté de lui pour essayer de lui parler, mais il n'ouvrait pas la bouche. J'avais peur qu'il n'ait décidé de se laisser mourir d'inanition et, un soir, alors qu'il dormait déjà, je l'ai pris pour l'emmener dormir à côté de moi. Il était tellement léger. À un moment, il m'a saisi la main et il n'a plus voulu la lâcher. Il était réveillé et il voulait savoir combien de temps d'après moi il fallait pour qu'une personne meure. Une seconde ? Une heure ? Un jour ? Une vie entière ? Je n'ai pas compris sa question et nous nous sommes lancés dans une longue conversation. Sa voix me plaisait, surtout quand il chuchotait. Elle était tellement douce et mélodieuse, presque comme s'il chantait.

« Ko Bo Bo n'était pas aussi brut de décoffrage que nous autres et, très vite, notre amitié s'est développée. Au début, je me sentais obligé de le protéger, petit et frêle comme il l'était. Mais notre première mission ensemble a été tellement abominable et lui tellement courageux. Il a sauvé la vie d'un nourrisson. Maung Tun t'a-t-il raconté cela ?

— Oui.

— À partir de ce moment-là, il était évident pour moi qu'il n'avait nul besoin que je veille sur lui. En tout cas, ni plus ni moins que sur n'importe qui d'autre. On aurait tous eu grand besoin de disposer d'un protecteur. Contre les soldats. Contre les rebelles. Contre nous-mêmes. Mais c'est quelque chose de différent ; ce n'est pas de ça qu'il s'agit en l'occurrence. Ko Bo Bo pouvait tout à fait prendre soin de lui-même. Et des autres.

« De ma vie, je n'avais jamais rencontré pareille âme sœur. Depuis, j'ai eu tout le temps nécessaire pour réfléchir au pourquoi de cette constatation. Dès qu'il était dans les parages, je me sentais bien. Une drôle de chose à dire quand on considère nos conditions de vie, mais c'était comme ça. Il savait m'apaiser sans avoir besoin de beaucoup de mots. Il me rendait joyeux sans la moindre cause. La joie injustifiée, c'est la plus belle et la plus difficile. Il me donnait le courage de vivre. Sa présence, un regard, un sourire suffisaient, et je savais que je n'étais plus seul. C'était aussi simple, c'était aussi compliqué. C'est compréhensible ?

— Oui, répondis-je à nouveau, même si je n'étais pas vraiment sûre que ce le fût.

Je ne voulais pas l'interrompre avec des questions.

— C'était le plus beau cadeau qu'on puisse me faire. Ne plus être seul dans un endroit où chacun de nous ne pensait qu'à sa survie personnelle. Où chacun d'entre nous aurait battu l'autre à mort s'il avait pensé récupérer ainsi un jour supplémentaire. La solitude, c'est le châtiment le plus grave. Nous ne sommes pas construits pour y faire face. J'ai vu mourir beaucoup de porteurs et bien des soldats. Ceux qui avaient encore la force de dire quelque chose avant de mourir invariablement criaient le nom d'autres gens. Pas celui de leurs ennemis mais celui des gens qui les aimaient. Ils appelaient leur mère. Leur père. Leur épouse. Leurs enfants. Personne ne veut être seul. Mais Ko Bo Bo m'avait appris autre chose. Quelque chose d'encore plus important.

Thar Thar se tut. Je le regardai, attendant la suite.

— Ce que signifie le fait d'aimer.

— Étiez-vous…

Je n'osai achever ma phrase.

— Ça aussi.

Il s'interrompit et prit une profonde inspiration.

— Mais ce n'est pas cela que je veux dire. Ko Bo Bo aimait en outre quelqu'un d'autre. Son frère. Elle aimait son frère.

Je ne comprenais plus de quoi il parlait.

— Son frère était dans le camp, lui aussi ?

— Elle aimait son frère, répéta-t-il.

— Pourquoi *elle* aimait ? Thar Thar, je ne comprends pas un mot de ce que tu racontes. Aide-moi.

— Ko Bo Bo n'existait pas. C'était une invention. Ko Bo Bo s'appelait en réalité Maw Maw et c'était une fille. Une jeune femme.

J'en eus le souffle coupé.

— Comment… comment sais-tu… je veux dire…

Il me fallut un petit moment pour parvenir à prononcer une phrase entière. Que faisait donc une femme dans le camp ? Comment avait-elle atterri là ? Pourquoi Maung Tun n'en avait-il rien dit ?

Thar Thar garda le silence. Il regardait fixement le *stupa*, les larmes ruisselaient sur ses joues mais il demeurait impassible.

— Je soupçonnais depuis longtemps qu'il me cachait quelque chose, chuchota-t-il sans me regarder. Un jour, nous étions ensemble en train de faire la lessive à la rivière. Il a glissé et il est tombé dans l'eau.

Ko Bo Bo n'était pas un bon nageur. J'ai sauté derrière lui et je l'ai sorti de l'eau. Pendant quelques secondes, nous sommes restés face à face, dégoulinants, sans dire un mot. Il… elle avait les vêtements collés au corps… elle aurait pu aussi bien être nue devant moi…

Le silence s'installa et je tentai de mettre de l'ordre dans mes pensées. Thar Thar continuait à fixer le mur qui menaçait de s'effondrer.

— J'ignorais totalement que les militaires utilisaient également des jeunes femmes comme porteurs, dis-je.

— Ils ne le font pas.

— Alors, comment Ko Bo Bo… ? demandai-je doucement.

— Maw Maw.

— … Comment Maw Maw s'est-elle retrouvée au camp ?

— Elle s'est déguisée en garçon.

Je lui pris la main.

— Qui aurait pu la pousser à faire une chose pareille ?

— Personne.

— Elle l'a fait de son plein gré ?

— Oui.

Plus j'en savais, moins je comprenais. Quelle bonne raison pouvait-on avoir pour aller de son plein gré en enfer ? Pourquoi avait-elle voulu payer un prix pareil ? Pour quelle raison ?

— Thar Thar ?

Il ne me regardait toujours pas.

— Pourquoi a-t-elle fait ça ?

Il ignora ma question.

— Pourquoi s'est-elle déguisée en garçon ? insistai-je.

Thar Thar releva la tête et me regarda droit dans les yeux.

— Par amour. Et parce qu'elle comprenait ce que signifie l'amour.

— Pour qui avait-elle tant d'amour ? Pour quoi a-t-elle fait cela ?

— Pour son frère.

— Son frère ? répétai-je sans y croire.

Comment une jeune femme pouvait-elle consentir pareil sacrifice pour son frère ?

— Elle avait un frère jumeau. Il était né dix minutes plus tard que sa grande sœur. Ces deux-là étaient apparemment inséparables. Depuis leur naissance. Leur mère leur racontait que, bébés, ils se mettaient à pleurer dès que l'autre n'était plus là et qu'ils continuaient tant qu'ils n'étaient pas à nouveau côte à côte. Si l'un des deux se retrouvait avec de la fièvre, l'autre tombait très vite malade. Ils ont percé leur première dent le même jour. La deuxième aussi. Maw Maw a marché la première. Son frère a fait ses premiers pas en lui tenant la main jusqu'à ce qu'ils tombent tous les deux. Enfants, ils ne s'éloignaient jamais l'un de l'autre. Leurs parents avaient souvent l'impression qu'une seule âme avait été divisée en deux corps. Ils vivaient dans leur propre monde, où chacun suffisait à l'autre. Lorsqu'un des deux se faisait mal, il ne cherchait pas à être consolé par sa mère ou son père, mais par l'autre. Au village, personne n'avait jamais rien vu de pareil. Tout le monde les surnommait les petites bernacles, parce qu'ils étaient toujours accrochés l'un à l'autre.

«Lorsque les soldats sont arrivés, ils sont passés dans toutes les maisons pour prendre les jeunes gens ; les parents et le frère de Maw Maw travaillaient dans un champ éloigné. Ils ne devaient rentrer qu'à la nuit tombée. Maw Maw a entendu les voix des soldats de très loin et elle en était malade de peur. Comme tout le monde, elle savait ce qui allait se passer, aucun de ceux qui partiraient ne reviendrait vivant. Elle m'a raconté qu'elle a cru que son cœur allait s'arrêter de battre tant elle avait peur pour son frère. En voyant ses vêtements accrochés au mur, elle a eu une idée. Elle les a enfilés vite fait et elle s'est fait passer pour lui. À partir de ce moment-là, disait-elle, elle était devenue très calme. Aucun des soldats n'a rien remarqué de particulier. Elle était prête à mourir à sa place. Peux-tu comprendre une chose pareille ?

— Non.

La réponse m'avait échappé. Avais-je jamais aimé quiconque avec assez de force pour accepter d'être torturée à sa place ? Pour accepter de me sacrifier pour lui ?

— Moi non plus, je ne parvenais pas à comprendre. Du moins pas tout de suite. Mais qu'est-ce que je savais de l'amour ? Rien, Julia, rien du tout.

«Maw Maw m'a appris qu'une personne est capable de tout. Pas seulement des pires méchancetés. Chacun de ses sacrifices était un petit triomphe sur le mal, si tu vois ce que je veux dire. Pour moi, c'était aussi précieux qu'un verre d'eau pour quelqu'un qui meurt de soif. Maung Tun t'a-t-il raconté à quoi ressemblait la vie dans le camp ?

— Oui.

— C'était épouvantable. Plusieurs d'entre nous sont devenus fous de terreur. Certains porteurs s'arrachaient les cheveux, pleuraient sans interruption ou se cognaient la tête contre les murs jusqu'à ce que les soldats viennent leur tirer une balle dans le corps. Pour eux, c'était simplement de l'euthanasie. Comme s'il s'agissait de chiens enragés. Il t'a raconté ça aussi ?

— Non.

— À chaque coup de pied, à chaque coup de poing auquel elle résistait sans s'effondrer, Maw Maw nous rappelait qu'il existait une force qu'aucun soldat ne pouvait vaincre.

« Lorsqu'elle avait faim parce que, une fois de plus, on ne nous avait pas donné de riz, elle le supportait pour son frère. Lorsqu'on nous torturait et que Maw Maw devait rester en équilibre sur une jambe en plein soleil jusqu'au moment où elle s'écroulait, c'était pour lui qu'elle souffrait. Et pour nous.

Il s'interrompit un moment.

— Je n'ai jamais rencontré quelqu'un d'aussi courageux, reprit-il. Ses sacrifices me donnaient le courage de vivre. Et, à travers eux, elle a su accorder mon cœur, un peu plus chaque jour, sans que j'en aie conscience. À un certain moment, toute mon amertume avait disparu. Ma rage et mon ressentiment, ma colère et ma haine, tout ça s'était tari. Comme un ruisseau qui n'est plus alimenté par aucune source.

Il se tourna lentement vers moi et m'attira contre lui. Son front et son crâne rasé étaient pleins de petites gouttes de sueur. Ce ne fut qu'à ce moment-là que je m'aperçus qu'il tremblait et je l'entourai de mes bras. Nous restâmes longtemps assis là sans rien dire, côte à côte, serrés l'un contre l'autre, comme si nous cherchions un abri.

Le soleil était déjà bas dans le ciel lorsqu'il se leva, repoussa les mèches de cheveux qui me barraient le visage et commença à m'embrasser. Sur le front, sur les yeux, sur les lèvres. Il me souleva de terre, j'entourai ses hanches de mes jambes et il m'emporta à l'arrière du *stupa*.

Et une fois encore je le sentis en moi avec une intensité que je n'avais jamais ressentie avant lui.

J'entendais sa respiration haletante. Je me perdais dans son odeur encore si peu familière, si exaltante.

Au milieu des fleurs et des fruits qui racontaient leurs histoires en silence.

Derrière une pagode qui refusait de se soumettre aux lois de la gravitation.

Au milieu de temples et d'autels hantés par l'espoir.

Comme s'il existait quelque chose capable de nous protéger, nous et notre bonheur. Que ce soient des esprits. Ou des étoiles.

8

Le lendemain matin, Moe Moe me réveilla à nouveau. Un bref et merveilleux instant, j'imaginai que j'étais encore dans les bras de Thar Thar. Sa main chaude posée sur mon ventre.

Moe Moe s'agenouilla à côté de moi et je compris aussitôt qu'il s'était passé quelque chose. Elle souriait mais ce n'était pas le sourire de quelqu'un de joyeux. Elle posa le thé par terre et baissa les yeux au moment où nos regards se croisèrent. Sur la tasse il y avait un papier qui avait été plié et replié à maintes reprises.

— Pour toi, dit-elle en me le tendant.

— Une lettre ? Pour moi ? Tu en es sûre ?

Ni mon sourire ni mon anglais ne provoquèrent la moindre réaction. Elle se contenta de hocher la tête puis elle se leva et sortit en toute hâte. Pourquoi était-elle si pressée ? Avait-elle remarqué que Thar Thar et moi, nous avions encore quitté la maison pendant la nuit ? Quel genre de bonheur j'avais découvert dans l'appentis ?

Le cœur battant, je dépliai la feuille de papier. À l'intérieur, je découvris tout un éparpillement de fleurs de jasmin sèches.

Julia chérie,

Jamais de ma vie je n'ai écrit une lettre aussi difficile que celle-là.

Jamais de ma vie je n'ai tenu le stylo d'une main aussi tremblante.

Jamais de ma vie les mots n'ont été aussi douloureux que ceux que je dois maintenant coucher sur le papier.

Je fus submergée par le pressentiment de ce qui allait suivre.

À ta montre, je vois qu'il est à peine plus de 3 heures et demie. Tout le monde dort, même ton frère ronfle tranquillement, régulièrement, sans tousser du tout !

Mon cœur, en revanche, bat bien trop violemment. Je tremble de tout mon corps. Dormir est totalement hors de question.

Alors, je suis venu m'asseoir à côté de toi et j'ai allumé une bougie. Tu es couchée près de moi et je ne parviens pas à détacher mes yeux de toi. Je te sens encore sur moi. Tes mains, tes lèvres. Mais que m'as-tu donc fait ? Quel est donc cet endroit dans lequel tu m'as emmené ? Un monde que je n'aurais jamais pu imaginer trouver en moi. Dans lequel je serais volontiers resté éternellement, même si je soupçonne qu'il ne peut pas durer plus de quelques précieuses secondes d'affilée. Jusque-là, j'ignorais que j'avais cette force en moi. J'ignorais qu'il existait un endroit où la peur n'a plus de prise.

Où nous sommes tellement libres.

Tu es si incroyablement belle ! Ton frère a raison quand il l'affirme. Le sommeil ne diminue en rien ton attrait. Tu n'imagines pas à quel point je dois me contrôler pour ne pas m'allonger immédiatement à ton côté. Pour ne pas sentir à nouveau ton souffle sur ma peau. Pour ne pas t'embrasser. Pour ne pas te caresser.

Rester assis à côté de toi sans te toucher, cela provoque en moi une douleur physique, tant mon désir est grand. Mon immense envie de retourner avec toi dans cet endroit-là. Tout de suite. Pourtant si je devais continuer à céder à ce besoin, très vite, il me deviendrait impossible de te quitter. Pour cette raison, j'ai pris la décision de partir.

Quand tu auras cette lettre entre les mains, je serai déjà en route. Je partirai avant le lever du soleil.

Je t'en prie, pardonne-moi.

Ces dernières semaines ont été pour moi source d'une grande joie. Une joie qui signifie pour moi bien plus que mes mots ne sauraient le dire. Je n'avais jamais imaginé pouvoir connaître à nouveau un bonheur pareil. Et je n'en suis que plus reconnaissant sachant à quel point c'est un bonheur fragile. Un visiteur qui ne fait que passer dans nos cœurs. Pas un ami solide. Personne sur qui compter. Aucune joie. Nulle part.

Je dois m'en aller parce que j'ai peur que mon cœur ne s'enfonce toujours plus avant dans le décalage si nous devions passer davantage de temps ensemble.

Parce que je ne sais pas qui pourrait l'accorder à nouveau le jour où tu retourneras dans ton monde.

Si j'étais quelqu'un d'autre, je serais peut-être capable de supporter pareil bouleversement mais j'ai vécu trop longtemps avec un cœur désaccordé. Je n'ai aucune envie de recommencer. Je ne pourrais plus l'endurer, même pour une seule journée.

Même pour une seule.

Une personne, une fois qu'elle a été abandonnée, porte éternellement ce deuil.

Une personne jamais aimée ressent une soif d'amour inextinguible.

Et une personne qui a connu l'amour et qui l'a perdu ressent non seulement cet amour mais également la peur de le perdre à nouveau.

Je porte en moi un peu de tous ces éléments.

Ensemble, ils forment comme un poison qui se fraie lentement la voie à travers mon corps. Pénétrant jusqu'aux plus lointains recoins de mon âme. S'emparant de tous mes sens. Sans les tuer, mais en les paralysant.

Sans les tuer, mais en me rendant infiniment méfiant.

Favorisant la jalousie. Le ressentiment.

Jusqu'à quel point une personne peut-elle endurer la perte ?

La douleur ?

La solitude ?

Tu n'es pas venue seule. Tu as amené ton frère avec toi, et un jeune garçon. Tu as tenté de le dissimuler mais je l'ai reconnu d'emblée.

Un garçon qui n'aurait jamais existé si sa mère avait pu accomplir ses désirs.

L'âme d'un enfant n'ignore rien.

Plus solitaire que quiconque devrait l'être. Sur ses mains le sang des poules qui étaient tellement plus que des poules. Des années passeront avant qu'il ne puisse à nouveau les regarder sans se sentir dégoûté. Ses propres mains !

L'âme d'un enfant n'oublie rien.

Mais elle grandit et elle apprend. Elle apprend à ne plus faire confiance. Elle apprend la haine. Elle apprend à se défendre. Ou à aimer et à pardonner. Tu avais avec toi un jeune garçon que je ne m'attendais pas à revoir.

Lorsque tu partiras, il restera avec moi et je m'occuperai de lui. Je le consolerai quand il sera triste. Je le protégerai quand il aura peur. Je serai là pour lui quand il se sentira seul.

Tu m'as dit que mon père rêvait d'une vie sans attaches. Il n'a pas réussi. Et je ne réussirai pas non plus. En ce sens, je suis un bouddhiste raté. Qu'il en soit ainsi.

Tu m'as montré qu'une partie de mon âme vit toujours en captivité et qu'il en sera toujours ainsi.

Peut-être le moment est-il venu pour moi de m'avouer que je ne suis pas aussi libre que je le pensais.

Pardonne-moi pour cette erreur. Pardonne-moi pour cette lettre, si ma façon d'agir te fait du chagrin. Te faire du mal, voilà qui est à l'opposé de mes intentions. Pourtant, je dois partir. Je ne vois aucune autre issue.

Je te remercie pour tout.

Fais bien attention à toi.

Thar Thar

Cette lettre me prit complètement au dépourvu. Je la lus une deuxième fois, puis je me mordis la lèvre en me détournant. Quel lâche ! Ce fut la première pensée qui me traversa l'esprit. Quel misérable lâche ! Comment avait-il pu me planter là avec cette lettre ? Sans même me donner l'occasion de lui répondre ? Sans même se poser la moindre question sur ce que je ressentais, moi ? S'il existait peut-être une autre solution que rompre aussi brutalement le fil de l'histoire ? J'étais trop blessée pour exprimer clairement ma pensée. Qu'est-ce qu'il voulait dire en parlant de la captivité dans laquelle il vivait toujours ? Qu'est-ce donc qui l'enfermait ? Son amour pour Ko Bo Bo ? Pourquoi ne m'en avait-il pas parlé tout de suite ? Essayait-il simplement de me mettre dans son lit ?

Pardonne-moi pour cette erreur. Pardonne-moi pour cette lettre, si ma façon d'agir te fait du chagrin. Mais qu'est-ce qu'il croyait, au juste ? Que ça m'amusait ? La colère me donnait envie de hurler. Où était-il ? Moe Moe savait-elle où il se cachait ? Me le révélerait-elle ? Y avait-il la moindre chance de le retrouver une nouvelle fois ? En avais-je même envie ?

Mon frère s'était réveillé et il se redressa. Il but une gorgée d'eau en me regardant par-dessus le bord de la tasse.

Je me mis soudain à pleurer.

— Savais-tu ce qu'il prévoyait de faire ? demandai-je, surprise de la brusquerie de mon ton.

— Qui ?

— Thar Thar, évidemment. Qui d'autre ? aboyai-je.

U Ba secoua lentement la tête sans me quitter des yeux.

— Tu t'en doutais ? Sois franc.

— Non. Il ne m'a rien dit. Qu'est-ce qui lui arrive ?

Je haussai les épaules, dépassée par la situation et je lui lançai la lettre.

Il la lut avec attention en hochant régulièrement la tête comme s'il ne parvenait pas à croire à ce qu'il lisait. Lorsqu'il eut terminé, il replia la feuille de papier et me la rendit.

— On s'en va, annonçai-je brutalement.

— Quand ?

— Aujourd'hui. Maintenant.

— Ne voudrais-tu pas…

— Non. Tu l'as dit toi-même, plus on restera longtemps, plus ce sera dur de partir.

Il acquiesça.

— Donc, nous nous en allons le plus vite possible.

Je me levai, enfilai mon jean et ma veste avant de fourrer en hâte mes quelques vêtements dans mon sac à dos. La lettre de Thar Thar n'aurait pu être plus claire : il souhaitait ne jamais me revoir. Il ne supportait pas ma présence. Il ne reviendrait au monastère que lorsque nous l'aurions quitté. Plus vite nous partirions, mieux ce serait. Je repliai les couvertures en hâte, je roulai les nattes et les sacs de couchage. Lorsque mon frère voulut m'aider, je le repoussai d'un geste de la main.

Moe Moe, assise dans la cuisine, attisait les braises du feu avec un bâton. Elle leva la tête, effrayée, quand j'entrai.

— Toi ? Partir ?

— Oui, nous partons.

— Partir ? répéta-t-elle.

— On s'en va. Oui, on s'en va ! répondis-je avec sévérité.

Ses yeux. Ils se fixèrent sur moi, exprimant un tel chagrin que j'en fus gênée.

— Je suis vraiment désolée, expliquai-je un peu plus calmement. Je… Nous…

Comment pouvais-je lui expliquer, dans une langue qu'elle comprenait à peine, quelque chose que moi-même je ne parvenais pas à mettre en mots ?

— Je dois partir ! dis-je, articulant chaque mot avec soin. Tu comprends ?

Une ombre d'acquiescement.

— Pourquoi ?

Mon frère nous rejoignit et je lui demandai de bien vouloir lui dire que mes vacances se terminaient, que je devais retourner travailler, que j'avais vraiment adoré mon séjour, que son thé du matin allait me manquer et que, à coup sûr, je reviendrais. Pendant qu'U Ba lui parlait, les yeux de Moe Moe passaient de lui à moi. Soudain, elle l'interrompit en lui posant une question. Il répondit quelque chose. Elle répéta avec insistance la question déjà posée.

— Moe Moe voudrait savoir quand tu reviendras, dit-il en se tournant vers moi.

— Quand ? dis-je en riant d'un air embarrassé. Oh… bientôt. Très bientôt.

U Ba traduisit et je vis dans ses yeux que cette réponse ne la satisfaisait nullement.

— Reste, dit-elle soudain d'une voix pleine de gravité.

C'était presque un ordre. Où avait-elle appris ce mot ? Pas de moi.

— C'est impossible. J'aimerais beaucoup, vraiment… mais le travail… le bureau… m'attend…

Ma phrase demeura en suspens. Lui servir pareil baratin me laissait un trop mauvais goût dans la bouche.

Nous restâmes un long moment côte à côte sans rien dire.

Elle chuchota quelque chose et U Ba hésita avant de se résoudre à traduire.

— Elle demande si tu aimerais laisser un message à Thar Thar.

Nous échangeâmes un regard et je compris qu'elle en savait bien plus que je ne l'avais soupçonné.

Je déglutis. Je réfléchis.

— Non.

— Non ?

L'incrédulité dans sa voix.

— Non ? répéta-t-elle lentement et sur un ton qui me fit prendre conscience que ce n'était pas la vérité vraie.

Elle avait compris bien plus de choses que moi.

— Non, répétai-je faiblement.

— Oui, chuchota Moe Moe. S'il te plaît.

Je baissai les yeux.

— Que je pense à lui. Qu'il va me manquer.

U Ba traduisit. Elle sourit.

Je mis mon sac sur mon dos et Moe Moe nous escorta jusqu'à la porte. Nos adieux se firent par regards interposés et nous descendîmes les marches. Dans la cour, les poules couraient partout, plus

410

excitées qu'à l'accoutumée. Je me retournai. Elle était en haut de l'escalier et elle nous faisait signe de la main. Je la saluai à mon tour, je fis quelques pas puis je me retournai à nouveau. Elle continuait à nous faire signe. Et elle continuait toujours quand nous tournâmes sur la route et que je la perdis de vue derrière les buissons.

9

Il y a des souvenirs auxquels on ne peut pas échapper. On les emporte avec soi où qu'on aille, aussi loin qu'on aille, que ça nous plaise ou non. Ils nous poursuivent ou nous escortent dans les bons moments et dans les mauvais. Nous sentons leurs odeurs. Nous entendons leurs bruits. Ils sont source de plaisir ou de crainte. Jour et nuit.

Mes souvenirs du monastère étaient si intenses et m'emplissaient d'une telle nostalgie que c'était à peine supportable. Le sourire de Moe Moe le matin me manquait. Sa joie sans limite. La fierté dans les yeux de Ko Lwin chaque fois qu'un nouveau mot anglais se révélait à lui. La patience avec laquelle, à tour de rôle, ils nourrissaient la tremblante Toe Toe.

Pas plus que je ne pouvais oublier Maw Maw, penser à elle suffisait à me faire monter les larmes aux yeux. Ma jalousie initiale avait laissé place à la reconnaissance. Et à l'admiration. Elle avait sauvé non seulement son frère mais également Thar Thar. Si elle n'avait pas été là, un jour ou l'autre, il aurait été rattrapé par son désir de mort. Il aurait trébuché sur une mine. Ou il se serait fait tuer par les rebelles. Ou un soldat.

Maw Maw avait apaisé son âme tourmentée, avait fait de lui un être aimant et aimable. Le récit de Maung Tun se rejouait dans ma tête. Je voyais Thar Thar emporté par les flots déchaînés, tenant dans ses bras le corps sans vie de Maw Maw. S'était-elle noyée ou avait-elle succombé à une blessure par balle ? Où pouvait-elle être enterrée ? Je me demandais quel genre de personne elle avait dû être. Où avait-elle trouvé ce courage, cette force ? À la fin du récit de Thar Thar, j'avais commencé à comprendre comment à travers son exemple et l'amour qu'elle donnait, il avait réussi à accorder son cœur.

Mais il y avait encore tant de questions en suspens. Je n'avais pas osé en poser une seule à Thar Thar.

Il ne quittait jamais mes pensées. Je ne parvenais pas à comprendre ce qui s'était passé entre nous. Il m'avait touchée comme aucun homme avant lui. Nous étions restés dix jours ensemble, dix jours et deux nuits, des demi-nuits. Ce qui m'était arrivé au cours de ces quelques heures était totalement disproportionné par rapport à la brièveté du temps ensemble.

Depuis mon enfance, je n'avais plus jamais ressenti la séparation de façon aussi physique. Je n'avais pas d'appétit, je mangeais à peine, je dormais d'un sommeil agité et je me réveillais le dos en compote. J'avais le souffle court, en permanence un poids sur la poitrine. Je demeurais assise des heures durant, épuisée, dans le fauteuil d'U Ba pendant qu'il restaurait des livres. Sans arrêt, je revenais à la lettre de Thar Thar.

Jamais de ma vie je n'ai écrit une lettre aussi diffi-
cile que celle-là…

Jamais de ma vie les mots n'ont été aussi douloureux
que ceux que je dois maintenant coucher sur le papier.

À chaque nouvelle lecture, mon indignation, ma déception diminuaient. Avec quelques jours de recul, j'étais plus à même de comprendre pourquoi il était parti aussi brutalement.

J'ignorais qu'il existait un endroit où la peur n'a
plus de prise.

Où nous sommes tellement libres.

Moi aussi je l'ignorais, avais-je toujours envie d'intervenir à cet endroit-là. Moi aussi.

J'avais rejeté l'idée de lui écrire à mon tour puis je l'avais à nouveau envisagée avant de la rejeter pour de bon. Qu'aurais-je bien pu écrire ? Que j'étais malade de désir ? Que j'allais déménager à Hsipaw ?

La façon dont mon frère s'occupait de moi était touchante. Il était convaincu que je me languissais d'amour. D'après lui, j'avais succombé à un virus dont nous sommes tous porteurs, quoique mon cas fût spécialement grave. Un virus pour lequel il n'existait aucun traitement médical. Le corps et l'âme guériraient d'eux-mêmes. Ou pas, eu égard à la gravité du cas.

Une diversion pourrait alléger les symptômes mais seulement pour un temps limité. Dans ce but, nous fîmes des randonnées jusqu'à des villages de montagne proches ; une excursion au lac Inle, où nous visitâmes des jardins et des marchés flottants ainsi qu'un monastère où nous admirâmes des chats acrobates; nous passâmes du temps dans notre maison de thé. Non que cela m'aidât à me sentir mieux ou à me changer les idées. En dépit de tous nos efforts, le souvenir du monastère continuait à me hanter.

Un après-midi, U Ba m'emmena faire une longue promenade. Après avoir traversé toute la ville de Kalaw, nous escaladâmes une colline. La route était pavée par endroits mais elle devint rapidement sableuse avant de se transformer en sentier inégal. J'avais l'impression de reconnaître ce chemin. Au milieu des buissons et des herbes sèches, je découvris les premières tombes. Des plaques de béton gris dans la poussière, dépourvues de tout ornement ou inscription, envahies par la végétation. Il n'y avait aucune fleur fraîche, aucune tombe n'était entretenue.

Là, par un jour sans vent, les corps de Mi Mi et de Tin Win avaient été incinérés. Deux colonnes de fumée, ainsi que me l'avait raconté mon frère, étaient montées droit dans le ciel où, brusquement, elles s'étaient rapprochées, pour n'en plus former qu'une seule.

Toutes les vérités ne sont pas explicables. Tout ce qui est explicable n'est pas vérité.

Je me demandai pourquoi il m'avait ramenée dans ce cimetière.

— Que cherches-tu à me dire?

Ma question me parut plus agressive que je ne l'aurais souhaité.

— Je ne cherche pas à te dire quoi que ce soit, répliqua-t-il. Je t'amène simplement à l'endroit où notre père… (Il s'interrompit brusquement puis continua.) J'ai simplement pensé que tu aimerais revenir ici, que cela pourrait… (Il chercha le mot approprié.)… pourrait t'aider.

J'acquiesçai d'un signe de tête.

— Pardonne-moi, U Ba. Je suis tellement à cran… Je ne sais pas moi-même ce qui cloche chez moi…

Il s'assit par terre, me saisit la main et me fit m'asseoir à côté de lui. Nous restâmes un long moment sans rien dire. Mon regard vagabondait sur le paysage vallonné avec ses rizières, ses forêts, ses bosquets de bambous et ses pagodes blanches.

— Dis-moi ce que je dois faire.

— Qui suis-je pour te donner des conseils ?

— Tu es mon frère. En plus, c'est moi qui te le demande.

Il me dévisagea avec intensité. Il avait quelque chose sur le cœur. L'expression de son visage le trahissait, sa façon de remonter les épaules en baissant la tête.

— Peut-être, commença-t-il en traînant sur les mots, l'heure du retour a sonné.

— Le retour où ? demandai-je, sidérée.

— Dans ton monde.

— Ce n'est pas mon monde, ici ?

Je ne fis aucun effort pour masquer mon irritation. Je me sentais offensée par la distance implicite de sa formulation.

— Mais si, reconnut-il.

— Es-tu en train d'essayer de te débarrasser de moi ? demandai-je en plaisantant.

U Ba poussa un profond soupir.

— Julia, en ce qui me concerne, tu peux rester ici éternellement. Simplement, je crains que tu ne trouves jamais ce que tu cherches.

— Et qu'est-ce que je cherche ?

— La clarté.

— À quel propos ?

— À propos de toi.

— Et tu crois que je la trouverai à New York ?

— Je ne sais pas. Mais peut-être plus vite là-bas qu'ici.

— Qu'est-ce qui te le fait penser ?

— Parfois, il faut chercher loin pour trouver ce qu'on a sous la main.

Je n'étais pas très sûre de comprendre ce qu'il voulait dire.

— Parfois, il faut essayer une chose pour s'apercevoir que c'est autre chose que nous voulons.

— Et alors, il est trop tard...

— Parfois...

Je pris une grande respiration puis me laissai aller en arrière jusqu'à m'allonger à côté de lui.

— Qu'en dirait le Bouddha ?

U Ba se mit à rire.

— Que la vérité d'une personne se trouve dans son âme. Que c'est là que tu trouveras la réponse.

— Et si je ne la trouve pas ?

— Alors, tu n'as pas regardé d'assez près.

Je contemplai le ciel en observant les nuages épars. Peut-être eux, avec leurs formes fluides, sauraient me donner un indice, mais je ne vis rien d'autre que des silhouettes blanches et déformées qui me bloquaient régulièrement le soleil.

— Crois-tu que Thar Thar ait raison en disant qu'« une personne, une fois qu'elle a été abandonnée, porte éternellement ce deuil » ? Et qu'« une personne jamais aimée ressent une soif d'amour inextinguible » ?

— Oui.

— Mais alors, nous sommes tous prisonniers, non ?

U Ba réfléchit longuement avant de répondre.

— Mais non. Quoi que chacun porte en soi, nous sommes responsables de nous-mêmes, de nos actes et de notre destin. Il n'existe aucune captivité dont nous ne puissions nous délivrer nous-mêmes.

— Je ne suis pas d'accord, protestai-je. Certaines ombres portent vraiment trop loin.

— Pour leur échapper ?

— Oui.

Il secoua la tête.

— Il n'est pas indispensable que nous soyons toujours d'accord, répliqua-t-il en souriant avant de s'allonger à côté de moi.

La question que Nu Nu posait à son mari me vint à l'esprit : Crois-tu qu'une personne puisse muer ?

Peut-on se dépouiller d'une partie de soi une fois que quelque chose s'est développé à la place ? Ou, je l'entendais poser la question, sommes-nous figés dans qui nous sommes ?

Que se passe-t-il si nous tentons de nous dépouiller de l'ancien quand il n'y a rien pour le remplacer ?

Je pensai à Amy. Cela m'aurait fait tellement de bien de pouvoir discuter de tout cela avec elle. Nous nous serions assises sur son canapé et, en buvant du vin, en mangeant du fromage, nous aurions analysé chaque détail de la situation, nous aurions soigneusement pesé les pour et les contre et disséqué les moindres nuances jusque tard dans la nuit. Était-il vraiment concevable que je prolonge mon séjour en Birmanie ? Qu'est-ce que je pourrais bien faire ici ? M'établir comme avocate à Rangoun ? Ouvrir une maison de thé à Kalaw ? Vivre dans un monastère à Hsipaw ? Quels étaient les avantages, quels étaient les inconvénients ? Elle me harcèlerait littéralement de questions et j'imagine qu'il ne me faudrait pas longtemps pour découvrir, au fil de notre discussion, à quel point c'était une idée absurde. Et pourtant, j'avais tout autant de difficulté à m'imaginer revenir en Amérique et reprendre mon travail au cabinet comme si rien ne s'était passé.

J'avais déjà commis cette erreur.

Je fis quelques calculs : ma part des recettes sur la vente de la maison de mes parents, si je l'utilisais de façon parcimonieuse, pouvait durer de longues années – en Birmanie, sans doute jusqu'à la fin de mes jours. Que pouvais-je faire d'autre à New York ? Existait-il des alternatives à la vie que je menais ? C'était une question que je n'avais encore jamais abordée de façon sérieuse.

Je me tournai vers mon frère. Il respirait calmement, les yeux clos. J'étais venue ici pour résoudre l'énigme d'une voix à l'intérieur de moi, une voix qui désormais s'était tue. À sa place, j'en entendais une autre, très familière. C'était la mienne, qui me chuchotait en permanence des conseils contradictoires.

Fais tes valises !
Reste !
Fais confiance à ton intuition.
Qu'est-ce que tu fabriques ici ?
Qu'est-ce que tu fabriques à New York ?
Ça ne va pas marcher.

N'aie pas peur.
Écoute-moi !
Non, ne l'écoute pas. Écoute-moi !

Mes pensées tournaient en rond ; je me sentais paralysée. Peut-être U Ba avait-il raison. Peut-être devais-je tenter quelque chose pour m'apercevoir qu'en réalité je désirais autre chose.

Et espérer qu'il n'était pas trop tard.

10

Mon frère insista pour m'accompagner à l'aéro-port. Un de ses amis se débrouilla pour dénicher une voiture et nous emmener à Heho.

U Ba me tint la main pendant tout le trajet. Nous ne disions pas grand-chose. Un regard de temps à autre suffisait. Comme ce silence bienveillant allait me manquer à New York. Cette compréhension qui n'avait pas besoin de mots.

Brusquement, nous fûmes forcés de nous arrêter. Un camion de l'armée se mit en travers, bloquant la route. Sur le plateau du camion, il y avait de jeunes soldats armés qui nous dévisageaient farouchement avec des visages vides. Deux bottes noires et brillantes se dirigèrent vers la voiture. Je voyais dans le rétroviseur l'ami d'U Ba écarquiller de plus en plus les yeux. J'ignorais que la peur avait une odeur. Ça puait. Une répugnante odeur de vomi se répandait. Même mon frère s'agitait dans son siège, mal à l'aise.

Son ami baissa lentement la vitre. Des dents tachées de rouge s'approchèrent de nous, des yeux nous lorgnèrent avec curiosité.

Je pensai à Ko Bo Bo. À Maw Maw. Et plus je pensai à elle, plus je me sentis devenir calme. Il existe une force qui résiste aux bottes noires. Qui ne craint pas les dents rouges. Il existe une force plus puissante que la peur. Qui s'oppose au mal. J'étais convaincue que Thar Thar avait raison : chacun de nous en possédait une partie.

Le soldat et le chauffeur échangèrent quelques mots, riant d'un rire que je ne savais pas déchiffrer. Puis la rue se libéra. Le soldat nous fit signe d'avancer.

Nous montâmes en haut d'une colline et, soudain, l'aéroport se déroula devant nous. J'avais le cœur si lourd que je serrais très fort la main de mon frère.

Ce n'était pas ça que je voulais.

La voiture s'engagea sur une longue avenue – bordée de chênes, de pins, d'eucalyptus et d'acacias – au bout de laquelle se dressaient le terminal et la petite tour de contrôle. Nous avancions au pas. Je renâclais par toutes les fibres de mon être. J'avais la nausée, je frissonnais par cette chaude journée comme s'il faisait un froid de canard.

Nous nous garâmes sur un parking poussiéreux. Un autocar devant nous déversait ses touristes. Aucun de nous ne prononça un mot.

U Ba descendit le premier ; il prit mon sac à dos dans le coffre et le porta de l'autre côté de la rue, jusqu'à une barrière métallique où un agent de police lui ordonna de faire halte d'un ton sévère. J'attendais passivement à côté, comme si rien de tout cela ne me concernait.

— Je ne peux pas aller plus loin, dit mon frère.

— Pourquoi ?

Son regard disait clairement à quel point ma question était bête.

Nous restâmes là, face à face. Je ne savais pas quoi dire. Il saisit mes deux mains et me regarda longtemps, droit dans les yeux.

— À bientôt, dit-il.

— À bientôt, répondis-je. Merci beaucoup pour…

Il posa un doigt sur ses lèvres et je me tus. Il embrassa son doigt puis le posa sur mes lèvres, où il le laissa un bref instant. Puis il fit volte-face et partit.

Attends. Ne t'en va pas. Reste avec moi, avais-je envie de lui crier. Je me sentais aussi abandonnée que la petite Julia devant la fenêtre.

Je pris mon sac à dos et regardai une dernière fois autour de moi. Mon frère était seul sur la place poussiéreuse ; il tenait d'une main le nœud de son longyi et il me faisait signe de l'autre.

Son sourire. Le reverrais-je jamais ? Cette fois, allais-je respecter ma promesse de revenir bientôt ?

Je gravis lentement la rampe et j'entrai dans le bâtiment d'un pas hésitant.

Ce n'était pas ça que je voulais.

Les formalités de douane s'effectuaient dans une petite salle avec trois comptoirs ; on aurait dit qu'un menuisier venait juste de les fourrer là de façon toute provisoire. On pesa mon sac sur une vieille balance rouillée. On remplit à la main ma carte d'embarquement.

L'agent de sécurité me fit signe de passer sous un portique détecteur de métal dont les couinements aigus n'intéressaient personne, pas plus que ma bouteille d'eau à moitié pleine.

Je faisais les cent pas, nerveusement, dans la salle d'embarquement chichement meublée, incapable de rester assise un seul instant.

L'avion attendait déjà sur la piste. Quelques minutes plus tard, on annonça notre vol. J'avais le cœur battant.

Ce n'était pas ça que je voulais.

Aucun départ n'avait jamais été si difficile. Rien ne me poussait à rentrer à New York. Ni le confort de mon appartement, ni la douche chaude le matin, ni le sol chauffé de la salle de bains. Même pas la perspective de discuter de tout cela avec Amy. Il n'y avait rien à analyser, rien à évaluer. Le jeu des pour et des contre n'avait désormais plus aucune valeur pour moi. Chaque mot aurait été un mot de trop. Il ne me restait qu'à prendre une décision. U Ba avait raison : la vérité était en moi. À quel point étais-je libre ? À quel point les ombres portaient-elles loin ? Qu'est-ce qui me retenait captive ?

Je me retournai en cherchant mon frère. Derrière une barrière se tenaient une poignée de badauds curieux parmi lesquels jouaient quelques enfants. Aucune trace d'U Ba.

À côté de l'avion, il y avait un chariot à bagages, rempli de valises, de sacs et de sacs à dos. Deux employés de la compagnie aérienne les chargeaient l'un après l'autre à l'avant de l'avion. Je repérai mon sac à dos tout en bas.

Ce n'était pas ça que je voulais.

Je m'immobilisai sur la piste. Une hôtesse m'appela. Le pas lourd, je fus la dernière passagère à monter les marches de la passerelle. Elle m'accueillit avec un sourire.

Ce n'était pas ça que je voulais.

Elle me demanda ma carte d'embarquement. Je la dévisageai sans rien dire. Elle répéta sa requête.

— Je reste ici, annonçai-je.

Elle continua à sourire. Comme si je n'avais rien dit.

— Je ne monte pas dans l'avion. Je reste ici, répétai-je.

Son regard trahit de l'incertitude.

Je lui souris à mon tour, je me retournai et, lentement, je redescendis les marches, les jambes flageolantes. Je me dirigeai vers le chariot à bagages et, du doigt, montrai mon sac à dos. Le regard d'un des employés, perplexe, passa de moi à l'hôtesse. Elle lui cria quelque chose. Il sortit mon sac de la pile et me le tendit.

Je repartis vers le terminal, parfaitement calme.

Devant le bâtiment, un taxi attendait dans l'ombre d'un acacia. À côté, il y avait la voiture dans laquelle nous étions venus. U Ba s'appuyait contre le coffre ; il attendait. Il tenait à la main une branche de jasmin frais. Il ne bougea pas quand il me vit. Seul son sourire tranquille trahissait sa joie.

Je n'avais aucun plan. Mais un rêve.

REMERCIEMENTS

Je remercie tous mes amis de Birmanie qui, au cours des vingt dernières années, m'ont accompagné dans mes voyages et m'ont expliqué avec patience leur merveilleux pays, en se donnant la peine de répondre à toutes mes questions. Sans parler de leur constante efficacité face aux difficultés qu'il m'est arrivé de rencontrer en écrivant ce livre.

Le docteur Werner Havers, le docteur Christian Jährig et le docteur Joachim Sendker m'ont énormément aidé en ce qui concerne les recherches médicales.

Je remercie ma sœur, Dorothea, et ma mère qui m'ont appris tant de choses sur les cœurs «gros comme ça».

Comme toujours, j'ai une dette toute particulière envers ma femme, Anna. Sans ses critiques avisées, sans sa patience, sans son soutien indéfectible et sans son amour, ce livre n'aurait jamais vu le jour.

PAPIER À BASE DE
FIBRES CERTIFIÉES

Le Livre de Poche s'engage pour
l'environnement en réduisant
l'empreinte carbone de ses livres.
Celle de cet exemplaire est de :
400 g éq. CO_2
Rendez-vous sur
www.livredepoche-durable.fr

Composition réalisée par Datamatics

Imprimé en France par CPI
en avril 2016
N° d'impression : 3016832
Dépôt légal 1re publication : mars 2016
Édition 02 - avril 2016
LIBRAIRIE GÉNÉRALE FRANÇAISE
31, rue de Fleurus - 75278 Paris Cedex 06